En libre équilibre

Catalogage avant publication de Bibliothèque et Archives nationales du Québec et Bibliothèque et Archives Canada

Trudeau, Margaret, 1948-

En libre équilibre

Autobiographie.

Traduction de : Changing my mind.

Comprend un index.

ISBN 978-2-89077-398-1

1. Trudeau, Margaret, 1948- . 2. Maniacodépressifs - Canada - Biographies. 3. Premiers ministres - Conjoints - Canada - Biographies. I. Titre.

RC516.T7814 2010   616.89'50092   C2010-942044-6

Couverture

Photo : Fred Schiffer, FRPS

Conception graphique : Annick Désormeaux

Intérieur

Mise en pages : Michel Fleury

Dans cet ouvrage, l'auteure raconte sa propre expérience de la maladie mentale. Elle espère que son récit ainsi que les textes informatifs en annexe inciteront d'autres personnes à consulter des professionnels de la santé pour obtenir un diagnostic sûr et des traitements appropriés.

Textes en annexe :

« Des leçons à retenir », © 2010, Dr Colin Cameron

« L'importance du message de Margaret », © 2010, Dr Paul Grof

« Les troubles de l'humeur psychiatriques périnataux », © 2010, Dr Shaila Misri

Titre original : *Changing My Mind*

Éditeur original : Harper Collins Publishers Ltd, Toronto

© 2010, Margaret Trudeau

© 2010, Flammarion Québec, pour la traduction française

Tous droits réservés

ISBN 978-2-89077-398-1

Dépôt légal BAnQ : 4e trimestre 2010

Imprimé au Canada

www.flammarion.qc.ca

MARGARET TRUDEAU

En libre équilibre

Traduit de l'anglais (Canada)
par Claire Chabalier et Louise Chabalier

Autobiographie

Flammarion
Québec

*À ma courageuse fille, Alicia Mary Rose Kemper,
et à toutes les filles dont la mère est aux prises
avec une maladie mentale.*

Introduction

« Margie a quelque chose de différent », disaient parfois mes parents à des gens, en essayant de comprendre mon comportement quand j'étais petite. Mon père et ma mère n'arrivaient pas à mettre le doigt dessus, ne pouvaient pas qualifier ce quelque chose, mais quoi que ce fût, cela me distinguait de mes quatre sœurs. Mes sœurs acceptaient les choses ; moi pas.

Il y avait une certaine agressivité chez la jeune Margaret Joan Sinclair. Élevée à Vancouver dans les années 1950, j'étais plutôt fantasque et lunatique, prompte à rire, encore plus prompte à me sentir abattue, portée à battre l'air de mes bras, à bouder et à pleurer quand les choses ne se passaient pas comme je le voulais, ou quand je pensais qu'il y avait eu injustice, ou encore quand mes sœurs me tourmentaient. Susceptible, j'avais souvent les nerfs à vif – à un point tel que c'en était ridicule. Et je ne pouvais supporter l'idée que les gens souffrent. Ma mère disait alors : « Margaret, comment te débrouilleras-tu dans la vie si tu prends les choses si mal ? »

Dire que j'avais une propension à verser dans le mélodrame serait un euphémisme – mais cette expression est loin de traduire ce qui m'accablait à cette époque. J'étais une fille au tempérament changeant, à qui rien n'échappait, qui voyait chacune des feuilles sur chacun des arbres. Pour moi, il n'y avait pas de juste milieu entre sombrer et voler, et, arrivée à l'âge adulte, on aurait dit que je vivais dans des montagnes russes incontrôlables, m'élevant puis retombant à la même vitesse casse-cou. Je grimace en pensant à certaines choses que j'ai faites alors que j'étais la jeune femme du quinzième premier ministre du Canada, Pierre Elliott Trudeau. Maintenant que je suis une femme d'âge mûr, je pardonne à cette version «vingt et quelques» de moi-même, lui pardonne ses folies de jeunesse – et j'admire sa fougue et le fait qu'elle vivait sur le fil du rasoir.

Ce que «Maggie» (comme la presse m'appelait) ignorait, c'est qu'il y avait un déséquilibre chimique dans son cerveau : en fait, je souffrais de psychose maniacodépressive, ou trouble bipolaire comme on dit plus couramment aujourd'hui. Je n'étais réellement heureuse que lorsque j'étais enceinte, et seulement parce que les hormones maternelles – l'instinct biologique venant à la rescousse – me donnaient un répit en me soustrayant temporairement à ma «folie». Mais même si le bon diagnostic avait été posé il y a une quarantaine d'années, les possibilités de traitement étaient limitées.

Depuis, les choses ont beaucoup évolué, et un de mes buts en écrivant ce livre, c'est qu'à travers mon histoire ce message puisse être entendu. Si ma vie ne peut constituer un modèle à suivre, peut-être pourrait-elle servir de sévère mise en garde. Trois millions de Canadiens souffrent d'une grave dépression et au moins un pour cent de la population – plus de trois cent trente mille hommes et femmes – est atteint de trouble bipolaire, une forme de maladie mentale qui impose, chaque année, un fardeau de quinze milliards de dollars au pays. Aux États-Unis, les experts établissent à au moins deux pour cent le taux de la population souffrant de trouble bipolaire. Seules les maladies cardiaques causent plus de dommages et grèvent davantage le budget de la santé. Il faut dire à ces hommes et à ces femmes malades, parmi lesquels se trouvent de très jeunes gens, qu'il y a de l'espoir, qu'ils peuvent retrouver la vie qu'ils ont perdue.

Un autre de mes buts en écrivant ce livre est que les amis et la famille de ceux qui souffrent d'une maladie mentale apprennent à reconnaître les signes de la dépression et trouvent la force d'intervenir et d'apporter leur soutien.

Le parcours qui m'a amenée où je suis aujourd'hui a été long et périlleux (et, disons-le, extrêmement public), mais c'est en partie parce que pendant bien des années j'ignorais tout de ma maladie, comme ceux, d'ailleurs, qui essayaient de m'aider. Aujourd'hui, je peux affirmer que je n'ai jamais été aussi heureuse. Seul le temps où j'étais une jeune mère se rapproche de mon degré de contentement actuel. J'ai soixante et un ans au moment où j'écris ces lignes, et les gens rient quand je leur dis que j'étais une adolescente jusqu'à tout récemment.

Je vis dans un joli condo, clair et spacieux, «la maison de grand-maman», comme disent mes quatre petits-enfants, dans un superbe vieil édifice près du mont Royal, à Montréal. Mon état de contentement, devrais-je préciser, ne relève pas seulement de la pharmacothérapie. Je prends, il est vrai, une faible dose d'un médicament qui stabilise mon humeur, et devrai probablement le faire pour le reste de mes jours. Ma famille, mes amis, un travail valorisant, l'exercice, l'alimentation, la méditation, le yoga, le plein-air, le jardinage, des cours, la cuisine, la musique et l'art, tout cela contribue également à tenir mes démons intérieurs en échec.

C'est une croix lourde à porter que celle de la dépression bipolaire, une croix que j'ai portée presque toute ma vie et que je continuerai à porter jusqu'à mon dernier souffle. La recherche nous apporte des nouvelles très encourageantes, à savoir que le traitement précoce du trouble bipolaire permet de reprogrammer le cerveau et favorise la guérison. Il y a tellement de percées médicales de nos jours – par exemple, la stimulation magnétique transcrânienne qui modifie l'activité des neurones – et tant de raisons d'espérer. À la fin de ce livre, trois experts médicaux livrent les opinions les plus récentes sur le trouble bipolaire. Je suis très heureuse que cette ressource et ces renseignements soient inclus dans cet ouvrage.

À cinquante ans, et toujours dans les affres du trouble bipolaire, j'avais songé au fait que beaucoup de femmes dans ma famille vivaient jusqu'à cent ans et je m'étais dit: «Oh non, encore cinquante ans de ça?» Aujourd'hui, je me dis: «Seulement trente-neuf autres années? Quel dommage.»

Pour ceux qui souffrent d'une forme quelconque de maladie mentale, mon histoire se veut une mise en garde. Hippocrate et des générations de médecins qui ont marché sur ses traces utiliseraient le mot «mélancolie» pour qualifier ma forme particulière de maladie, mais ils ne savaient pas comment la soigner ou la contrôler, ni ce qui la causait. Les victimes et leurs proches souffraient tous terriblement et d'une façon inimaginable. S'il y a encore de la souffrance de nos jours, c'est seulement parce que beaucoup de ceux qui sont «différents» n'arrivent pas à donner un nom à cette tristesse qui les paralyse, ne savent pas qu'on peut les aider, ou n'ont pas le courage d'admettre qu'ils ont besoin d'aide. Les gens profondément déprimés peuvent à peine parler. Mon plus grand souhait est que ce livre mette des mots dans la bouche de ceux qui sont incapables de décrire leur douleur et leur désespoir, et qui n'en comprennent pas la cause.

Il y a un thème récurrent dans cette réflexion sur ma vie: Margaret Trudeau a été capable de s'en sortir. Vous aussi le pouvez.

CHAPITRE I

Le clan Sinclair et ses filles chamailleuses

C'est le poisson, et principalement le saumon, qui a amené les Sinclair à quitter l'Écosse pour venir au Canada en 1911.

Mon grand-père paternel, James Sinclair, est né à Wick, à l'extrême nord de l'Écosse, et a grandi plus au sud, dans le Banffshire, important fournisseur de saumon à l'Europe. La rivière Deveron y est encore bien connue des pêcheurs à la mouche pour ses bonnes prises de saumon, de truite de mer et de truite brune.

Mon grand-père s'était fait prendre à pêcher illégalement le saumon dans cette rivière connue alors comme la rivière du laird. Or le garde-chasse était un ami, compréhensif mais inflexible.

« Jimmy, si je t'attrape encore une fois, tu feras de la prison. »

Et James Sinclair eut cette phrase célèbre dans le folklore familial : « Si je peux pas pêcher, je peux pas vivre. »

Il était enseignant dans la petite ville de Grange, mais arrivait difficilement à faire vivre sa famille avec son maigre salaire, alors, en rentrant chez lui, il avait sorti toutes ses cartes géographiques et avait décidé de chercher fortune (et de nouveaux lieux de pêche) dans les colonies britanniques. La Colombie-Britannique, avec toutes ses frayères, ses nombreux lacs, son vaste littoral et les plus gros saumons du monde, l'attirait. Il ne regretta jamais sa décision.

Mon grand-père prospéra à Vancouver, où il connut une brillante carrière. Avant-gardiste, il contribua à établir la première école de métiers, qui existe toujours, la Vancouver Technical Secondary School. Il resta toujours un passionné de pêche et économisa suffisamment pour acheter un chalet sur la presqu'île de Sechelt, où il passait des heures dans le hangar à bateaux à fabriquer des cuillères et des leurres pour le saumon qu'il avait l'intention d'attraper. Certains membres de ma famille de la branche écossaise étaient plutôt austères, mais pas mon grand-père. Il aimait s'amuser, lui. Je me rappelle ces fois, à Noël et au cours de certaines fêtes, où, tel le joueur de flûte, il entraînait dans l'escalier de sa vieille maison biscornue ses petits-enfants qui poussaient des cris perçants pendant qu'il jouait de l'harmonica.

Ma grand-mère paternelle s'appelait Betsy Ross, venait également du nord de l'Écosse, et elle était aussi sévère qu'elle était douce. Elle ne plaisantait pas côté discipline. Mes grands-parents avaient un magnifique prunier dans le jardin et grand-maman faisait de la confiture avec les fruits. Elle n'était pas aussi bonne jardinière que mon autre grand-mère, mais elle cultivait un petit potager, comme toute bonne Écossaise.

James George Sinclair, le fils de James et Betsy, n'avait que deux ans quand sa famille quitta l'Écosse. Papa hérita du grasseyement de son père et le garda toute sa vie. L'accent sortait surtout quand il racontait des histoires, et il adorait raconter des histoires; il était également un excellent imitateur.

C'était un homme intelligent, mon père. Il avait fait des études d'ingénieur à l'Université de la Colombie-Britannique et avait obtenu une bourse Rhodes pour étudier les mathématiques à Oxford. Dans de magnifiques lettres à sa famille, il racontait, par exemple, comment un dimanche, à titre de boursier, il avait été invité à déjeuner chez Lady Astor. Écossais avisé, il savait que cela allait gruger le budget familial, mais il lui semblait important de posséder un complet de bonne coupe – un blazer bleu marine avec boutons dorés.

Plus tard, mon père étudia la physique mathématique à Princeton et reprit la profession de son père, c'est-à-dire enseignant, dans une école secondaire de Vancouver. Une de ses plus brillantes élèves s'appelait Kathleen Bernard et, en 1940, alors qu'il avait trente et un ans et elle seulement dix-neuf, ils se sont mariés. Lorsque je pense à ce mariage où la différence d'âge était relativement importante, je me demande si cela n'a pas ouvert la voie à mon propre mariage avec un homme ayant deux ans de plus que ma mère.

Mon père avait une carrure imposante, mesurait un mètre quatre-vingt-huit. Sous ses dehors bourrus se trouvait un homme bon, juste et affectueux qui ne nous réprimandait, mes sœurs et moi, que lorsque nous osions contrarier ma mère ou lui manquions de respect. Dans de tels cas, la colère de Dieu s'abattait sur nous. Il était fou de ma mère, l'adorait. Jamais je ne les ai entendus se disputer. Pourtant, cette parfaite harmonie ne m'a pas servi de modèle dans mon propre mariage. N'ayant jamais été témoin d'une dispute entre mes parents, je ne savais pas qu'il était possible que mari et femme se querellent. Refouler la colère, pensais-je, voilà comment on se tire d'affaire.

Comme je l'ai dit, mon père était un homme intelligent, mais c'était aussi un homme simple, aux goûts simples. Le matin, il descendait déjeuner portant un complet vert, une cravate bleue, une chaussette marine et l'autre marron.

«Oh, papa, regarde-toi!» criait-on, mes sœurs et moi, en l'implorant de porter des vêtements qui allaient ensemble. Mais il s'en foutait, proclamant: «Je m'habille pour rester au chaud, je mange pour fournir de l'énergie à mon corps.» Des années plus tard, lors d'un repas de Noël avec Pierre et moi au 24, promenade Sussex, le personnel avait débouché en son honneur un Château Latour des années 1940, un vin extraordinaire. Il avait refusé qu'on lui en serve, disant : «Ça serait du vrai gaspillage», et avait demandé du vin de table ordinaire.

Côté politique, c'était un libéral de gauche. Il appartenait à l'Église presbytérienne, mais n'assistait jamais aux services. «Trop sévère», disait-il de cette sorte de protestantisme.

Ma mère était d'une beauté remarquable. Grande, des yeux noisette et des cheveux de jais, Kathleen avait une belle peau douce et délicate qui, au soleil, prenait la teinte du bronze grâce au sang malais coulant dans ses veines.

Son arrière-arrière-arrière-arrière-grand-père était William Farquhar, officier britannique dans la Compagnie des Indes orientales, né en Écosse, qui a joué un rôle prépondérant dans la fondation de la ville de Singapour au début du dix-neuvième siècle. En effet, quand l'Angleterre perdit Java et Malacca, minuscule sultanat malais, aux mains des Hollandais, le général Farquahr partit à la recherche d'un nouveau port et, avec Sir Stamford Raffles (lieutenant-gouverneur de Java), fonda Singapour. Toutefois, les deux hommes se brouillèrent par la suite sur la façon de développer cette ville.

Sir Stamford abhorrait les jeux d'argent, les combats de coqs et le système de l'*indenture* (travail sous contrat), et il voulait que la zone portuaire soit réservée pour les édifices et les résidences des représentants du gouvernement. Farquhar, plus conciliant – qui parlait le malais de Malacca et avait un grand respect pour la culture malaise –, savait que les indigènes n'allaient pas abandonner du jour au lendemain toutes leurs mauvaises habitudes, et il réserva la zone portuaire pour les marchands.

Quand Raffles revint après une absence de plusieurs années et s'aperçut que ses ordres n'avaient pas été suivis, il renvoya Farquhar. Le jour où William partit, en 1823, les routes étaient si bondées de gens venus lui dire adieu qu'il lui fallut trois heures pour atteindre son navire. Il laissa derrière lui Antoinette Clement, sa compagne des quelque vingt-cinq dernières années, et leurs cinq enfants sur une plantation d'hévéas. Il n'était pas question qu'elle le rejoigne ; elle aurait trouvé tout aussi rebutants et le climat écossais et les idées impérialistes de l'époque. De retour en Écosse, William Farquhar épousa une autre femme.

Pendant son séjour à Singapour, entre 1819 et 1823, mon ancêtre demanda à des artistes chinois de peindre les plantes, les animaux, les oiseaux, les poissons et les insectes que l'on trouvait à Malacca et à Singapour. Quelque quatre cent soixante-dix-sept aquarelles ont ainsi été réalisées, et plusieurs reproductions de ces œuvres ornent les murs de mon appartement, à Montréal.

Ma mère pouvait donc retracer sa généalogie jusqu'à une « femme du pays », puisque Antoinette était la fille d'un officier français et d'une Malaise. Au temps des colonies, des hommes de tous les empires prenaient des femmes indigènes pour épouse, comme l'ont fait au Canada les soldats, explorateurs et marchands de fourrures avec les femmes autochtones. Il y a quelques années, la série télévisée *Who Do You Think You Are ?*, une série sur la généalogie présentée à la chaîne anglaise de Radio-Canada, a filmé mon voyage à Singapour où j'étais allée à la recherche de mes racines.

Nous avons appris que la fille aînée de William Farquhar et Antoinette Clement, Esther, avait épousé un officier britannique du nom de Francis James Bernard. Mais en 1827, Francis a fait exactement comme son père : il a quitté Singapour sur un navire de commerce, laissant derrière lui Esther et leurs cinq enfants. Elle est morte là-bas, indigente, à l'âge de quarante et un ans. Rien ne sert de dénigrer un tel comportement ; c'est plutôt l'époque qu'il faut blâmer.

Plus tard, les descendants d'Esther se sont retrouvés en Australie, puis au Manitoba, ensuite à Penticton, dans l'intérieur de la Colombie-Britannique, et, enfin, sur la côte Ouest.

Ma mère était une femme d'une grande élégance, aux bonnes manières, et démontrait beaucoup de tolérance et de compassion. Aujourd'hui, je pense que ses qualités et ses valeurs m'ont aidée en tant que mère. Maman, âgée de quatre-vingt-dix ans au moment où j'écris ces lignes, a eu une vie dure – bien que je doute qu'elle dise cela.

Femme ferme, mais gentille de nature, elle était d'une patience à toute épreuve, et généralement satisfaite de son sort. Issue d'une solide famille de la classe ouvrière, elle avait trouvé un mari affectueux et bon, avait élevé cinq filles. Pas de quoi se plaindre, et de toute façon cela n'aurait servi à rien. Pourtant, elle souffrait, à l'occasion, de dépression et n'a jamais reçu les soins dont elle aurait eu besoin. Certaines études suggèrent que les personnes souffrant de trouble bipolaire ont une prédisposition génétique, mais je ne saurai jamais quel rôle la génétique a joué dans ma maladie. Je sais seulement que ma mère se retrouvait souvent seule et avait tendance à se faire du mauvais sang.

Quand mon père est parti à la guerre en 1940 (il était dans l'Aviation royale du Canada en Afrique du Nord, à Malte et en Sicile jusqu'en 1945), il a laissé derrière lui une femme enceinte. Pendant que son mari était à l'étranger, ma mère et sa sœur, dont le mari était aussi parti se battre, déménagèrent chez leur mère. Avant son départ, mon père avait été élu député libéral de la circonscription de North Vancouver – fonction qu'il a occupée jusqu'en 1957, incluant un mandat de sept ans à titre de ministre des Pêcheries dans le cabinet du premier ministre Louis Saint-Laurent, dont le gouvernement tomba à la suite de l'écrasante victoire du conservateur John Diefenbaker en 1958. (Vous imaginez la fierté de James père quand James fils fut nommé responsable de la *pêche*?)

Au cours des années 1950, mon père s'est rendu de nombreuses fois en Europe, à Ceylan, en URSS et en Chine en mission politique. Même quand il était à la maison, il passait presque toutes ses soirées à étudier des rapports ou à traiter des dossiers de sa circonscription. On peut dire que ma mère était une mère de famille monoparentale, souvent seule avec ses filles sur la côte pendant que son mari travaillait à Ottawa, ou alors occupée à faire la navette avec ses enfants entre la maison en Colombie-Britannique et celle en Ontario. Pour se retrouver, mon père et ma mère devaient faire cinq jours de train ou treize heures dans un avion à hélices Vickers Viscount.

Dans ce temps-là, les femmes des hommes politiques voyageaient plutôt en train pour aller d'Ottawa à leur résidence dans la circonscription de leur mari. Ma mère et la première femme de John Diefenbaker, Edna, faisaient souvent le voyage ensemble et elles sont devenues de bonnes amies. Edna et John résidaient à Prince Albert, en Saskatchewan, alors maman bénéficiait de la compagnie d'Edna jusque-là, puis continuait jusqu'à la côte. Mon père a été député pendant dix-huit ans, et ce n'est qu'en 1952, quand il est devenu ministre, que nous avons habité à Ottawa.

S'étant mariée et ayant eu des enfants à un jeune âge, ma mère avait reçu une éducation limitée. Elle avait cependant obtenu un diplôme d'infirmière et mon père, en riant, disait qu'en l'épousant il l'avait « sauvée d'une vie à laver le dos de bûcherons ». Plus tard, quand ses filles sont parties à l'université et ramenaient des livres intéressants à la maison, elle s'est jointe à un « cours de salon » – ce qu'on appellerait aujourd'hui un club de lecture. Ma mère avait deux passions : le bridge et la compagnie de bons amis.

J'ai eu une enfance heureuse, mais dans ma famille les démonstrations physiques d'affection étaient plutôt rares. C'était comme ça, à cette époque, chez les wasps (Anglo-Saxons blancs et protestants). Si je me blessais, je pouvais me glisser dans les bras de ma mère et être réconfortée. Or il m'arrivait de faire semblant de m'être fait mal pour obtenir ce réconfort. Les blessures physiques étaient une chose ; les blessures psychologiques, complètement autre chose. Parfois, la réaction de ma mère était de dire : « Viens, on va prendre une tasse de thé. » Sa propre mère l'avait mise en garde contre les manifestations émotives extrêmes ; nos joies et nos peines devaient toujours être dosées.

J'étais la quatrième des cinq filles Sinclair, « les chamailleuses », comme mon père avait l'habitude de nous appeler. Chacune de nous luttait pour obtenir l'amour et l'attention de notre père, et nous adorions toutes notre mère. Il y avait toutes les jalousies auxquelles on peut s'attendre entre sœurs. Nous faisions tout en famille : mon père était fier du raffut et du prestige associés à ce groupe de taille appréciable que nous formions – même s'il n'était composé que de filles.

L'aînée, Heather, qui avait sept ans de plus que moi, me maternait, comme cela arrive souvent dans les familles nombreuses. Jan était la suivante, l'aînée des trois filles du milieu que seulement quinze mois séparaient – ce qui explique bien des rivalités et des conflits. Jan avait l'esprit vif et le sens de la répartie, et démontrait un intérêt marqué pour les questions sociales. Jeune, elle était un garçon manqué, qui avait des cheveux roux, des taches de rousseur et un tempérament fougueux, mais plus tard elle est devenue une femme d'une grande beauté. Jan et moi avons toujours été très proches, et nous le sommes demeurées contre vents et marées. Lin serait un jour couronnée reine de beauté (Miss Simon Fraser), mais le plus souvent elle avait le nez plongé dans un livre. Betsy, ma cadette de quatre ans, était la préférée de mon père, avec ses cheveux blonds et ses traits si semblables à ceux de ma mère. Mon père disait à la blague que, quand Betsy serait grande, il rapporterait ma mère au magasin et épouserait Betsy. Elle était le bébé de la famille, que nous adorions tous.

Toutes ces femmes fortes, et aussi mon père et ma mère, constituaient mon filet de sécurité, mes piliers. À certains égards, je suis plus proche de mes amis que de ma famille. Après tout, je choisis mes amis. Mais ma famille avait et a encore aujourd'hui une importance capitale pour moi.

Quant à la jeune Margaret, eh bien, je n'étais pas une enfant facile. Je me souviens d'un incident survenu quand j'avais six ans. J'étais terriblement anxieuse parce que, pour la première fois de ma vie, je pensais à l'infini et à la mortalité. Je n'arrivais pas à dormir ; j'avais le cerveau en feu.

« Qu'est-ce qui ne va pas ? m'a demandé ma mère. Pourquoi es-tu si agitée ? »

J'ai dit que c'était la faute de papa. C'était la veille d'un jour d'école et ma mère était partie jouer au bridge avec des amis. Mon père – le baby-sitter de service – nous avait laissées regarder la télévision, alors en noir et blanc. Mon père n'aimait pas beaucoup la télévision et il était rare qu'on l'allume les soirs de semaine. Le week-end, par contre, nous regardions Lawrence Welk, Perry Como, le *Ed Sullivan Show* et une série dramatique, *La Famille Plouffe*, dont l'histoire se passait à Québec. Le peu d'émissions qu'offrait la télévision ne nous dérangeait pas, car nous étions une famille de lecteurs, de lecteurs voraces.

Mais ce soir-là, papa nous avait autorisées à regarder *Le Chien des Baskerville*, et le chien m'avait fait vraiment,

vraiment très peur. J'avais également vu, un peu plus tôt, un reportage sur l'écrasement d'un avion et je savais que mon père partait prochainement pour la Russie en mission diplomatique. Et si l'avion de papa s'écrasait ? Et s'il mourait ? Et si… ? J'avais le cerveau qui bouillonnait à cause de ces pensées.

Mon père avait toujours voulu avoir un garçon, et j'étais ce qui pouvait se rapprocher le plus d'un fils. Mes sœurs réussiraient dans la vie chacune à leur façon, mais aux yeux de mon père, je me démarquais des autres, j'étais celle avec l'étincelle, l'enfant qui lui ressemblait le plus. Ma mère me disait la personne la plus égoïste de la famille – et elle avait probablement raison.

Le samedi, quand mon père restait à la maison, il nous traitait comme si nous étions des garçons. Nos tâches pouvaient consister à l'aider à installer une nouvelle terrasse ou à planter des rosiers dans le jardin au cours d'une de ces corvées printanières qu'il organisait. Surtout après avoir abandonné la politique en 1958, mon père s'est attaqué à des projets manuels de plus en plus ambitieux : par exemple, cet ancien ministre des Pêcheries a peint sur la paroi de la piscine une magnifique fresque représentant des poissons.

Dans l'ensemble, j'ai eu une enfance saine et heureuse. Mais quand je devenais trop agitée, surexcitée, on m'envoyait dans ma chambre en me disant d'y rester jusqu'à ce que j'aie un « meilleur comportement ». Je me demande, aujourd'hui, ce qu'il pouvait bien y avoir dans la chambre d'une petite fille qui aurait pu m'aider à comprendre ces violentes émotions.

J'étais toujours en train de frimer et de poser des questions. Pour faire plaisir à ma mère, j'avais retenu une leçon qui, paradoxalement, me compliquerait beaucoup la vie plus tard : je comprenais qu'on m'aimerait seulement si j'apprenais à réprimer mes émotions et à être une gentille petite fille. Je ne devais parler à personne de ces pensées délirantes et terrifiantes qui me traversaient constamment l'esprit. On m'avait insufflé le besoin de plaire et de rechercher l'approbation d'autrui. Je me savais aimée, mais je voyais bien, aussi, que j'étais différente, différente de mes sœurs, et je me sentais souvent très seule. Ma rébellion couvait.

Même toute petite, les pensées se bousculaient dans ma tête et je disais des choses sans vraiment réfléchir, et après je me sentais malheureuse et mal à l'aise. Un jour, je devais avoir environ sept ans, mon enseignante avait décidé de nous faire apprendre les notes de musique en nous demandant de trouver des mots correspondant au rythme musical. Elle chanta une série de notes et une petite fille leva la main : « Je vous aime. » L'enseignante était ravie. Puis elle chanta une deuxième série de notes, un peu plus longue. J'ai levé la main : « Je ne vous aime pas. » J'ai été mise au coin et je me suis sentie humiliée. Je n'avais pas voulu être méchante ; les mots avaient simplement jailli de ma bouche.

Papa tenait à faire de nous des enfants en santé, vigoureuses, et il était plus qu'heureux de laisser la culture à plus tard. Il en résulta une enfance déficiente à certains égards : pas de cours de ballet, pas de musique « sérieuse » – la seule musique qu'il aimait était la cornemuse –, rien qui touchait à l'art.

Pour mes parents, la vie, et ce que former une famille signifiait, s'apprenait à table. Les repas étaient très animés, mes sœurs et moi faisant un bruit assourdissant pour capter l'attention de papa. Seule ma mère restait silencieuse. Plus vieille, je trouvais le vacarme presque infernal. Pour nous faire plaisir, mon père nous emmenait à l'occasion au restaurant du coin. Nous étions si incroyablement bruyantes que j'avais envie de rentrer sous terre tellement j'avais honte.

C'est également au cours de ces sorties que j'ai développé une aversion pour les étiquettes.

«Et celle-là, disait mon père à quiconque écoutait, le doigt pointé vers moi, c'est le numéro quatre.»

J'avais envie de crier: «Non, je ne suis pas le numéro quatre. Je suis Margaret!»

Nous avions peut-être des lacunes en ce qui concernait les arts et la culture en général, mais pour ce qui est de connaître la nature, nous avons été comblées. Quand John Diefenbaker ramena les conservateurs au pouvoir en 1958, mon père abandonna la politique. Il acheta un terrain à North Vancouver et bâtit sa maison de rêve au bout d'un cul-de-sac situé sur le bord d'une ravine avec vue sur un ruisseau tout en bas. Nous avons passé notre premier été à construire un muret et à ouvrir un sentier jusqu'au bassin artificiel ainsi formé. Un vrai fiasco: après être tous tombés malades, nous avons appris que le «ruisseau» était en fait un des égouts cachés de North Vancouver.

Mais le ruisseau fut nettoyé et la maison de rêve redevint une maison de rêve. Celle-ci était de style ranch, à deux niveaux, avec piscine et terrasse, une chambre pour chacune des filles, une belle cuisine moderne et une magnifique vue sur le port.

Peu après, mon père a acheté une seconde maison, une vieille cabane sur le mont Hollyburn, le mont de Vancouver le plus au nord, d'où on avait une vue spectaculaire sur le détroit de Géorgie, les îles Gulf et le mont Grouse. La cabane n'avait ni eau courante ni électricité, et se trouvait loin dans la forêt, entourée de sapins, de pins et de plants de bleuets. Il y avait de nombreux petits lacs de montagne, et beaucoup de neige en hiver, que nous ramassions à pleins seaux et faisions fondre pour avoir de l'eau. Nous avions baptisé la cabane High Hopes, d'après une chanson de Frank Sinatra dans le film de 1959 *Un trou dans la tête*, où il est question d'une fourmi ambitieuse et infatigable qui réalise l'impossible. (Le refrain va comme suit : « Oups, voilà un autre arbre à caoutchouc qui s'en va. ») Cela décrivait parfaitement l'âme et l'emplacement de notre vieille cabane en rondins.

Mon père et ma mère avaient passé leur jeunesse dans des stations de ski. Hollyburn était leur montagne, le théâtre de leur amour, et ce qui leur était sacré l'est devenu pour leurs filles. Chaque week-end, nous montions au sommet de la montagne soit en télésiège, soit à pied avec nos provisions sur le dos. La cabane en rondins offrait une vie de rêve à mon père. Il adorait fendre du bois et rire avec ses filles. Nous aimions ce qui était simple et vrai : pendant la journée, nous faisions des randonnées pédestres, du ski de fond et du toboggan. Le soir, nous jouions aux cartes – à la dame de pique, au whist, au Crazy Eights, au cribbage et au Monopoly. Mon père adorait le scrabble : le jeu nous a donné à toutes le goût des mots.

En tant que quasi-fils de mon père, je suis devenue un garçon manqué, construisant des forts dans la forêt et cherchant l'aventure sur les lacs. C'était une époque heureuse. Mes sœurs et moi dormions dans une seule pièce au grenier, et sur le poêle à bois il y avait toujours une casserole de soupe chaude qui nous attendait quand nous revenions de la forêt, transies. La « soupe de la montagne », comme nous l'appelions, était un mélange de soupe de tomates, de soupe Lipton aux oignons et de bouillon de bœuf, que nous mangions avec du pain. (Aujourd'hui, après l'avoir quelque peu modifiée – j'ai remplacé la soupe Lipton par des ingrédients naturels –, je la fais encore.) La cabane dans la montagne est le plus beau cadeau que mon père nous ait jamais fait. Pour lui, assurément, c'était un moyen de garder la famille ensemble, et de garder un œil sur ses filles.

Nous nous y sentions en sécurité, et nous l'étions – la plupart du temps. Un jour, un ours noir s'est aventuré sur la véranda et s'est mis à manger les conserves de papa. Certaines boîtes contenaient des pêches, d'autres de l'huile, et si l'ours a adoré les pêches, il a détesté l'huile, qui l'a rendu furieux ; il a commencé à briser des choses autour de lui et à lancer les boîtes de conserve aussi loin qu'il le pouvait (et il arrivait à lancer loin) dans le bois.

Je me remémore tout le plaisir que nous avons eu à cet endroit, et cela me rappelle qu'il est fou de penser que nous avons nos enfants pendant longtemps. Nous, les parents, devrions profiter le plus possible du peu de temps qu'il nous est accordé de passer avec nos enfants. J'aime beaucoup les familles fortes, où il y a beaucoup d'interaction, qui se suffisent presque à elles-mêmes, car elles vivent selon les bonnes valeurs. À sept ans, déjà, nos enfants ne sont plus à nous, ils veulent être avec ceux de leur âge. Mes parents ont eu raison de nous donner ce lien avec la nature grâce à cette maison dans la montagne. Je n'ai jamais perdu ce goût. Quand je vais donner des conférences, je cherche toujours des endroits où je peux marcher ou courir : la rivière et le parc à Moose Jaw, en Saskatchewan, ou les digues à Wolfville, en Nouvelle-Écosse. Je continue de ressentir ce besoin de communier avec la nature.

En vieillissant, quand j'ai appris à mieux me connaître, j'ai découvert que j'avais peur de la confrontation et des manifestations d'hostilité, qui me laissaient craintive et dans un état de soumission. Je me rappelle bien des rires et bien des larmes dans notre rivalité entre sœurs. De plus, je n'avais pratiquement que des cousines, et le fait de grandir dans un milieu presque exclusivement féminin a renforcé ma volonté de faire quelque chose de ma vie. L'égalité entre les sexes et l'importance de l'éducation allaient de soi dans notre famille.

Il ne faisait aucun doute : j'irais à l'université et me trouverais une profession. Les sœurs Sinclair n'allaient pas apprendre à taper à la machine, car, selon mon père, cela nous mènerait assurément à un poste de secrétaire, ce qu'il trouvait navrant. Toutefois, il était d'accord que j'apprenne à cuisiner et à coudre dans les cours d'économie domestique.

À seize ans, j'ai été choisie pour représenter mon école, Delbrook Senior Secondary, au comité consultatif sur la mode pour adolescentes de la Compagnie de la Baie d'Hudson. Celui-ci était composé d'une fille de chaque école de la ville, et nous passions les samedis matin à écouter un mannequin parler de soins de beauté, de maintien et de grâce ; les après-midi étaient consacrés à aider les vendeuses dans les divers rayons du magasin. Je portais un joli petit uniforme, et j'étais fière de mon chèque de paie hebdomadaire et de la façon dont je servais les clients. Quand un membre du personnel a suggéré que je pense à effectuer un stage comme gérante, j'ai réagi vivement : j'allais certainement travailler dans ma vie, mais pas dans un grand magasin.

Je visais quelque chose de bien plus prestigieux : être correspondante à l'étranger, peut-être, ou voyager de par le monde comme ambassadrice. Ayant observé la vie intéressante des femmes qui exerçaient une profession, je m'étais juré que, quoi qu'il puisse m'arriver, j'allais moi aussi avoir un travail sérieux.

Un bon ami m'a un jour décrite comme « la meilleure fille avec qui un gars pouvait sortir ». Il voulait me flatter, mais, à dire vrai, je n'ai jamais beaucoup aimé sortir avec les garçons. Mes parents ne nous y autorisaient pas avant que nous soyons en dixième année, puis, comme mes sœurs et leurs amies avant moi, j'ai commencé le rituel des fréquentations : les fêtes chaperonnées du samedi soir, les promenades main dans la main après l'école, les longues et intenses conversations au téléphone, le port d'une marque ou d'un gage indiquant qu'une fille sortait officiellement avec un gars. Mais dès le début, il y avait toujours quelque chose que je ne faisais pas correctement. C'était peut-être parce que je n'avais pas de frère, mais je n'arrivais pas à voir les garçons comme de simples amis.

Étant donné mon grand désir de plaire, je ne voulais offenser personne, alors plutôt que de me battre sur la banquette arrière d'une auto pour garder mes vêtements, je préférais sauter les sorties occasionnelles et me lier à un garçon aussi longtemps que possible. Mais cela ne m'empêchait pas de flirter. Quand j'y pense, je me rends compte que j'étais une adolescente au comportement hypersexualisé.

Encouragée par mon père – il avait promis à Lin et à moi une auto si on y allait –, je me suis inscrite à l'Université Simon Fraser qui venait d'ouvrir ses portes; ma sœur et moi avons donc pris possession d'une coccinelle Volkswagen beige. L'université avait été construite au sommet d'un mont surplombant Vancouver et la longue route serpentante y menant ajoutait à la sensation d'isolement. Parce qu'il pleut souvent à Vancouver, le campus, composé de bâtiments tout en béton et en verre, était constamment enveloppé dans la grisaille. Ma première année d'université a simplement été la continuation de mes années d'études secondaires. J'étais une bonne étudiante, j'ai été la petite amie d'un joueur de football et on m'a décerné une bourse d'excellence, au grand ravissement de mon père. Au cours de notre enfance, il avait maintes fois répété qu'une bonne éducation et des bonnes manières nous ouvriraient toutes les portes.

Puis en 1966, ma deuxième année à l'université, tout a changé. J'étudiais les sciences politiques, l'anthropologie et la sociologie (surtout la sociologie) et rapidement j'ai été plongée dans les controverses et tensions politiques de l'époque, indignée par la présence des soldats américains au Vietnam et impatiente de rencontrer des gourous qui me parleraient de mysticisme et de liberté. C'est seulement plus tard que j'apprendrais que bien dormir, bien manger et travailler assidûment jouaient un rôle important dans l'équilibre de mes émotions polarisées. Jusqu'alors, mes sautes d'humeur avaient plus ou moins été contenues par la discipline et le sens de l'ordre qui régnaient à la maison.

Je commençais à mal maîtriser mes émotions, perturbées encore davantage par le manque de sommeil et une mauvaise alimentation – nourriture de cafétéria archicuite, hamburgers, malbouffe. Aujourd'hui, je comprends qu'il n'y avait aucune marge d'erreur possible pour assurer l'équilibre chimique de mon cerveau. Une mauvaise alimentation était un facteur qui a contribué à me faire dérailler. Il y en avait d'autres.

Immergée dans le mouvement étudiant de la fin des années 1960, je m'insurgeais contre la pauvreté et l'injustice, regardais les reportages télévisés sur les enfants vietnamiens fuyant le napalm et rêvais de changer le monde. Les scènes désolantes me plongeaient dans une grande détresse ; l'excitation me propulsait à des hauteurs vertigineuses.

Mon premier véritable amour de ce temps-là s'appelait Phil Stanworth, un étudiant au doctorat en sociologie et un chargé de cours. Ses longs cheveux et son accent britannique irritaient mon père, qui le qualifiait d'« agitateur rosbif ». La désapprobation de mon père ne me dérangeait pas trop, car il était toujours plutôt bourru avec nos petits amis et avait une attitude protectrice envers ses filles. Phil me montra comment étudier, comment remettre les choses en question, comment penser.

Mon éducation se poursuivait maintenant tant à l'intérieur qu'à l'extérieur des classes. Parmi le corps enseignant, il y avait des marxistes et des maoïstes, des libéraux et des trotskystes – dont plusieurs étaient des marginaux et des dévoyés chassés de Berkeley et de Columbia –, et nous avions des discussions sans fin. Discuter toute la nuit avec des gens brillants sur un campus isolé, perché sur une montagne enveloppée dans la grisaille et balayée par les vents, était une belle façon de passer du temps. Cette année m'a changée, mais je n'ai jamais tout à fait réussi à être moins spectatrice et à participer davantage. Tout comme j'avais toujours refusé, à l'école, de faire partie des meneuses de claques, je refusais maintenant de me joindre aux *sit-in* des étudiants. Je ne voulais pas être un mouton chez les gauchistes, pas plus que chez les conformistes. J'ai commencé à remettre certaines choses en question comme jamais je ne l'avais fait auparavant.

À l'instar de beaucoup de personnes qui ont grandi dans les années 1960, j'ai été attirée par la culture rock et la drogue. Les Beatles étaient venus à Vancouver quand j'avais seize ans et j'avais trouvé leurs chansons et leurs paroles exaltantes. À l'université, on avait commencé à fumer de la marijuana et on n'y voyait aucun mal. Un jour, je suis allée avec des amis dans un chalet près de la mer, où les mouettes criaient au-dessus de nos têtes. On était restés assis sur la plage des heures durant à écouter *Penny Lane* et *Strawberry Fields Forever*, puis, quand il s'était mis à pleuvoir, on était rentrés et on avait regardé les embruns frapper les vitres.

Parce que j'étais la nouvelle, c'est moi qui préparais les repas. Il était facile d'obtenir de la marijuana : certains en faisaient pousser dans leur jardin. Mais à ce chalet, j'ai essayé une drogue dure, la mescaline. J'ai regardé les veines de mes bras se gonfler, j'ai eu des visions du sang qui y circulait et vu de merveilleuses couleurs, et je suis restée un certain temps perchée dans un arbre, rêvant d'être un oiseau. Je croyais réellement que j'ouvrais les portes de la perception, celles dont William Blake et Aldous Huxley avaient parlé, et que je trouverais le secret de l'amour, de la paix et de la compassion. L'expérience, comme tout le reste en ce temps-là, a été électrisante, mais je ne voulais pas vraiment reprendre de cette drogue. J'ai cependant continué de fumer de la marijuana et j'ai dû oublier quelques graines dans une boîte à chaussures dans mon placard. Ma mère les a trouvées par hasard et m'a demandé pourquoi je gardais de vieilles graines de gui séchées.

Dans ma dernière année à l'université, j'ai étudié les poètes romantiques anglais : Blake, Coleridge, Keats, Wordsworth. Je me suis rendu compte que j'aurais dû les étudier bien avant. J'essayais d'ouvrir encore davantage mon esprit, et ces brillants poètes avec leur fabuleuse imagination m'y aidaient. Les poèmes et les lettres de Keats m'allaient droit au cœur, et quarante-trois ans plus tard son œuvre est toujours sur ma table de chevet. Keats croyait qu'il faut s'ouvrir à l'univers, l'accepter sans réserve, y compris ses contradictions, et que les mystères qui dépassent notre entendement abondent.

C'est dans cet état d'esprit – mélange d'excitation, de désarroi et de bonne humeur –, et avec une grande confiance en l'avenir bien que ne sachant pas ce qu'il me réservait, que j'ai accompagné ma famille dans ce qui, se doutait mon père, allait être nos dernières vacances ensemble. Notre destination, en ce Noël de 1967, était le Club Med sur l'île de Moorea, près de Tahiti. Là-bas, j'ai rencontré un Français séduisant du nom d'Yves Lewis, dont le grand-père était l'un des membres fondateurs de l'empire Club Med, et qui était à Moorea pour enseigner le ski nautique (il était champion national de France), ayant interrompu ses études pour un an. Au coucher du soleil, quand les touristes prenaient l'apéro,

Yves offrait une démonstration, dans la baie, de ce qu'il savait faire sur des skis, y compris skier nu-pieds. Yves savait tout faire et il était le meilleur dans tous les styles.

Âgé de vingt et un ans, il faisait impression de plus d'une façon, avec ses yeux verts, ses cheveux blond cendré, son corps bronzé et son diplôme en sociologie de la Sorbonne. Yves était également un flûtiste très doué et dansait si bien la danse polynésienne traditionnelle, le tamouré, que même les Tahitiens s'arrêtaient pour l'admirer. Il était fascinant, bien qu'à la fois modeste et distant.

Un après-midi de grande chaleur, après avoir fait du ski nautique, je suis restée à me reposer sur un radeau, en regardant la plage blanche et les palmiers verts. J'ai remarqué un homme qui faisait du slalom dans la baie et l'ai suivi négligemment des yeux, impressionnée par sa grâce et son adresse ainsi que par les énormes murs d'eau qu'il soulevait en zigzaguant dans le sillage du bateau. Plus tard, il est venu me rejoindre sur le radeau et nous avons engagé la conversation.

Ma première pensée a été qu'il était vieux, que sa peau et ses orteils étaient vieux, et que j'aimais infiniment mieux le jeune et séduisant Yves. Cet homme, pourtant, avait de belles jambes – musclées et fermes. Manifestement, c'était un athlète qui prenait soin de lui. Ma mère, qui nous avait observés sur le radeau, m'a demandé si je savais avec qui j'avais parlé.

«Oh, Pierre quelque chose», ai-je répondu.

Elle a ri.

«C'est Pierre Trudeau, le ministre de la Justice, le mouton noir du Parti libéral.»

Le titre ne me disait pas grand-chose. De toute façon, il était vieux – et vieux jeu. Cet homme aux yeux bleus avait quarante-huit ans, il était né en 1919. Le *Titanic* avait coulé sept ans avant sa naissance et la Première Guerre mondiale venait à peine de prendre fin quand il avait poussé son premier cri. Moi, j'avais dix-neuf ans, j'étais née en 1948, trois ans après la fin de la Seconde Guerre mondiale. L'homme sur le radeau était assez vieux pour être mon père et presque assez vieux pour être mon grand-père.

Mais j'avais le flirt facile, et rapidement nous nous sommes mis à parler – ou, plutôt, je parlais tandis que Pierre me posait question sur question, me forçant, à la façon de Socrate, à me dévoiler. Nous avons discuté de Platon et abordé cette question séculaire, à savoir : la vie est-elle réalité ou illusion ? Pierre m'a parlé du livre qu'il lisait alors, *Histoire du déclin et de la chute de l'Empire romain* d'Edward Gibbon, un classique du dix-huitième siècle. Pierre savait écouter, et avec lui la conversation était facile. Bientôt, nous faisions de la plongée ensemble, mais à cause de mon caractère de hippie, et pleine des préjugés de la jeunesse, je continuais de trouver que ses shorts et ses t-shirts rayés lui donnaient un air guindé et dépassé.

Pierre, à qui les Jésuites avaient enseigné, avait un esprit rationnel et méthodique. Comme il se sentait coupé de la jeunesse canadienne, il voulait connaître mon opinion sur le soulèvement étudiant à l'Université Simon Fraser et sur l'usage de la drogue sur le campus et ailleurs. Ces vacances constituaient pour lui une période de réflexion qui lui permettrait de répondre à cette question cruciale : devait-il se présenter comme candidat à la direction du Parti libéral ? Lester B. Pearson était toujours premier ministre, mais il se retirait, et un congrès à la direction était prévu en avril de l'année suivante. Celui qui remporterait l'investiture deviendrait le prochain premier ministre.

Un jour, au cours du petit-déjeuner au complexe hôtelier à Tahiti, Pierre, qui était assis avec des amis à l'autre extrémité de la grande table que nous partagions, leur aurait apparemment dit, en me regardant discrètement : « Si jamais je me marie, ce sera avec elle. »

CHAPITRE 2

De robe paysanne à robe de mariée

Pour toute une génération de jeunes à la fin des années 1960 et dans les années 1970, la destination de prédilection était le Maroc – la nourriture n'était pas chère, la drogue abondante, la culture exotique, et les plages et le soleil chaud invitants.

Mon esprit de contradiction et le désir de contrarier mon père (il était consterné à l'idée de ce voyage) rendaient le Maroc encore plus attirant à mes yeux.

Lui ne parlait que de traite des blanches, de pauvreté et de peste ; il avait servi en Afrique du Nord pendant la Seconde Guerre mondiale. Moi, je ne pensais qu'à la notion de liberté. Une de mes sœurs avait voyagé un peu partout en Europe avec l'Eurailpass ; ça, ça ne m'intéressait pas. J'ai toujours été impulsive et j'étais déterminée à devenir une nouvelle personne, à me réinventer. Au Maroc, me suis-je dit, je me laisserais porter par la vague.

Mes derniers mois à Simon Fraser se sont révélés plutôt décevants. J'avais pris congé pendant un semestre pour travailler et gagner de l'argent, et mes amis étaient maintenant plus avancés que moi. Je ne me sentais plus en harmonie avec mon milieu. J'ai cédé à ma nouvelle passion pour les poètes romantiques et j'ai déménagé à Burnaby, une banlieue de Vancouver, dans un appartement sombre au sous-sol.

Cette période en fut une de solitude et de frustration. Je retournais à la maison chaque week-end pour le repas du dimanche, mais un écart se creusait de plus en plus entre ma famille et moi. J'ai fini par obtenir mon diplôme, puis, comme beaucoup d'étudiants canadiens de la classe moyenne, j'ai décidé de m'offrir des vacances, que j'ai payées en vendant des actions laissées en héritage par ma grand-mère Sinclair.

En 1968, après Noël, je suis allée à Genève rejoindre Ross, un ami d'enfance. Nous avons traversé la France et l'Espagne, dans sa toute nouvelle et rutilante Ford Cortina, jusqu'au Maroc où nous nous sommes finalement arrêtés dans la ville côtière d'Agadir. Nous avions trouvé le soleil et la mer, et une sorte de communauté hippie accueillante qui partageait les douches avec un camp pour touristes, tout près.

Avec l'argent que j'avais, j'étais une hippie riche et je me suis installée dans le grand confort : petite « maison » de bambou sur la plage, réchaud à charbon de bois, casserole, natte sur laquelle dormir, et une bâche pour me protéger de la pluie (mais il ne pleuvait jamais). Chaque soir, il y avait des feux de joie sur la plage autour desquels se réunissaient des pèlerins venus de partout dans le monde, certains avec leur guitare. Les plus fortunés arrivaient dans une fourgonnette Volkswagen, avec un coin-cuisine et des rideaux aux fenêtres. Le soir, nous marchions sur la plage, sous un ciel étoilé, et parce qu'il y avait du phosphore dans l'eau de mer, chacune de nos empreintes de pas dans le sable mou se remplissait d'eau et scintillait. Comme si les étoiles elles-mêmes étaient tombées de la voûte céleste. C'était magique.

Quand Ross est parti quelques semaines plus tard, je me suis jointe aux hippies ; j'ai appris à me contenter de la nourriture qu'il y avait (les clémentines et les miches de pain tout juste sorties du four ne coûtaient presque rien) et j'ai abandonné mes idées conventionnelles sur la moralité sexuelle. Pour la première fois de ma vie, j'ai réellement su ce qu'étaient la paix, la liberté et la sérénité. Je ne me sentais pas du tout seule. Et, pensée réjouissante, personne de ma vie antérieure n'avait la moindre idée d'où je me trouvais.

Ensuite, je suis passée d'une communauté de hippies à une autre, vivant des expériences, acquérant de la maturité – du moins, je le croyais. Je fumais du kif, un puissant mélange de tabac noir et de haschisch (*kif* vient d'un mot arabe signifiant «béatitude»), et, parce que je mangeais si peu, j'ai souffert de malnutrition, comme, d'ailleurs, beaucoup de ceux qui suivaient la piste hippie. J'ai perdu des kilos, et presque toutes mes possessions. Après plusieurs vols, il ne me restait qu'une petite valise de cuir contenant quelques jeans et chemisiers, et une pochette de produits de beauté Liberty comprenant une crème pour la peau et du savon.

J'avais aussi un tourne-disque – un modèle bon marché, à piles, acheté dans un souk à Tanger – et huit précieux albums, dont l'album blanc des Beatles et *Let it Bleed* des Rolling Stones. Je suis devenue très populaire, car écouter du rock était notre passe-temps préféré. Je suis restée quelque temps à Essaouira, petite ville côtière plus au nord, où j'ai accompagné les Marocaines au hammam, la version moyen-orientale du bain de vapeur avec gommages et massages vigoureux et où l'on s'asperge d'eau chaude et d'eau froide. Pour moi, ces gestes de purification ont représenté une expérience culturelle extraordinaire.

J'ai trouvé les Marocains gentils et très hospitaliers. Je me rappelle avoir fait du stop avec un ami près d'El Jadida, une vieille ville fortifiée au sud de Casablanca. Un charmant jeune homme à motocyclette s'est approché et nous a invités à rester chez lui, à la ferme. Ayant étudié aux États-Unis, ce garçon parlait anglais et assumait fièrement le rôle d'interprète pour sa famille. Je me souviens d'avoir été assise sur un tapis et d'avoir regardé un poulet se faire couper la tête en vue du repas. Nous avons ri, raconté des histoires, la famille nous a fait sentir les bienvenus. Cette générosité était si naturelle, si spontanée – je n'avais jamais rien vu de tel.

Le matin, il y avait du pain chaud, du beurre frais, du yogourt et du miel. Selon la tradition musulmane, on doit offrir l'hospitalité durant trois jours à tout étranger qui se présente à la porte, car ce pourrait être le prophète sous un déguisement. Par contre, si l'invité se comporte mal pendant ce temps, l'hôte a parfaitement le droit de le mettre à la porte. Ainsi, la coutume encourage la politesse de part et d'autre. C'est le genre d'hospitalité que j'ai connue au Maroc, et pas une fois je ne me suis sentie menacée.

Plus tard, à Marrakech, je suis restée avec une autre famille. Un soir, je suis montée sur le toit pour admirer les étoiles. Il y avait là un mouton, l'air triste et sentant plutôt mauvais, qui serait égorgé pour la fête du ramadan. Les rues de Marrakech étaient en terre battue avec de petits caniveaux sur le côté qui, ce jour-là, étaient rouges de sang de mouton. Un léger tremblement de terre ajouta à l'atmosphère déjà dramatique. Au repas, on m'a offert un œil de mouton, que j'ai mangé, même si je me suis demandé si on ne me jouait pas un tour; mais non, c'est une coutume visant à honorer les aînés ou des invités spéciaux.

Au Maroc, il n'y avait pas de tabous. Loin des contraintes et du machisme de l'Amérique du Nord, j'ai enfin appris à voir les hommes comme des amis, tout en prenant plaisir à faire l'amour. Je menais maintenant une vie que mon éducation puritaine ne m'avait même jamais permis d'envisager. Après un mois passé à Essaouira, j'ai traversé les montagnes et me suis dirigée vers Marrakech à bord d'un autobus anté-diluvien, assise à côté d'un mouton aux quatre pattes ligotées.

À cette époque, chaque mot de William Blake me semblait l'incarnation même de la sagesse. Mystique et visionnaire fortement influencé par les révolutions américaine et française, homme d'une extraordinaire imagination qui disait voir et converser avec les anges, Blake créa son propre monde mythologique hautement complexe et élaboré. Il était le poète par excellence pour la génération de la contreculture. Bob Dylan fut influencé par lui, tout comme le poète Allen Ginsberg. J'ai toujours eu une grande admiration pour Blake, je possède des livres sur son art et suis allée plusieurs fois à la Tate Gallery, à Londres, pour voir ses gravures. Le titre de l'un de ses poèmes épiques, *Le Mariage du Ciel et de l'Enfer,* résume bien une bonne partie de ma vie, pourrait-on dire.

Blake était donc mon poète préféré et le Maroc mon endroit sacré et magique. Pendant un certain temps, j'ai même pensé acheter un appartement à Tanger et m'établir au Maroc, mais mon père, dans une lettre aux arguments convaincants, m'en a dissuadée. Quant à la marijuana, elle faisait ce que rien d'autre n'avait fait auparavant : cette drogue (moins forte que celle que l'on trouve aujourd'hui) empêchait mon esprit de partir au galop, me stabilisait et me permettait d'apprécier ce que je voyais, entendais et sentais autour de moi, au lieu que mes pensées s'éparpillent dans des accès d'exaltation.

Au Maroc, j'ai fait la connaissance de deux artistes qui allaient profondément m'influencer : un était chanteur et poète ; l'autre, peintre. Tous deux dans la trentaine, ils avaient vu et lu des choses, et vécu des expériences, que je n'avais même jamais imaginées.

Le premier était Leonard Cohen, que j'ai rencontré à Essaouira où il habitait chez une amie française du nom de Claire. C'était un bel homme, de taille moyenne, aux cheveux noirs et épais, à la voix grave et très forte. Son deuxième roman, *Les Perdants magnifiques*, était sorti quelques années auparavant, en 1966.

Leonard avait suggéré que je les rejoigne à Casablanca. Nous avons passé quelques jours ensemble dans un hôtel et nous avons discuté, blagué, un moment sérieux, l'instant d'après pouffant de rire. Leonard prenait le temps de réfléchir avant de parler – un exemple que j'aurais bien dû suivre. J'étais très attirée par son âme de poète et sa grande spiritualité. Nous avons parlé de tout et de rien dans les jardins de l'hôtel, tout en nous attaquant à d'énormes plats de tagine – délicieux ragoût marocain à base de légumes et de fruits, cuit lentement à l'étouffée et épicé avec du safran, du gingembre, du cumin et du paprika. On pouvait discuter la nuit entière, abordant des thèmes liés à la spiritualité dont je n'avais même pas soupçonné l'existence. À l'université, j'avais passé des heures à écouter sa musique, à lire ses romans et sa poésie, et c'était un grand honneur pour moi de passer du temps avec lui.

Je suis ensuite partie à Tanger où j'ai loué un appartement dans le quartier européen, et j'ai pensé travailler pour un ami styliste de mode pendant quelques mois. Un matin, j'ai senti une vive douleur dans la main gauche. Un jeune médecin français diagnostiqua une fracture d'un petit os et me mit la main dans le plâtre. Cependant, au lieu de diminuer, la douleur s'est vite intensifiée ; des élancements et une douleur atroce m'ont ramenée chez le médecin quelques jours plus tard. Démontrant peu d'empathie, il m'a dit d'arrêter de me plaindre et m'a donné un tranquillisant.

Cette nuit-là, mon bras au complet est devenu engourdi et je me suis précipitée dans la rue en hurlant de douleur, au bord de la panique. Une aimable Marocaine m'a demandé ce qui n'allait pas. Je lui ai montré mon bras. Quelques minutes plus tard, j'étais dans son auto, en route pour l'hôpital, où un chirurgien a retiré le plâtre et a découvert qu'il ne s'agissait pas du tout d'un os cassé, mais d'ostéomyélite – une inflammation de la moelle osseuse causée par une infection. Ma main était bleu-gris et semblait déjà avoir diminué de volume. On m'a administré de la morphine, et pendant quelques jours le chirurgien a craint de devoir m'amputer. Je suis restée deux semaines à l'hôpital, me rétablissant peu à peu grâce aux soins extrêmement attentionnés de religieuses catholiques, de véritables sœurs de la charité.

Mon second nouvel ami était Ahmed Yacoubi, un artiste qui avait un studio à Tanger et dont le nom circulait déjà dans certaines galeries d'art à New York. Plus tard, ses œuvres furent exposées partout dans le monde; des écrivains, dont Paul Bowles, se sont liés d'amitié avec lui et William S. Burroughs a écrit à son sujet. Bowles et sa femme, la dramaturge Jane Bowles, ont rencontré Ahmed quand il leur a offert ses services comme traducteur. Il faisait des dessins pour expliquer le sens de mots arabes et les deux écrivains ont immédiatement reconnu son talent brut de peintre, et ont contribué à lancer sa carrière internationale.

Le studio d'Ahmed était magnifique, avec des tapis et des coussins partout, des tables basses et des pièces d'art marocain inestimables. C'était un homme qui adorait cuisiner. Alors près de la quarantaine, Ahmed était doux et sérieux, le premier homme d'une autre culture que j'ai appris à bien connaître. Je pouvais l'écouter des heures durant; il était bon conteur et ses écrits, plus tard, ont été publiés. Je le regardais peindre, et j'étais avec lui quand il a fait mon portrait. Ahmed voulait que je reste avec lui; or mon instinct me disait que ça ne pouvait fonctionner. Je suis donc partie, mais j'avais commencé à entrevoir qu'il existait d'autres façons de penser et de vivre.

J'étais au Maroc depuis déjà presque cinq mois. Pour une petite fille de North Vancouver, le Maroc avait été une révélation, lui faisant voir un autre monde où liberté et choix existaient. Mais j'avais des fourmis dans les jambes. J'en avais assez du monde hippie, et la quantité de drogues qu'on ne cessait de m'offrir et la dépendance de nombre de mes nouveaux amis à ces substances commençaient à m'effrayer. Un incident déplaisant avec un revendeur de cocaïne et de haschisch (il essayait de me recruter comme passeur de drogue) m'a convaincue qu'il était temps de rentrer à la maison. J'avais eu de la chance en ce que rien de fâcheux ne m'était arrivé et je pensais avoir acquis un peu plus de maturité. Ce que j'avais écrit dans mes lettres, cependant, avait dû inquiéter ma mère : elle les a brûlées sans les montrer à qui que ce soit.

De plus, je mourais d'envie de revoir Yves Lewis. La dernière fois que nous nous étions vus, il m'avait dit de voyager, de faire l'apprentissage de la vie, de devenir adulte, et qu'on se reverrait plus tard pour voir où on en était. Je me sentais digne de lui, maintenant. Je ne m'attendais cependant pas à ce qui allait se produire. J'étais allée trop loin, et dans la mauvaise direction. Il me voulait plus libérée ; j'étais revenue trop libérée.

Je l'ai rejoint à Berkeley, en Californie, où il enseignait. C'était le 20 juillet 1969, le jour où *Apollo 11* s'est posé sur la Lune. Yves et moi sommes allés à une fête chez un ami à San Francisco, près du campus. On nous avait demandé d'apporter une bouteille de vin et un poème ou une chanson sur la lune, et au cours de cette nuit magique nous lui avons chanté des sérénades.

Nos retrouvailles ne se sont pas passées comme prévu. Yves, un mordu de politique impétueux pouvant aussi faire preuve d'un calme presque zen, n'avait que mépris pour mes cheveux frisottés, mes petites lunettes rondes et mon regard absent.

«Tu étais une si jolie fille, m'a-t-il dit. Maintenant, tu ressembles à une grosse poule couveuse.» (J'avais parlé de mariage et d'enfants.) «Reviens quand tu auras appris quelque chose de vrai sur la vie.» Dépitée, troublée et sans projet pour l'avenir, je suis revenue à la maison. Mais l'expression «on n'est vraiment bien que chez soi» ne s'appliquait pas à moi.

Pour fêter mon retour du Maroc, ma mère avait préparé un magnifique rôti de côte de bœuf qui lui avait demandé beaucoup de travail. J'étais atterrée.

«Vous mangez encore de la viande?» fut ma réaction. J'étais devenue végétarienne et avais adopté le riz complet et un régime macrobiotique. Quant à mon père, qui entre 1960 et 1973 avait occupé des postes de haute direction chez Lafarge, une cimenterie multinationale, je le tenais en partie responsable de la destruction d'édifices patrimoniaux à Vancouver qu'on remplaçait par des tours de béton. Vous pouvez imaginer les batailles rangées entre la hippie et le baron du ciment. Nous nous disputions à propos de politique, de valeurs morales, d'argent, de musique, de cupidité, de plastique, du sucre qui était un poison et de Coca-Cola qui était l'ennemi – à propos de tout, quoi. J'étais une hippie aux pensées de hippie : j'ai commencé jeune à mettre des fleurs dans mes cheveux.

J'étais encore au Maroc quand mon père avait écrit à Doug Abbott, mon parrain et ancien ministre des Finances dans le gouvernement de Louis Saint-Laurent, dans lequel mon père avait lui aussi été ministre. Mon père reconnaissait que des cinq filles Sinclair j'étais «la plus intellectuelle du lot» (mais ajoutait que j'étais très «de gauche»). Je ne suis pas certaine d'être d'accord à propos de «la plus intellectuelle».

J'ai peut-être une intelligence enviable, mais c'est une intelligence éclair. J'apprends vite (j'ai sauté la quatrième année) et j'ai une mémoire photographique, mais je ne peux pas, ou ne veux pas, consentir les efforts nécessaires à l'étude. De plus, je ne faisais pas toujours preuve de logique, ni de discipline. Mes sœurs s'enfermaient pour étudier ; pas moi.

Même avant d'aller au Maroc, j'étais une vraie enquiquineuse, une Vierge perfectionniste et méticuleuse, convaincue de savoir tout faire mieux que quiconque – préparer une salade, raconter une histoire, cirer un parquet. Le voyage au Maroc n'avait fait que remplir ma tête de mépris pour le monde que j'avais laissé derrière moi. Déjà bien engagées dans leur vie professionnelle, mes sœurs se moquaient de moi.

À mon retour du Maroc, il n'y avait pas de place pour moi à la maison, dans tous les sens du terme. Mon père avait ajouté un appentis – une construction bizarre – à cette maison qui, autrement, était jolie. Le toit en fibre de verre ondulée (couramment utilisé pour les remises) laissait pénétrer la lumière et empêchait l'eau d'entrer. Mon père a installé un lit dans cet appentis et c'est là que j'ai dormi pendant environ un mois. Finalement, las de nos affrontements, mes parents m'ont envoyée chez ma grand-mère.

En août 1969, je suis donc allée chez ma grand-mère sur la presqu'île de Sechelt, espérant trouver refuge dans sa maison perchée sur une falaise surplombant la baie Howe. Elle vivait dans un endroit vraiment magique. J'avais toujours considéré sa petite maison – avec son toit recouvert de papier goudronné et ses cadres de fenêtre d'un bleu « œuf de merle », son jardin de rosiers, ses arbres fruitiers, son potager et l'immense forêt qui s'étendait à des kilomètres à la ronde – comme un havre de paix. La propriété regorgeait de lis, de capucines et de pensées, dont beaucoup avaient poussé à partir des tiges que ma grand-mère coupait et laissait tomber quand elle jardinait.

Mes sœurs et moi avions connu là bien des étés de bonheur. Le magasin le plus proche était à plus d'un kilomètre, sur un chemin de terre ; c'est pourquoi ma grand-mère cultivait surtout des végétaux comestibles. Quand il faisait beau, nous marchions jusqu'au magasin par la plage. Je me souviens d'avoir joué au baseball sur le chemin avec les enfants des voisins et d'avoir écouté un vieil Irlandais qui habitait à côté, un type gentil qui avait toujours des bonbons et des histoires à raconter.

Ma grand-mère, Rose Edith Bernard, était la femme la plus forte que j'avais jamais connue. Elle avait alors près de soixante-dix ans, une femme ordinaire des prairies, solide, fière et autonome. Rose, en tant qu'aînée de la famille, avait aidé à élever ses frères et sœurs à la mort de sa mère, puis avait enseigné pendant de nombreuses années. Le mari de Rose, Tom Bernard – un homme modeste originaire de Malaisie, qui avait travaillé comme cheminot à Penticton –, est mort le jour de ma naissance. Chaque jour de leur mariage, Rose avait préparé du riz qu'elle laissait sur le fourneau pour lui, car c'est ce qu'il mangeait, là-bas dans son pays.

Je me rappelle la teinture bleutée que ma grand-mère mettait dans ses cheveux, et ses petits rituels, comme écouter de la musique classique tous les jours à la même heure. Elle s'assoyait devant son vieux poste de radio, posait les pieds sur un tabouret et fermait les yeux. Ses journées étaient bien organisées et efficaces, et elle était toujours occupée à jardiner ou à faire ses propres vêtements ou son vin de mûres.

Pour Rose Bernard, l'oisiveté était la mère de tous les vices, alors il y avait du temps pour jouer et du temps pour les corvées auxquelles devaient participer les sœurs Sinclair : désherbage, peinture, couture, reprisage et, une fois, fabrication d'un bain d'oiseaux avec briques, grillage et ciment. Quand je pense à ces années-là, je ne peux qu'être d'accord avec ma grand-mère : le travail est le remède à bien des maux.

Mais ce jour-là en 1969, à quelques semaines de mon vingt et unième anniversaire, j'étais assise sur un billot sur la plage de galets au pied de sa maison à Roberts Creek, rêvassant, attendant que la marée monte, écoutant les cris des mouettes et le roulement apaisant des vagues.

À mesure que les jours passaient, j'ai retrouvé une sorte de normalité. Je réfléchissais en marchant sur la grève et en regardant les phoques et les lions de mer. Quand je commençais à m'ennuyer, je cherchais des étoiles de mer et des crabes parmi les galets. Je me complaisais dans les souvenirs et essayais de ne pas penser à l'avenir, sachant seulement qu'une vie ordinaire de conventions sociales et de respectabilité, de clubs de bridge et d'emplois de bureau n'était pas pour moi. Puis j'ai reçu un appel téléphonique qui a transformé ma vie.

Ma grand-mère avait une ligne téléphonique commune à plusieurs abonnés : dans ce temps-là, les gens de la campagne partageaient souvent une même ligne, et une sonnerie distincte avertissait l'abonné que l'appel était pour lui. Ma grand-mère, qui ne recevait pas beaucoup d'appels, décrocha après trois longs coups et un court. C'était ma mère au bout du fil, sans doute avec une question banale et sans importance, qui demandait à me parler. De mauvaise grâce, je me suis avancée lentement jusqu'au téléphone.

« Margaret, a-t-elle dit en essayant en vain de paraître indifférente, un vieil ami vient d'appeler, quelqu'un que tu as connu en vacances, et il veut t'inviter à sortir. »

J'étais outrée. Moi, sortir avec un homme ? J'ai sèchement informé ma mère que je n'acceptais pas de rendez-vous. Elle était déconfite. Ma mère savait que je vivais une période difficile ; c'était en partie pourquoi j'avais été expédiée chez ma grand-mère. Or elle avait pensé qu'une sortie me remonterait le moral.

« Tu ne veux même pas savoir qui c'est ? » a-t-elle demandé.

J'étais curieuse, mais ne voulais pas le montrer.

« Eh bien, ai-je finalement répondu, avec l'agressivité d'une adolescente de mauvaise humeur, c'est qui ?

— Pierre Trudeau », a dit ma mère, flattée qu'il démontre de l'intérêt pour sa fille. Puis elle a ajouté qu'il venait à Vancouver pour une réunion. En avril 1968, après avoir remporté la victoire au congrès du Parti libéral à Ottawa, Pierre Trudeau avait été nommé premier ministre du Canada. Selon notre habitude, mes sœurs et moi avions assisté au congrès. Mon père appuyait John Turner. Comme moi, mes sœurs – qui avaient rencontré Pierre à Tahiti – l'appuyaient, lui, bien sûr.

J'étais suffisamment intriguée pour accepter de retourner à Vancouver. Pierre, comme je l'ai rapidement découvert, s'imposait déjà sur la scène politique canadienne comme aucun autre premier ministre auparavant. Il travaillait à mettre en œuvre de profondes réformes sociales et parlait de faire une place aux francophones dans la société canadienne.

Pour cette sortie, ma mère avait insisté pour que je range mes longues jupes à paillettes et aux petits miroirs scintillants, mes sandales et mes longs colliers, et que je porte quelque chose de plus habillé. Le résultat de notre journée dans les boutiques – une robe blanche courte et élégante, une visite au salon de coiffure pour lisser mes cheveux frisottés – ne réussit qu'à me transformer en poupée Barbie, avec broche de diamant et jambes rasées pour compléter le look.

J'avais deux images distinctes et légèrement contradictoires de Pierre. D'un côté, il y avait ce bel homme près de la cinquantaine qui portait des shorts démodés et des t-shirts rayés ; de l'autre, il y avait ce leader charismatique que j'avais vu accéder au pouvoir au congrès du Parti libéral à Ottawa, quand la Trudeaumanie avait déferlé.

Lorsqu'il est entré dans la maison de mes parents à North Vancouver, je l'ai immédiatement trouvé sympathique. C'était la fin de l'été et son bronzage ressortait bien sur sa chemise blanche, son blazer bleu et son ascot colorée. Il portait des verres fumés et une fleur à la boutonnière. J'aimais son charme et son air jeune, et je n'ai pu m'empêcher de jeter un coup d'œil à ses fesses bien fermes. Il respirait la confiance : sa première année comme premier ministre avait été une réussite, le pays était à ses pieds. Il dégageait tellement de bonne humeur, avec son air charmant et espiègle, qu'il m'a immédiatement fait rire. Le pauvre Pierre, quant à lui, se rappelant une jeune fille simple, sans prétention, en bikini sur une plage, a été décontenancé par mon apparence hypersoignée et guindée.

Malgré tout, notre soirée a été magnifique. Je l'ai fait sortir de la maison aussi vite que j'ai pu, incapable d'endurer les rires nerveux de mes sœurs ni le calme feint de ma mère. Une Pontiac bleue était garée dans l'entrée avec deux agents en civil sur la banquette avant, tous deux affichant les muscles et cet air d'autorité si caractéristiques des policiers. Nous sommes montés en téléférique au Grouse Nest, un restaurant au sommet du mont Grouse. Pendant un court moment, l'idée m'est venue que je devrais peut-être me méfier de cet homme, puis elle a disparu. Nous avons rapidement repris les longues conversations commencées à Tahiti et j'ai vite oublié qui il était. Je ne voyais que l'homme assis en face de moi : l'homme le plus charmant, le plus accessible et le plus intéressant que j'avais jamais rencontré.

J'ai été démasquée en quelques minutes : la petite robe de coupe française était une supercherie. Nous avons parlé de révolte étudiante, de Berkeley et du Maroc. Pierre, si manifestement soulagé de voir qu'il y avait une vraie personne dans cette poupée Barbie, m'encourageait à m'exprimer, et j'étais immensément flattée de sa prévenance à mon égard. Mais j'étais gênée de lui poser des questions sur sa vie. Comment pouvais-je lui demander : « Et puis, qu'est-ce que ça fait d'être premier ministre ? » Nous avons dansé, blagué au sujet du restaurant si touristique et beaucoup ri.

Plus tard ce soir-là, quand il m'a déposée à la maison en me donnant un baiser sur la joue, il m'a demandé si j'avais déjà envisagé un emploi au gouvernement. Non, je n'y avais jamais pensé, mais maintenant oui. J'étais déjà folle de lui, séduite par ses bonnes manières et sa courtoisie, son air de personne d'expérience, et par ce don particulier qu'il avait d'amener tout le monde dans son entourage à se montrer le plus agréable possible. Je m'imaginais déjà à ses côtés. En dépit de mon côté rebelle, j'étais la fille de ma mère, au fond, et je ne pouvais envisager la vie sans mari ni enfants.

Un mois plus tard, je déménageais à Ottawa et trouvais un poste de sociologue au ministère de la Main-d'œuvre et de l'Immigration. Ma transformation soudaine a stupéfié mes parents. Du jour au lendemain, j'ai recommencé à bien m'alimenter. Je me suis confectionné de jolis tailleurs convenant à la vie citadine que j'imaginais.

Deux semaines se sont écoulées avant que j'aie le courage d'appeler Pierre, et quand je me suis finalement décidée, il a été extrêmement surpris ; il ne s'était pas attendu à ce que je le prenne au mot. Mais sa voix était chaleureuse et on y percevait un léger amusement. Il m'a immédiatement invitée à dîner à la résidence du premier ministre au 24, promenade Sussex. C'était une chaude soirée d'octobre et des feuilles jonchaient la pelouse de la grande maison de pierre. Je me suis approchée avec une certaine appréhension.

J'avais eu vingt et un ans le 10 septembre, et me voilà frappant à la porte du premier ministre, prête pour un dîner en tête à tête.

Une femme souriante a ouvert la porte et m'a conduite à la bibliothèque, pièce que j'ai trouvée morne et sans âme, remplie d'étagères de livres sur l'art, de volumes sur la philosophie, de traités sur la politique et de livres de théologie à reliure de cuir. Ce que j'avais vu de l'entrée, avec ses tableaux de sombres paysages canadiens, accentuait l'ambiance froide et austère.

Après un repas de spaghettis (trop cuits) servis avec un filet d'huile et des biscuits aux pépites de chocolat pour dessert, j'ai regardé autour de moi et j'ai vu un décor triste, dépourvu d'intérêt. J'ai cependant passé une délicieuse soirée, très agréable, et la conversation était facile. J'avais l'impression que Pierre et moi nous connaissions depuis longtemps. Notre histoire d'amour avait commencé.

Plus je voyais Pierre, plus je l'aimais. Petit à petit, j'ai réussi à l'amener à parler de sa vie privée. J'ai découvert que son père avait fait fortune en achetant des stations-service pendant et immédiatement après la crise des années 1930, que c'était un homme aimant rire et parler fort, mais aussi un père qui entretenait de grandes ambitions pour son fils aîné, et que Pierre avait grandi dans le luxe, se faisant conduire tous les jours au prestigieux collège Jean-de-Brébeuf, à Montréal, par un chauffeur. J'ai appris qu'il avait surmonté sa grande timidité en prenant des leçons de boxe et que, ayant parlé français et anglais à la maison, il était parfaitement bilingue.

Il avait obtenu un baccalauréat en droit puis une maîtrise en économie politique à Harvard avant d'être happé par la politique québécoise. Après la perte de son emploi, il avait passé des mois à voyager de par le monde. Ensuite, il avait enseigné le droit constitutionnel à l'Université de Montréal avant de devenir député de la circonscription de Mont-Royal, puis ministre de la Justice dans le gouvernement de Lester B. Pearson. Il s'était distingué en effectuant une réforme radicale de l'appareil judiciaire, se faisant le défenseur des droits de l'homme et de l'équité, et en devenant le mauvais garçon adoré du Parti libéral.

Notre relation amoureuse n'était pas toujours simple. Pierre tenait à sa vie privée et j'étais loin d'être le genre de femme que les Canadiens trouveraient convenable pour leur premier ministre. Qui plus est, on le percevait comme un célibataire réservé et prudent. Il avait longtemps vécu avec sa mère, sortant avec peu de femmes, jusqu'à ce qu'il soit propulsé à la tête du Parti libéral et sur la scène publique. Depuis des années, des articles de magazine demandaient : « Qui Trudeau devrait-il épouser ? » Son nom avait été associé à celui de la chanteuse Barbra Streisand (qui l'avait un jour décrit comme « un séduisant croisement entre Marlon Brando et Napoléon ») et à celui de Madeleine Gobeil, qui enseignait la littérature française à l'Université Carleton à Ottawa et allait devenir directrice des arts et de la vie culturelle à l'Unesco.

Je commençais à découvrir que, derrière ce charme suave et cette confiance absolue qui avaient valu à Pierre une réputation d'homme arrogant, se cachait une personne étrangement solitaire. Je détestais la façon dont les gens cessaient de parler quand il s'approchait d'eux et la manière dont tout le monde le regardait – et nous regardait –, à la fois intimidé et admiratif. Nous avons donc arrêté de nous montrer en public et avons passé nos soirées seuls au 24 Sussex ou, mieux encore, à la maison de campagne du premier ministre au lac Mousseau.

Situé à quelques kilomètres au nord d'Ottawa dans les collines de la Gatineau, le domaine du lac Mousseau couvre cinq hectares et demi du parc de la Gatineau. Il a vu le jour quand des partisans ont suggéré au premier ministre John Diefenbaker qu'il devrait bénéficier d'un lieu de détente à la campagne, un endroit calme et paisible où un chef très occupé aurait le temps de pêcher, par exemple. Apparemment, lorsqu'il a fait le tour de la propriété, Diefenbaker avait d'abord été sceptique, mais on avait demandé au gardien du domaine de s'assurer que le premier ministre attrape une truite, et ce fut le cas. En 1959, la résidence du lac Mousseau est devenue la maison de campagne officielle du premier ministre du Canada.

Contrairement au 24 Sussex, vieux manoir imposant ayant appartenu à un baron de l'industrie du bois, la résidence du lac Mousseau est une simple maison blanche en bois avec un solarium entouré de moustiquaires sur un côté et une superbe vue sur le lac et les forêts au loin. Rehaussée de persiennes vertes, la maison n'a rien de spécial, mais elle est grande – seize pièces sur plus de sept cents mètres carrés. Du balcon au-dessus du solarium, on a une vue magnifique sur le lac nommé Mousseau en français et Harrington en anglais. Des familles portant ces patronymes se sont installées dans la région au début du dix-neuvième siècle, tout comme la famille Meech. Le lac Meech, lieu du célèbre accord signé en 1987, est tout près.

La maison du lac Mousseau – l'endroit préféré de Pierre et le lieu où nous avons été le plus heureux ensemble – a des parquets de bois et des boiseries peintes en blanc, deux immenses foyers de pierre aux extrémités opposées de la maison, un dans le salon et l'autre dans la salle à manger, dans lesquels nous faisions brûler d'énormes bûches. Le samedi et le dimanche, beau temps mauvais temps, Pierre insistait pour que nous nous adonnions à des activités à l'extérieur durant au moins quatre heures : randonnées pédestres, canotage et natation en été, ski de fond, ski alpin et patinage en hiver. Il avait fait construire un radeau qui restait ancré à une certaine distance de la grève ; on pouvait y prendre des bains de soleil en toute intimité. Il adorait l'endroit en raison de son isolement et de sa simplicité.

Ce qui me plaisait particulièrement à cette époque, c'est que Pierre me permettait d'être moi-même et qu'il semblait tout aimer chez moi. La différence d'âge de vingt-neuf ans ne nous dérangeait ni l'un ni l'autre. Jamais nous n'y pensions, mais nous aurions peut-être dû.

À Noël, nous étions déjà installés dans une routine. Nous dînions ensemble deux ou trois fois par semaine – le chauffeur venait me chercher à dix-neuf heures et Pierre me raccompagnait chez moi vers vingt heures trente, avant de se remettre à travailler. De temps en temps, nous allions au restaurant dans un quartier moins à la mode et les photographes qui réussissaient à nous surprendre présumaient que j'étais une des filles avec qui le premier ministre sortait à l'occasion.

Au lac Mousseau, j'avais ma propre chambre et nous étions très discrets. Cependant, nous nous sentions totalement libres et à l'abri des regards. Mais le plus agréable, peut-être, c'étaient nos escapades au chalet isolé, tout simple, de Pierre à Morin-Heights, dans les Laurentides. Au cours de ces séjours, j'en suis venue à aimer et à admirer son autonomie, son côté consciencieux, le peu de cas qu'il faisait des conventions sociales et son sérieux.

Nous riions beaucoup, aussi. C'était une période de rêve et le contraste par rapport au reste de ma vie me donnait l'impression d'être coupée en deux. J'avais partagé le sérieux de ma relation avec deux personnes seulement, ma sœur Lin et une amie à Toronto. On peut dire que j'ai un côté sournois : je prenais un malin plaisir à vivre ma double vie, laissant croire à mes amis que je faisais une chose tandis que je faisais tout autre chose. Je m'amusais même à un petit jeu, amenant mes amis à parler du premier ministre du Canada pendant que je riais sous cape.

Une de mes photos préférées de mes années avec Pierre a été prise au cours de l'été de 1970. Nous sommes sur le traversier reliant Horseshoe Bay et West Vancouver en route vers Gibsons, sur la presqu'île de Sechelt, pour rencontrer ma grand-mère, Rose Bernard. En fait, j'espérais obtenir son approbation concernant l'homme que j'allais épouser.

Je voulais la bénédiction d'une femme que j'admirais beaucoup. Quand j'étais petite, ma grand-mère m'avait dit : « Margaret, tu es l'une des fleurs les plus délicates du jardin. Mais tu es aussi une vivace. » Comme je l'ai compris seulement plus tard, elle décrivait ainsi combien j'étais fragile et, en même temps, vigoureuse. Une vivace est une fleur éternelle, une fleur qui revient année après année.

Ce jour-là, la lumière était éclatante et la photo nous montre tous les deux avec des verres fumés, assis sur le pont le dos contre le mur, profitant du soleil. Pierre est nu-pieds, les coudes sur les genoux. L'image même d'un homme parfaitement détendu. Moi, j'ai les mains qui agrippent mes chevilles et je souris.

Dans mon souvenir, c'était un moment de douceur et d'innocence. Les Canadiens à bord avaient reconnu Pierre, bien sûr, mais se sont montrés gentils et polis, et voulaient lui serrer la main. Parmi les admirateurs se trouvaient des jeannettes dont l'uniforme et les insignes m'étaient si familiers. J'avais moi aussi porté cet uniforme dans ma jeunesse. Ces filles de onze ou douze ans ont été charmées quand Pierre les a taquinées.

Puis des touristes allemands se sont approchés et ont demandé, dans un anglais au fort accent germanique : « Pourquoi tous ces gens, jeunes et vieux, viennent-ils à vos pieds? Cela nous intrigue. »

Pierre leur a expliqué qu'il était leur Willy Brandt, alors chancelier de l'Allemagne de l'Ouest.

« Ah! se sont-ils exclamés. Ravis de faire votre connaissance, monsieur le premier ministre. »

Quand nous sommes arrivés chez elle, ma grand-mère – une vraie tory au franc-parler – lui est tombée dessus pour avoir permis la présence du français sur les boîtes de céréales. Elle aimait lire l'information sur les boîtes quand elle mangeait ses céréales le matin, et le français enlevait de la place à l'anglais. Et de toute façon, il n'y avait pas de francophones dans son milieu. Plus tard, Pierre aurait cette phrase célèbre : « Eh bien, vous n'avez qu'à tourner la boîte », en réponse aux anglophones qui se plaignaient de la présence du français sur les boîtes de céréales. Toutefois, ma grand-mère a peut-être été la première à lui exprimer ce mécontentement.

Avant notre mariage, pour la taquiner, Pierre lui avait demandé ce qu'un anglican penserait en la voyant dans une église catholique. La mère adorée de Pierre, Grace Elliott Trudeau, était de descendance écossaise, alors Rose et Pierre se sont évidemment très bien entendus. Elle flirtait avec lui.

Compte tenu de ce qui allait bientôt se produire, vous comprendrez pourquoi j'ai savouré ce moment sur le traversier. Je devais cependant m'habituer à ce que Pierre, où qu'il aille, soit accompagné de gardes du corps de la GRC, et ce, même s'ils gardaient leurs distances, comme sur le traversier ce jour-là. Je trouvais agaçante leur constante présence, mais heureusement nous arrivions à en rire.

Puis, c'en fut fini du bon temps. Le 5 octobre de cette même année 1970, l'attaché commercial britannique James Cross est kidnappé à Montréal. Cinq jours plus tard, Pierre

Laporte, vice-premier ministre et ministre du Travail du Québec, est également enlevé par le Front de libération du Québec alors qu'il jouait au football en soirée près de chez lui. La cellule du FLQ qui le retenait en otage exigeait la libération d'un certain nombre de prisonniers politiques.

Pierre proclame la Loi sur les mesures de guerre, ordonne de nombreuses rafles et arrestations, spécifiant qu'il ne négocierait pas avec des terroristes. Le 16 octobre, quatre cent quatre-vingt-dix-sept personnes sont arrêtées. J'étais avec Pierre, le lendemain soir, quand le téléphone rouge – rangé dans un placard de la résidence du lac Mousseau, au-dessus de ses pulls – a sonné lugubrement. On lui annonçait que Pierre Laporte avait été retrouvé mort, étranglé par la chaînette de la croix qu'il portait au cou, son corps abandonné dans le coffre d'une voiture à l'aéroport de Saint-Hubert, quelque seize kilomètres au sud du centre-ville de Montréal.

Pierre a pleuré : pour la famille Laporte, et à cause des décisions qu'il avait dû prendre. Il ne négocierait pas avec les kidnappeurs et il démantèlerait les cellules terroristes, même si cela exigeait la suspension de nombreux droits civils et politiques auxquels les Canadiens étaient habitués.

Quand je repense à cette époque, je me rends compte que Pierre ne voulait d'aucune façon me mêler à cette histoire. Cela faisait partie de son travail et n'était pas un sujet de débat. Nous avons cependant discuté de certains points. Je suppose que j'étais une de ces « âmes sensibles » qu'il a si vertement rabrouées. Je trouvais plutôt injuste que des gens soient privés de leurs droits, mais c'est peut-être ce dont le Canada avait besoin pour devenir la nation forte qu'il est aujourd'hui.

La Loi sur les mesures de guerre était dure. Je comprends l'indignation soulevée par les interrogatoires et la détention provisoire de tant de personnes. Par contre, des gens avaient été assassinés et le risque d'insurrection était grand ; d'autres boîtes aux lettres pourraient exploser, d'autres meurtres être commis. C'était le début du terrorisme, un affrontement entre « eux et nous » dans notre propre province, notre propre pays, et Pierre devait y mettre fin.

En fait, il n'y avait pas de « eux et nous » ; il y avait seulement « nous ». L'Histoire a donné raison à Pierre. La violence cessa peu de temps après l'application de la loi ; or ce genre de violence a continué en Irlande et dans bien d'autres régions du monde. À mon avis, Pierre a agi avec le courage qui le distinguait comme leader. Pour certains Québécois, il s'agissait de la pire injustice et encore aujourd'hui ils considèrent Pierre comme un traître. Mais comment peuvent-ils dire une chose pareille ?

Pierre se battait farouchement et, acculé au mur, pouvait réagir très durement. Mais il se battait pour ses convictions, et cela mérite le respect. Il est plutôt ironique que certains se souviennent de lui comme d'un homme ayant supprimé des droits civils. C'est pourtant lui qui a enchâssé une charte des droits et libertés dans la Constitution, donnant ainsi aux Canadiens des droits et des libertés inégalés dans le monde. Nous devrions chérir ces droits et en être fiers. À mon avis, mis à part ses merveilleux enfants, il s'agit du plus important legs de Pierre. C'était son but, lorsqu'il était jeune ministre de la Justice, et il a magistralement réussi.

Avec le temps, cinq membres connus du FLQ furent arrêtés et déportés à Cuba ; trois autres felquistes furent aussi arrêtés plus tard. Même si je croyais Pierre quand il affirmait que sans ces mesures draconiennes le Canada serait victime d'autres actes de violence de la part des séparatistes, ces événements ont eu un effet perturbateur sur notre relation.

En quelques heures, les mesures de sécurité autour de Pierre avaient été grandement resserrées. Quand nous sommes retournés au lac Mousseau, nous avons trouvé des camions et des soldats là où nous profitions auparavant de pentes verdoyantes et de vues dégagées. Le week-end de l'Action de grâces, j'ai aperçu une tente militaire à travers la brume. Le jour de l'Action de grâces, malgré les mises en garde de la police, nous sommes partis seuls sur le lac dans un vieux bateau délabré, puis nous avons grimpé jusqu'au sommet de la colline où des castors avaient construit des barrages sur les étangs.

Alors que nous marchions silencieusement dans le bois, sous la pluie, nous avons entendu des craquements semblables à ceux d'un gros animal s'approchant. Mais c'est un homme à la longue barbe hirsute qui est sorti des fourrés. Pendant un instant, Pierre et moi avons craint que les gardes aient eu raison de se faire du souci. En passant à côté de nous en courant, l'homme a seulement dit : « Faites quelque chose contre la prolifération nucléaire. » Après nous être perdus en redescendant, Pierre et moi sommes enfin parvenus au lac, plutôt honteux, et avons vu un agent de la GRC très inquiet assis dans un bateau, un parapluie dans une main et un fusil dans l'autre. Ses coups de feu nous avaient guidés. Nous n'aurions plus jamais de véritable vie privée.

En fait, j'étais de plus en plus malheureuse à Ottawa. Mon travail était ennuyeux ; j'avais peu d'amis. S'il n'y avait eu Pierre, j'aurais immédiatement pris le prochain vol pour retourner à la maison. Quand j'étais avec lui, ma morosité disparaissait miraculeusement et j'oubliais à quel point je me sentais seule le reste du temps. À mesure que nous devenions de plus en plus heureux en compagnie l'un de l'autre, je ne vivais que pour le temps que je pouvais passer avec lui.

Pourtant, dès le début de nos fréquentations, j'avais connu ce désagréable sentiment d'isolement. Je pense à la fois où Pierre m'a invitée à un bal masqué à la Bibliothèque nationale – notre première réelle sortie publique. Nous étions d'accord que les réceptions officielles et les dîners diplomatiques m'ennuieraient, mais ce bal s'annonçait un événement plus gai. Pierre serait en smoking, mais il m'encouragea à porter ce que je voulais. J'ai décidé d'y aller en Juliette, en robe hippie de velours rouge aux manches tombant jusqu'au sol et les cheveux remontés sous un filet de perles.

La soirée a été un désastre dès l'instant où je suis sortie de l'auto. Les gens nous dévisageaient et nous photographiaient ; souvent nous étions séparés l'un de l'autre ou, sinon, quand nous nous joignions à un groupe, tout le monde se taisait subitement. Les blagues étaient interrompues au milieu d'une phrase, les rires cessaient brusquement. Lorsque nous dansions, les gens avaient les yeux braqués sur nous. De retour dans l'auto, j'ai éclaté en sanglots. « Pourquoi nous a-t-on traités comme ça ? ai-je demandé à Pierre. Pourquoi ne pouvons-nous pas être des personnes normales ? »

Pierre me comprenait, mais il a été ferme : nous devions réessayer.

La fois suivante, il m'emmena dîner chez un de ses très bons amis. J'ai particulièrement soigné mon apparence. Dès notre arrivée, on m'a demandé si je parlais français. Pierre a répondu pour moi : bien sûr que je parlais français. C'est ainsi que, même si tous ceux présents parlaient parfaitement l'anglais, la soirée s'est entièrement déroulée en français, langue que je ne parlais ni ne comprenais. J'avais étudié le français pendant deux ans à l'université et pensais peut-être pouvoir m'en tirer, mais non. Je me suis collé un sourire sur le visage et j'ai fait semblant de suivre la conversation. Personne, en fait, ne s'est adressé directement à moi. Les convives ne s'intéressaient qu'à eux-mêmes et au premier ministre. À vingt-deux heures trente, Pierre a annoncé qu'il devait rentrer travailler. Je me suis sauvée avec lui, une fois encore en larmes, me lamentant que jamais je ne m'étais sentie aussi insultée et trahie. Nous avons décidé de laisser tomber les activités sociales.

J'apprenais cependant à connaître sa famille. Le weekend, nous allions parfois à Montréal voir sa mère qui habitait toujours la maison familiale, non loin de la sœur de Pierre, Suzette, ainsi que de son frère, Tip, un architecte, et de sa femme, Andrée. Nous avons passé une partie du temps des fêtes avec eux, et j'ai commencé à me sentir très proche de Suzette. La mère de Pierre était toujours bien mise et d'une très grande élégance, mais la démence embrouillait déjà son esprit.

À quelques reprises, Pierre et moi nous sommes séparés, puis nous reprenions notre relation amoureuse en cherchant à la consolider. Je me suis brièvement liée avec un étudiant en théologie, envisageant même de l'épouser. J'ai également continué de correspondre avec Yves Lewis, qui m'attirait encore énormément. J'encourageais Pierre à sortir avec d'autres femmes, mais j'étais furieuse et jalouse quand il le faisait. Ma mère ne cessait de me faire de sévères mises en garde : « Ne sois pas la maîtresse d'un homme politique deux fois plus âgé que toi. Pierre ne se mariera jamais avec toi. »

En 1970, après Pâques, j'ai quitté mon emploi et j'ai décidé de retourner vivre chez mes parents. Je ne voulais plus être la maîtresse secrète de Pierre ; je voulais vivre avec lui et avoir des enfants avec lui. Pierre hésitait, mais nous étions trop malheureux l'un sans l'autre, et au cours de cet été-là il m'a demandée en mariage.

Avant de s'engager, a-t-il cependant précisé, il devait connaître chaque petit détail de ma vie, pour éviter le risque de chantage. C'était la fin d'août et nous passions de merveilleuses vacances aux Bahamas, au Small Hope Bay Lodge sur l'île d'Andros. En marchant sur la plage, je lui ai donc récité comme une litanie les noms des garçons avec qui j'étais sortie, la marijuana, mes écarts de conduite...

Un de ces anciens amis, Yves Lewis, m'avait envoyé une lettre chez mes parents – seule adresse qu'il connaissait pour me joindre. J'apprendrais plus tard que ma mère l'avait brûlée.

Pierre était attiré par ma lignée écossaise (qu'il comprenait, ayant lui aussi du sang écossais) et aimait mon genre d'indépendance ainsi que la façon dont je me débrouillais dans la nature et au jardin. Il aimait mes talents ordinaires : que je sache cuisiner et coudre, par exemple. Pour ce fervent catholique, que je sois anglicane représentait un problème, mais ma conversion le réglerait. Il voulait une femme et des enfants, et je désirais ardemment avoir des enfants. Quant à mes autres lacunes (comme mon peu de connaissance du français), elles aussi seraient faciles à régler. Pierre pensait pouvoir m'éduquer, me façonner.

Une fois décidé à m'épouser, Pierre est devenu le plus tendre et le plus attentionné des prétendants. Il avait longtemps prié, m'a-t-il dit, pour trouver une femme qu'il aimerait et avec qui il aurait des enfants. Il savait ce qu'il cherchait, mais il voulait aussi être convaincu que notre mariage allait durer. *La raison avant la passion* : telle était sa devise.

En observant ses amis autour de lui, il avait compris que le moment était venu pour lui d'avoir des enfants. Étant farouchement opposé à toute forme de drogues et de médicaments, il m'avait persuadée d'arrêter de prendre la pilule. De mon côté, peu m'importait où, quand, comment nous allions nous marier : je savais seulement que je voulais être avec lui.

Nous avions convenu que je retournerais à Vancouver où je me préparerais à devenir la femme du premier ministre du Canada. J'étudierais le français, suivrais des cours de caté- chisme et me convertirais à la foi catholique. J'avais aussi décidé de devenir une skieuse chevronnée – en vue d'essayer de suivre Pierre dans ses prouesses sportives. J'ai honoré tou- tes les promesses que je lui avais faites. Je lui ai prouvé que je pouvais demeurer fidèle pendant ces mois d'attente; j'ai cessé de fumer de la marijuana (ce vice reviendrait, cependant, comme vous le verrez); j'ai appris à bien skier et je me suis convertie au catholicisme, avec l'aide du père John Schwin- kles de l'église St. Stephen à North Vancouver.

Dans une de ses leçons, le prêtre avait décrit les différen- tes façons d'aller au paradis. Le catholicisme, m'avait-il as- suré, était l'avion à réaction. Cela m'avait secouée d'appren- dre que le protestantisme de mes parents n'était qu'un bateau très lent. Concernant l'apprentissage du français, j'avais moins bien réussi, malgré des leçons particulières quotidiennes de quatre-vingt-dix minutes.

J'avais également beaucoup réfléchi à mon apparence en tant que future femme du premier ministre et m'étais consti- tué un trousseau de tenues chics. On m'avait informée que peu de temps après notre mariage Pierre et moi irions en vi- site officielle en Russie. L'inspiration pour une de mes robes est venue d'un magnifique sari offert à ma mère par le pre- mier ministre indien Jawaharlal Nehru lorsqu'elle était allée en Inde en 1954.

J'ai confectionné moi-même ma robe de mariée, avec un peu d'aide de ma mère, après avoir suivi des cours du soir avec la meilleure professeure de haute couture de Vancouver. Il s'agissait d'une robe à capuchon très simple en soie et en laine finlandaise, couleur ivoire, avec des manches d'ange. J'avais décidé de ne pas porter de voile, mais de piquer des marguerites dans mes cheveux et de tenir un petit bouquet composé de ces mêmes fleurs. J'ai même préparé le gâteau de noces, encore avec l'aide de ma mère. Ma sœur Lin était ma dame d'honneur. Comme bijou, je portais au cou un gros médaillon en argent, cadeau de mes parents et fabriqué par le même joaillier de West Vancouver qui avait fait nos alliances.

Le reste de mon trousseau est venu de la boutique d'un designer de West Vancouver. Au début, j'ai cru que mes prières avaient été exaucées : il était minutieux, gentil et toujours prêt pour un autre essayage, un autre petit ajustement. Nous avions établi ensemble les couleurs de base de mon trousseau : bleu roi, rouille, blanc crème. Il y avait, entre autres, une robe à mi-mollet en crêpe de laine ornée de perles, à porter avec un manteau de laine blanc cassé, comprenant une écharpe détachable. Tous ces vêtements me ravissaient, mais ce couturier allait bientôt me décevoir.

Quand le mariage a été annoncé, il a tenu une conférence de presse au cours de laquelle il a montré aux journalistes les croquis de mes vêtements, leur a donné mes mensurations et a raconté des anecdotes sur moi, des potins ; par exemple que j'étais arrivée toute dépenaillée, en jeans et chaussures de toile, et comment il avait immédiatement deviné la vérité. Cet incident aurait dû me mettre en garde contre ce que me réservait l'avenir. Je n'avais alors aucune idée de la cible de choix que j'allais devenir en tant que la toute jeune femme du premier ministre.

Ce qui m'a particulièrement contrariée, et cela peut paraître mesquin, c'est la façon prétentieuse dont il s'est octroyé tout le mérite des créations.

Je souhaitais une cérémonie de mariage le plus simple possible. Mon père avait réservé une salle privée au club de golf de Capilano, soi-disant pour une fête soulignant le cinquantième anniversaire de son arrivée au Canada. J'avais commandé de la soupe aux huîtres, du saumon fumé avec crème sure et caviar, du filet de bœuf sauce béarnaise et du champagne. Je voulais des bougies jaunes dans des candélabres en argent et, malgré la neige, trois différents arrangements de fleurs printanières.

Nous n'avions pas annoncé nos fiançailles et seuls quelques membres de ma famille immédiate étaient au courant, car nous ne voulions pas une horde de journalistes à nos noces. Pour obtenir la licence de mariage sans mettre la puce à l'oreille à quiconque, mon père s'est rendu à la petite ville de Squamish, où un membre de la police montée a gentiment juré de ne rien dire. Pas même les proches conseillers de Pierre ne savaient pourquoi il insistait pour faire dégager la piste à l'aéroport d'Ottawa, malgré les chutes de neige abondantes et les prévisions météorologiques défavorables.

Il avait désespérément besoin de petites vacances, leur avait-il affirmé, et voulait aller faire du ski dans l'Ouest. Même dans l'avion en route pour Vancouver, alors qu'il enfilait un habit de cérémonie, il avait dit à son bras droit, Gordon Gibson, qu'il devait d'abord se rendre à des funérailles. Son refus catégorique de se laisser dissuader de partir malgré de sévères mises en garde des autorités aéroportuaires donne un aperçu de sa détermination à toute épreuve. La tempête de neige qui s'est abattue sur Ottawa et Montréal était épouvantable, la pire depuis des années: Suzette, la sœur de Pierre, et Pierre Rouleau, son beau-frère, ont essayé durant cinq heures de traverser Montréal, mais n'ont finalement pas pu assister au mariage. Le frère de Pierre, Tip, et sa femme, Andrée, ont réussi à se rendre à Ottawa, mais seulement après huit heures de route cauchemardesques depuis leur maison dans les Laurentides. Quant à Gordon, il a été très étonné, en arrivant à l'église, de voir mon père et lui a demandé ce qu'il faisait là. «Je suis le père de la mariée», a répondu celui-ci, laissant Gordon sans voix.

J'ai épousé Pierre Elliott Trudeau à dix-sept heures trente le 4 mars 1971 devant treize personnes. Après la célébration, une réception a eu lieu dans une salle privée au club de golf. Cela faisait des mois que je me préparais à ce jour. J'étais très amoureuse. Avec Pierre à la barre, le pays paraissait déjà un peu plus *cool*, plus sexy et branché, et maintenant – avec sa jeune femme à ses côtés – cette impression s'accentuerait. J'étais la femme qu'il lui fallait, il était l'homme pour moi. Comme couple, nous étions une bouffée d'air frais.

Il n'y avait qu'une ombre au tableau. Pierre avait cinquante et un ans et était le premier ministre du Canada. Moi, j'en avais vingt-deux, j'étais insouciante et venais à peine de sortir de l'université; j'étais une enfant des années 1960, de cette génération qui baignait dans la culture hippie, prenait de la drogue et avait soif de liberté.

John Diefenbaker, alors chef de l'opposition, a eu un trait d'esprit au sujet des nouveaux mariés et de leur différence d'âge. J'ai beaucoup aimé sa boutade à l'époque et la trouve drôle encore aujourd'hui. En s'adressant à la presse, il avait eu ce conseil pour Pierre: «Vous pouvez soit l'épouser, soit l'adopter.»

J'aurais dû savoir à quoi m'attendre, bien sûr. Nos différences sautaient aux yeux; que j'aie refusé de les voir en dit long sur mes rêves romantiques, mon désir de plaire et mon déni de la réalité. Je n'étais pas seulement le produit des années 1960: par nature, j'étais versatile, hypersensible, prompte à m'offusquer, sujette à des accès d'enthousiasme rapidement suivis d'épisodes de profonde mélancolie.

J'étais une jeune femme qui ne savait pas très bien qui elle était ni ce qu'elle voulait faire de sa vie, une romantique avec un baccalauréat en études anglaises, sans but précis dans la vie et troublée, ayant un seul voyage à l'étranger à son actif. Une femme si jeune encore. Une Canadienne ordinaire, sans rien de particulier. Après tout, c'est peut-être ce que Pierre voulait, mais les attentes à mon égard étaient énormes.

Pierre, lui, avait quelques décennies de plus que moi, était croyant, rationnel et lucide, et son curriculum vitæ faisait état d'études à Harvard, à la Sorbonne et à la London School of Economics, et de cours de droit constitutionnel donnés à l'Université de Montréal. Dans ses voyages sac au dos, il avait traversé cinq continents et vingt pays. Quand je lui ai demandé s'il rêvait en anglais ou en français, il m'a répondu – comme un professeur expliquant avec beaucoup de patience un concept complexe à une enfant – que seul l'abstrait l'intéressait.

Il était l'huile, j'étais l'eau, et nous avions décidé de nous mélanger.

Jusqu'à notre mariage, notre relation avait été amusante, secrète et très intense. Maintenant, elle allait être publique, ponctuée de solitude et extrêmement stressante. Après le repas de noces, on nous a conduits jusqu'au chalet de mes parents à Whistler. Le lendemain matin, un coup de téléphone nous a réveillés à six heures et demie. La reine appelait pour féliciter Pierre, mais elle avait mal calculé le décalage horaire. Plus tard, nous avons reçu un télégramme du président des États-Unis, Richard Nixon. Une vie stressante, oui, mais en même temps un conte de fées.

Ma mère avait de sérieux doutes au sujet de notre mariage, principalement en raison de la différence d'âge, mais elle se demandait aussi comment j'allais m'adapter à ma nouvelle vie à Ottawa et à toutes ses contraintes. Pour sa part, elle avait détesté vivre à Ottawa en tant qu'épouse d'un homme politique.

Mais c'était dans sa nature de contenir ses sentiments, de ne jamais les montrer. Mon père, le fier et loyal libéral, était enchanté qu'une de ses filles ait épousé un premier ministre libéral, et il voyait combien j'étais heureuse. (Et plus tard, bien sûr, quand j'ai quitté Pierre, mon père a été affligé et contrarié, et ma mère soulagée.)

Comme il était grégaire de nature et avait de la difficulté à garder un secret, mon père avait été voir son ami le plus discret, qui avait déjà travaillé pour les services secrets, et en se promenant avec lui sur une plage déserte lui avait appris la nouvelle. Quant à ma sœur Jan, la discrétion n'était pas son fort. Juste avant le mariage, en me voyant revêtir une longue robe blanche, elle a paru très étonnée.

«C'est quoi cette robe ridicule? m'a-t-elle demandé.

— Ma robe de mariage», ai-je répondu.

Il a fallu l'empêcher de courir au téléphone. Cependant, quand elle est allée chercher le gâteau de noces, elle s'est arrêtée à une cabine téléphonique et a appelé un ami journaliste – qui s'est pointé à l'église avec un photographe. Je ne pouvais pas vraiment lui en vouloir. En fait, j'ai été très heureuse d'avoir les magnifiques photos qui ont été prises.

En ce jour d'hiver à North Vancouver, alors que les crocus et les jonquilles sortaient tout juste, les signes des mésententes et de la tristesse à venir étaient déjà évidents: la présence étouffante de la police, la fin de mon indépendance, le regard scrutateur du public, la volonté de fer de Pierre, l'énorme écart entre nos âges et nos personnalités.

Or, ce 4 mars 1971, je ne pensais qu'au bonheur de la nouvelle vie qui commençait pour moi. J'étais si jeune, si naïve.

CHAPITRE 3

Les hormones à la rescousse

Nous avons été très heureux pendant un certain temps. Notre intention était d'être à la montagne, au chalet de mes
parents à Whistler, au moment où Gordon Gibson s'adresse-
rait à la presse. Or la nouvelle circulait déjà quand nous
avons quitté le club de golf. Lorsque nous sommes arrivés à
la maison de mes parents – où quelques amis s'étaient réunis
pour les célébrations de « l'anniversaire » de l'immigration –,
le cirque médiatique battait déjà son plein.

L'entrée menant à la maison de mes parents à North Vancouver était éclairée *a giorno* par des spots de télévision et
bondée de journalistes qui tapaient des pieds dans la neige en
nous criant leurs félicitations. J'étais trop heureuse pour
m'en faire. Subitement propulsés sous les feux de la rampe,
mes sœurs et mes parents étaient dépassés par la situation.

J'ai troqué ma robe contre une jupe-culotte de tweed et
un anorak jaune, et nous sommes partis pour la montagne,
sous une pluie de riz et aveuglés par la lumière jaune des
projecteurs installés en demi-cercle autour de l'entrée. C'est
assis sur la banquette arrière d'une voiture de police, main
dans la main, que nous sommes allés au chalet. Le lendemain, nous avons skié et, à ma plus grande joie, j'ai découvert qu'après ces longs mois de préparatifs en vue du mariage
j'avais réussi haut la main dans au moins un domaine. Partis
tous les deux du sommet de la montagne, j'ai laissé Pierre

derrière moi en quelques secondes. Il skiait selon la vieille technique, se servant de ses épaules pour amorcer les virages, tandis qu'on m'avait appris à ne pas bouger le haut du corps, à garder les skis bien collés. Ce jour-là, sans la police montée qui maintenait les gens à distance, Pierre et moi aurions été assiégés.

Notre mariage avait apparemment fait la une des journaux partout dans le monde. Le magazine *Time* nous consacra son article principal, dans lequel on me décrivait comme «un mélange de Doris Day et de la sœur volante». Quant à Pierre, précisait l'article – sur un ton légèrement narquois –, il avait un «sens aigu de l'à-propos qui frisait le snobisme» et il aimait laisser transparaître dans ses vêtements et ses «manières étudiées» l'image qu'il avait de lui-même. Son long célibat avait, semble-t-il, «menacé de devenir ennuyeux». J'allais changer tout ça.

Après trois jours de lune de miel, nous sommes revenus à Ottawa où nous avons reçu un accueil délirant. À l'extérieur des portes vitrées de l'aéroport, une foule déchaînée nous attendait: journalistes, amis, ministres accompagnés de leur femme, tous intrigués par l'épouse de Pierre. J'avais hâte de leur dire combien j'étais heureuse et comment j'avais l'intention de réussir dans mon nouveau rôle.

Quand l'auto s'est engagée dans l'allée menant au 24 Sussex, j'ai remarqué la neige fraîchement tombée qui donnait à l'endroit un air accueillant et serein. Devant les grilles, les gardes se sont mis au garde-à-vous et nous ont salués. Dans la maison, j'ai été accueillie par des gens au sourire avenant, sept femmes et un homme, Tom MacDonald, l'intendant. Verna, la femme de chambre, avait disposé çà et là dans la maison des compositions florales sous forme de messages. «Bienvenue à la maison, Mme Trudeau», pouvait-on lire sur une bannière, et des roses et des œillets ornaient l'escalier menant au premier étage.

Pendant les premiers mois de mariage, nous avons continué de faire ce que nous faisions quand la vie politique de Pierre lui accordait des moments de répit, c'est-à-dire skier, aller en randonnée, écouter de la musique. Je préparais souvent des plats japonais, une cuisine que nous adorions tous les deux. Comme nous n'avions pas eu une vraie lune de miel immédiatement après le mariage, nous avons effectué plusieurs voyages au cours du printemps et de l'été de 1971 – par exemple, nous avons pratiqué la plongée dans les Caraïbes et navigué le long de la côte de Terre-Neuve à bord d'un brise-glace de la marine.

J'ai réussi à ne pas trop m'inquiéter même si mon français ne s'améliorait pas malgré les nombreuses heures de leçons particulières. Cela voulait dire que souvent, lors des soirées et des réceptions que nous donnions ou auxquelles nous assistions, je ne comprenais à peu près rien des conversations. Je souriais en hochant la tête poliment, espérant ne pas commettre de gaffes. Découragé, le professeur de français embauché pour venir au 24 Sussex démissionna.

Les jours de bonheur furent de courte durée. L'élan chaleureux et le sentiment d'approbation avec lesquels mon mariage avec Pierre avait été accueilli ne survécurent pas au long hiver canadien. J'étais habituée à la vie d'une famille de cinq filles qui se rendaient visite à toute occasion, sans cérémonie, accompagnées de jeunes amis, dans une atmosphère bruyante et joyeuse. Pierre était un membre relativement jeune du Parti libéral, mais ses collègues et amis étaient d'un âge plus près du sien que du mien, et certains considérablement plus âgés. À Ottawa, je me trouvais loin de ma famille. Cependant, mon père – homme d'affaires et politicien à la retraite siégeant au conseil d'administration de diverses entreprises (la Banque de Montréal, Alcan, Cominco et sept autres) – venait régulièrement dans l'Est pour des réunions. Je le voyais donc assez souvent et c'était merveilleux ; puis, plus tard, il passerait du temps avec ses petits-fils. Mais ma mère et les chamailleuses me manquaient.

J'ai rapidement commencé à me sentir enfermée dans une tour. Je n'avais pas d'amis de mon âge et n'avais absolument rien en commun avec les femmes des parlementaires, toutes plus âgées que moi. Aujourd'hui, j'ai une fille de vingt et un ans, soit un an de moins que j'avais lorsque je me suis installée au 24 Sussex avec un mari de presque trente ans mon aîné. Si à vingt-deux ans ma fille venait me demander sa bénédiction pour épouser un homme de cinquante-deux ans, je serais horrifiée. Mais en ce temps-là, rien, absolument rien n'aurait pu m'arrêter. Je n'avais aucune idée de ce que serait ma vie et ne pouvais imaginer que, comme un poisson rouge, peut-être, j'en viendrais à détester mon bocal de verre.

Pierre travaillait toute la journée, revenant seulement le soir pour aller courir dans le domaine du gouverneur général au 1, promenade Sussex, de l'autre côté de la rue. La propriété de trente-deux hectares offre un endroit magnifique, et typiquement canadien, où faire du jogging. Les chemins et les sentiers serpentent à travers une érablière, des espaces verts et des jardins. Les dignitaires étrangers de passage à la résidence du gouverneur général sont invités à planter un arbre ; grâce à de telles initiatives, le domaine en compte plus de dix mille.

Après le jogging, Pierre mangeait, puis retournait à ses dossiers. Pendant les quelques heures que nous passions ensemble, il semblait réticent à discuter de son travail, et, même si je lisais les journaux, la plupart du temps je ne savais pas à quoi il consacrait ses journées. Il détestait les conversations futiles, et quand nous allions dîner à l'extérieur, il me demandait de téléphoner pour savoir à quelle heure on passait à table. Pierre buvait très peu; il ne prenait qu'une gorgée de vin pour y goûter, et il avait un faible pour un vin liquoreux de la région de Bordeaux, le Château d'Yquem. Et il adorait le caviar, que nous mangions sur des toasts en buvant de la vodka russe dans de petits verres à vodka que Mme Michener, la femme du gouverneur général, nous avait offerts. Sinon, Pierre refusait de perdre son temps avant le repas un verre à la main.

La première année de mon mariage n'a été que bonheur et ravissement. Je n'avais jamais été aussi heureuse, mais je regardais peut-être mon nouveau monde à travers des lunettes roses.

Je ne porte plus ces lunettes. Je vois maintenant très clairement que des traits de caractère contraires et contradictoires peuvent coexister chez une même personne, qu'un homme d'une grande générosité peut également se montrer pingre, qu'un mari peut dire des choses gentilles un instant et dures l'instant d'après, qu'un époux adorable peut se retourner contre sa femme. Tout était à la fois si simple et si compliqué.

Par une belle journée du mois de juin, Pierre proposa d'aller en auto jusqu'à Montréal pour rendre visite à sa mère. En route, a-t-il dit, il s'arrêterait chez son avocat qui avait des documents à me faire signer. Quand je lui ai demandé de quoi il s'agissait, il a répondu: «C'est pour s'assurer que si quelque chose m'arrivait, si je faisais faillite, tu ne serais pas touchée.»

Les documents étaient prêts et, en sirotant le thé qu'on nous a servi, je les ai signés. Lorsque j'ai remis le stylo à l'avocat, il m'a dit: «Eh bien, Margaret, vous venez de renoncer à la possibilité de devenir une femme très riche.»

Je n'ai pas compris, à ce moment-là, le sens de ses mots. J'ignorais en quoi consistait l'avoir de Pierre et cela m'importait peu. C'est seulement après son décès que j'ai réalisé l'ampleur de sa fortune, qui s'élevait à des millions de dollars. Aujourd'hui, je me rends compte qu'il avait un problème – une obsession – avec l'argent, qui me causerait des ennuis tout au long de notre mariage et pendant que nous élevions nos enfants. Pierre avait énormément de difficulté à se départir de son argent. C'était son talon d'Achille.

Quand la question d'argent venait sur le tapis, j'essayais de discuter avec lui, et j'imagine que je versais des larmes. Je me suis résignée : c'était comme ça, il n'y avait rien à faire. On ne devait pas le critiquer ni contester ses décisions. Pierre était une sorte de despote et je ne connaissais rien aux pères despotiques (mon père n'en était pas un) ni aux frères despotiques (je n'avais pas de frère), alors je ne savais pas comment me défendre. De plus, je me suis retrouvée de plus en plus isolée et coupée de mon monde familier. Pierre me voulait pour lui tout seul.

Cependant, il m'adorait en tant que mère de ses enfants, car j'aimais mes enfants de tout mon cœur, et cela le ravissait. Jamais il n'a douté de cet amour au cours de nos nombreuses années ensemble. Cela m'a valu son respect et son indéfectible amour – et, en y pensant bien, le prix que j'ai payé n'était pas si élevé. En revanche, si je m'étais adressée aux tribunaux pour exiger ma « juste part » de sa fortune, il m'aurait écrasée.

Pourtant, c'était un homme doux, gentil. Il me disait de jolies choses quand je le méritais, et d'horribles choses également quand je le méritais. Contrairement à lui, j'étais plutôt simple, sans prétention. Nous étions si différents. Il disait : « Margaret, pour quelqu'un qui a tant de besoins, tu n'es pas cupide. »

C'est la fierté qui me retenait de le gifler.

Peu après avoir signé les documents, j'ai demandé à Pierre de l'argent pour acheter quelque chose dont j'avais besoin. Il a ouvert le coffre-fort avec réticence, en a sorti une épaisse liasse d'obligations d'épargne du Canada et m'en a donné une. Pierre n'avait jamais d'argent sur lui et devait en emprunter, à moi ou à ses adjoints, quand nous sortions. J'ai commencé à remarquer qu'il remboursait rarement.

Je découvrais d'autres aspects de sa frugalité. Pierre était le deuxième enfant d'une famille modeste ; son père, Charles-Émile Trudeau, avocat et homme d'affaires, avait fait fortune seulement lorsque Pierre avait environ dix ans, en achetant des stations-service et en les vendant plus tard à la société Imperial Oil. Sa mort, survenue quand Pierre avait quinze ans, avait représenté un coup dur pour tous les membres de la famille. Même s'ils étaient maintenant fortunés, la mère de Pierre, avec le sang écossais et français coulant dans ses veines, était économe de nature et lui a transmis cette aversion pour le gaspillage et le luxe inutile.

À mon arrivée au 24 Sussex, j'ai vu Pierre sermonner le personnel de maison qui changeait les serviettes de bain tous les jours. Il affirmait n'avoir besoin que d'une petite serviette de toilette, et que le nombre de jours d'utilisation n'avait aucune importance. Question argent, mon père nous avait toujours fait confiance, à mes sœurs et moi. J'ai donc été à la fois étonnée et humiliée lorsque Pierre a exigé que je note tous mes achats, y compris le shampoing et les timbres, et lui montre les sommes dépensées. Il ne voulait pas que je touche une allocation ni que j'aie une carte de crédit, et insistait pour que je m'adresse à lui quand j'avais besoin de quelque chose.

Un jour, une de mes tantes m'a donné une carte de chez Harrods, le grand magasin chic dans l'ouest de Londres. Ma « tante », Lady Molly Sinclair, était l'épouse de mon « oncle »

Sir George Sinclair, deux Écossais très colorés. George était en fait le cousin de mon père et ils avaient fait leurs études ensemble à Oxford. À l'instar de mon père, George était député (il siégeait sur les bancs torys en Grande-Bretagne), mais auparavant il avait été vice-gouverneur de Chypre et fait chevalier en 1960 pour services rendus dans les colonies.

J'ai utilisé la carte pour acheter des articles pour la famille, mais Pierre, furieux en l'apprenant, m'a ordonné de déchirer la carte. Je commençais à percevoir sa mesquinerie comme une sorte de maladie, et une partie de mon ressentiment débordait en disputes. Je trouvais son attitude paternaliste et condescendante, et, disons-le, hypocrite. Pour lui-même, Pierre n'achetait et ne portait que le meilleur : montre Rolex en or, roadster Mercedes-Benz 1960. En revanche, il était carrément pingre avec moi. Ayant hérité de sa fortune, il croyait peut-être en être l'intendant et était réticent à la dépenser, préférant la léguer.

La bataille en règle a commencé avec la demeure du 24 Sussex. J'avais la responsabilité de la maison et du personnel composé de cuisinières, de femmes de chambre et de jardiniers. Ces gens avaient leur routine et leurs façons de faire. La nouvelle maîtresse de maison était non seulement beaucoup plus jeune qu'eux, mais n'avait aucune expérience des tâches dans lesquelles ils excellaient. Depuis plus de trois ans, ils s'occupaient d'un célibataire, un homme frugal, et avaient eu très peu à faire. Or je me savais perfectionniste, prête à tout pour transformer l'existence morne de Pierre en une vie confortable et agréable. Comme les journaux l'avaient évoqué au moment de notre mariage, mon rôle était « d'ouvrir les tentures du 24, promenade Sussex et de laisser entrer le soleil ».

Mon premier affrontement a eu lieu avec les cuisinières. J'adore la cuisine, m'y intéressant depuis l'époque où mon père travaillait pour Lafarge, société œuvrant dans le domaine du ciment basée à Paris, quand j'avais douze ans. Les voyages en France, où nous mangions dans d'excellents restaurants, et l'achat de livres sur l'art culinaire français avaient complètement transformé nos vies. Les plats à base de viande et de pommes de terre, nutritifs mais fades, ont été remplacés par des mets fins et savoureux. Petites, mes sœurs et moi avons été cuisinières en second dans la cuisine de ma mère et nous avons appris à préparer ces merveilleux plats. Le livre de Julia Child *Mastering the Art of French Cooking* était la bible culinaire de ma mère.

Au 24 Sussex, cependant, on m'a immédiatement fait comprendre que je n'étais pas la bienvenue dans la cuisine. Les deux cuisinières – formées à l'école culinaire anglaise, ordinaire et traditionnelle – voulaient préparer du bœuf en croûte, des pains de viande et des biscuits aux pépites de chocolat. J'ai commencé à établir des menus deux jours après notre retour de voyage de noces, enhardie par l'histoire que Pierre avait racontée au sujet du repas servi à Golda Meir au 24 Sussex. Il avait clairement expliqué aux cuisinières, Margaret et Rita, que tout devait être casher, mais le plat apparu sur la table, baptisé sole au gratin, était une espèce de ragoût de poisson graisseux, plein d'arêtes, baignant dans une sauce à la crème peu appétissante. Un autre fiasco s'est produit lorsque des dirigeants des Caraïbes se sont vu offrir, au cours d'un déjeuner, des cuisses de grenouille – un mets peu raffiné dans ce coin du monde.

Je me suis mise au travail. J'ai acheté une douzaine de livres de cuisine et j'ai commencé à étudier des recettes, à comparer les façons d'apprêter le poisson et les viandes, de préparer des sauces, pour ne retenir que ce qui me semblait le plus délicieux et le plus nutritif. Puis j'ai établi des menus sains et équilibrés. Bravant ensuite la colère des cuisinières, j'ai exigé d'être présente chaque fois qu'elles préparaient un nouveau plat. De plus, avant de commander un plat pour une réception, je tenais à ce que nous y ayons goûté plusieurs fois nous-mêmes. C'était un perpétuel combat. Alors qu'une cuisinière était aimable et serviable, l'autre l'était… moins.

Verna, la femme de chambre qui avait disposé les fleurs en messages de bienvenue, faisait de son mieux pour m'aider et me protéger. Cette femme joviale au bon cœur avait des enfants et me traitait comme l'un d'eux. « Ne vous en mêlez pas, me conseillait-elle, vous êtes la maîtresse de la maison. » Mais je ne pouvais pas m'empêcher de m'en mêler, et il devint rapidement évident que cette cuisinière, source de tant de contrariétés, devait partir. C'était une femme difficile et il m'a fallu beaucoup de courage, mais elle est partie. L'autre cuisinière est demeurée seule responsable de la cuisine jusqu'à ce que je trouve Yannick Vincent qui était non seulement un excellent cuisinier versé dans la cuisine française, mais également un père de famille qui élevait des chiens d'attelage et s'adonnait à la peinture dans ses loisirs.

J'ai horreur des vantards, mais des amis m'ont fait remarquer que j'ai souvent été en avant de mon temps à certains égards (ce qui m'a valu bien des taquineries et des moqueries), notamment au sujet de la nutrition. J'ai été fin gourmet avant que cela ne devienne à la mode, j'ai insisté pour que mon mari assiste à la naissance de nos enfants, j'ai donné le sein à mes nouveau-nés, fait mon propre pain, cuisiné des plats ethniques, servi des crudités dans des réceptions officielles (initiative qui a fait sourciller), sonné l'alarme au sujet de la nocivité de la cigarette et me suis opposée à l'utilisation de pesticides. Aujourd'hui, de telles prises de position sont considérées comme progressistes et semblent aller de soi, mais pas en ce temps-là.

Malgré mes efforts pour modifier le statu quo, je me sentais toujours aussi seule au 24 Sussex. Les matins d'hiver quand il neigeait, je mettais mes bottes et allais me promener dans les jardins. Mais lorsqu'il faisait tempête pendant une semaine et qu'un vent glacial soufflait violemment de la rivière des Outaouais, je me retrouvais prisonnière, exaspérée par les restrictions et critiquant le personnel.

Et je m'ennuyais. J'avais peu de vrais amis à Ottawa et, même si j'étais invitée à m'impliquer dans des œuvres caritatives et des fondations, Pierre avait des réticences à me laisser participer. Mon rôle était d'être sa femme. Il avait décidé que je n'avais pas besoin de m'intéresser à la politique et avait ordonné à son personnel de ne pas m'embêter avec des questions. Or cela n'a fait qu'accroître mon isolement. Je ne devais pas accorder d'entrevue, même si j'étais l'objet d'une incessante curiosité – souvent bienveillante, mais c'était de la curiosité quand même. Tout ce que je faisais, portais ou disais était immédiatement rapporté dans toute la ville.

J'ai trouvé extrêmement difficile de diriger du personnel et de gérer une vaste demeure, tout comme de m'habituer aux grandes formalités. La transformation de l'insouciante hippie vêtue d'une jupe paysanne en une première dame des plus raffinées ne s'est pas réalisée facilement, notamment parce que j'étais presque toujours la plus jeune parmi les personnes présentes. Au cours des thés et des déjeuners organisés pour les épouses de chefs d'État ou de dignitaires du Parti libéral, on ne cessait de me dénigrer. J'ai trouvé les femmes de certains collègues de Pierre ambitieuses et acerbes, promptes à se moquer de la moindre petite erreur. Les plus grands amis de Pierre entretenaient des doutes sur mon éducation, sur le milieu anglais dont j'étais issue, comme s'ils n'étaient pas à la hauteur des leurs.

Nancy Pitfield représentait une exception. Épouse de Michael Pitfield, chef de la fonction publique, c'était une femme douce et gentille que rien n'énervait. Elle avait un grand sens de l'humour et me faisait rire plutôt que pleurer. J'ai eu une autre bonne amie en la personne de Lyn LeBlanc, femme de Roméo LeBlanc qui était alors l'attaché de presse de Pierre. Grâce à l'intelligence et à l'esprit vif de Lyn, je n'avais pas l'impression d'être comme un poisson hors de l'eau.

Norah Willis Michener, épouse du gouverneur général, m'a également démontré beaucoup de gentillesse dès mon arrivée au 24 Sussex. Avec sa grâce quasi royale, Mme Michener, comme je l'appelais toujours, a gentiment mais fermement entrepris de m'enseigner les règles protocolaires. C'était une petite femme, élégante, toujours parfaitement coiffée, à la voix claire et intelligente. Elle m'invitait à prendre le thé chez elle, où elle m'enseignait quoi faire et quand. « Le protocole, expliquait-elle en ignorant mes protestations, ça veut dire apprendre comment vous comporter, même si vous trouvez cela artificiel et éprouvant. » Par exemple, si je me trouvais assise à côté de la femme d'un chef d'État et qu'elle allumait une cigarette, je devais faire de même. Or je détestais les cigarettes et la fumée de cigarette, mais cela faisait partie de mon théâtre de l'absurde. (J'ai tout de même commencé à fumer à quarante-huit ans.)

Bien qu'optimiste et perfectionniste de nature, je crains de ne pas avoir été une bonne élève. Après avoir pris le thé avec Mme Michener, je rentrais à la maison pleine de bonnes intentions et avec des listes de conseils en poche. J'ai toujours le livret sur le protocole qu'elle m'a donné. Je n'ai jamais pu m'habituer, cependant, à la façon dont tout le monde – policiers, collègues de Pierre, maires, dignitaires en visite – me tapotait l'épaule, me prenait le bras, me poussait en avant, de côté, comme si j'étais une marionnette.

Un jour, n'en pouvant plus, j'ai dit à Pierre : « Si une seule autre personne me touche, je hurle. » Le mot a été passé : ne pas toucher Mme Trudeau. Cela fonctionnait bien avec la police et le personnel de la maison, mais le message ne pouvait être envoyé dans le reste du monde. À de nombreuses reprises, j'ai dû sourire et serrer les dents.

Encore aujourd'hui, je suis très sensible à mon espace vital. Il n'y a pas si longtemps, dans un petit aéroport dans le nord de l'Ontario, le hasard m'avait désignée pour une fouille. Pendant qu'on me palpait, je suis restée parfaitement immobile, les bras en croix, mais j'ai ressenti ce geste comme une atteinte à ma personne et les larmes ont ruisselé sur mon visage. La femme en uniforme m'a gentiment demandé si ça allait. Elle pouvait continuer, ai-je répondu, avant d'ajouter : « Je trouve cette fouille particulièrement agressante. D'habitude, seuls les gens qui m'aiment me touchent. » Me faire palper ainsi au nom de la sécurité me faisait penser à Big Brother et cela me donnait des frissons.

L'autre personne qui a fait preuve d'une grande gentillesse à mon égard quand nous étions assis l'un à côté de l'autre aux réceptions officielles est Bora Laskin, qui a siégé à la Cour suprême pendant quatorze ans, dont dix à titre de juge en chef. Protocole oblige, je savais exactement où j'allais être assise lors des réceptions données à Rideau Hall, la résidence du gouverneur général. À ma droite, il y aurait la femme du gouverneur général et, à ma gauche, le juge en chef ou le doyen du corps diplomatique qui représentait tous les diplomates. Ce dernier était un Haïtien de petite taille ; il occupait son poste depuis si longtemps que j'avais l'impression qu'on l'avait oublié. Il ne parlait pas un mot d'anglais et moi très peu le français.

Il me restait donc Bora, un homme si avenant. Je l'adorais, ainsi que sa femme et sa charmante fille, Barb. Nous sommes tous devenus de très bons amis. Très cultivé et maîtrisant l'art de la conversation, Bora m'a servi de mentor. C'est lui, en fait, qui m'a véritablement expliqué le fonctionnement du régime parlementaire. J'avais lu de l'information sur le sujet dans des livres, mais Bora m'a expliqué tous les détails au moment même où Pierre mettait en avant sa notion de société juste. Pierre avait beaucoup de respect pour Bora, pour sa très grande intelligence et son altruisme. Bora avait été comme un père pour moi, et son décès en 1984 m'a profondément attristée.

Pierre et moi avons vécu des moments inoubliables en visite officielle. Quelle ironie, vu mon malaise par rapport au cérémonial! Nous passions plus de temps en compagnie l'un de l'autre, nous pouvions rire et travailler ensemble – ce que je rêvais de faire. Immédiatement après notre mariage, nous avons été invités en Union soviétique par le président du Conseil des ministres, Alekseï Kossyguine. À l'université, je m'étais immergée dans les œuvres de Marx, de Lénine et d'Engels, et maintenant j'avais la possibilité d'observer le communisme en action. Et même si la fascination s'est rapidement transformée en consternation quand, dans les rues, j'ai vu des Russes aux traits tirés et à l'air malheureux, nous avons connu des moments très agréables pendant notre visite.

Peu après minuit, par une froide nuit de mai, nous avons quitté Ottawa pour Moscou à bord d'un Boeing 707 des Forces armées canadiennes. Cette première visite officielle en URSS d'un premier ministre canadien avait été qualifiée de « grande percée dans le domaine de la diplomatie internationale ». Dix-huit conseillers et fonctionnaires, trois députés et quarante journalistes nous accompagnaient. À l'atterrissage, nous avons été accueillis par une garde d'honneur jouant le *Ô Canada*. Au cours des douze jours suivants, notre voyage s'est déroulé à un rythme effarant – un jour Samarkand, le lendemain Norilsk –, dans un tourbillon de journées de dix-huit heures. La Trudeaumanie semblait nous avoir suivis : à Norilsk, la moitié de la population paraissait être sortie dans la rue, les gens se pressant les uns contre les autres, dix rangées de profond, pour voir défiler notre cortège de voitures.

L'un des premiers soirs, nous avons assisté à une représentation du *Lac des cygnes* donnée par la troupe du Bolchoï. Le théâtre lui-même était un édifice extraordinaire, grandiose, plein de dorures, mais ce faste n'était rien en comparaison du festin qui a suivi. Aux entractes, on nous escortait jusqu'à une salle à manger où étaient disposés de magnifiques assiettes d'une valeur inestimable, des verres en cristal et des pièces d'argenterie comme jamais je n'en avais vu, sans compter les plats, les coupes et les chandeliers en or ; tous ces objets provenaient de la collection des tsars. Plus surprenant encore fut la fin du ballet : le cygne ne mourait pas.

J'ai demandé à la ministre de la Culture, une femme qui ne souriait pas, pourquoi le ballet de Tchaïkovski avait été modifié. « En Russie, a-t-elle répondu, notre peuple souffre déjà suffisamment. Il n'a pas besoin de voir encore plus de souffrance quand il vient au ballet. »

Le lendemain, nous sommes allés voir une collection de tableaux des impressionnistes. On nous a cependant fait rapidement passer devant les Matisse et les Renoir pour enfin arriver au but de la visite : les « vraies » œuvres d'art, des représentations de paysannes russes travaillant dans les champs.

Jamais, pas même en rêve, je n'aurais pu imaginer pareil voyage. Dès que nous quittions notre palais, on dégageait les routes pour laisser passer notre cortège. J'étais à la fois dépassée et épouvantée par la pression, mais Pierre a été extraordinaire, me laissant râler, mais seulement dans la salle de bains et le robinet ouvert, car peu après notre arrivée nous avions découvert qu'on écoutait nos conversations. En fermant la porte de notre chambre, j'avais dit à Pierre, assez fort et avec passion : « Qu'est-ce que je ne donnerais pas pour une orange ! Mon royaume pour une orange, une orange fraîche ! » Cinq minutes plus tard, on cognait à la porte : c'était un serveur, un plateau à la main, contenant une banane, une pomme et, au milieu, à la place d'honneur, une orange. Pas un mot ne fut prononcé.

Le plus éprouvant, pour moi, c'étaient les banquets, et ce, pour une raison des plus agréables. Peu de temps avant notre départ d'Ottawa, les Michener avaient organisé un bal. Au milieu de la soirée, le responsable du personnel, le colonel McKinnon, m'avait invitée à danser. C'était un excellent danseur et nous virevoltions dans la pièce quand tout à coup j'ai eu de fortes nausées. Quelques semaines plus tard, en vacances dans les Caraïbes, j'ai ressenti le même malaise. Le jour où l'on m'a confirmé que j'étais enceinte, il n'y avait pas femme plus heureuse au Canada. Ça y est, me suis-je dit, j'ai réussi. Calculant les dates sur son calendrier, le médecin avait levé la tête et en riant avait dit : « Vous allez accoucher le jour de Noël. » Du jour au lendemain, tout ce qui m'avait hérissée jusqu'alors n'a plus eu d'importance. Les hormones – l'amour maternel – à la rescousse !

Toutefois, ma grossesse rendait la visite officielle en Russie difficile pour moi. Le simple fait de voir des montagnes de nourriture lourde me donnait la nausée, et il n'était pas question de prendre une goutte d'alcool. La seule personne au courant de mon état était la fille de M. Kossyguine, Lyudmila Gvishiani, une femme douce, discrète, que j'ai beaucoup aimée. Je l'ai suppliée de garder le secret, car Pierre et moi avions pensé que l'attente serait longue pour les Canadiens si nous annoncions très tôt la venue du bébé. Gentille et attentionnée, Lyudmila avait trouvé la meilleure façon d'arrêter les nausées du matin : elle gardait des citrons dans son sac et me donnait des tranches à sucer dans l'auto, entre deux visites officielles. Le jour où l'on m'a offert de la viande chevaline – une grande spécialité russe –, j'ai cru que c'en était fait de moi.

Pierre était touchant dans son rôle de protecteur. Les journalistes avaient été priés de respecter mon intimité et de ne pas se presser autour de moi, mais ils ne savaient pas pourquoi. Cela ne faisait pas l'affaire de certains qui trouvaient que j'étais constamment entourée « d'au moins une demi-douzaine de femmes russes et canadiennes », la plupart « deux fois plus âgées que moi et faisant trois fois mon tour de taille ». Des journalistes se sont dits déçus que je ne me mêle pas davantage à eux, car ils avaient été prêts à « m'accueillir » avec, semble-t-il, « grand enthousiasme ». Selon eux, je n'étais pas plus accablée de tourments intérieurs que la mariée dans la publicité d'une huile pour bébé. Si seulement ils avaient su.

J'ai fait des efforts pour me montrer agréable et reconnaissante. Je me suis bien entendue avec Alekseï Kossyguine, homme affable, attentionné et distingué, qui me parlait des heures durant, en anglais, de ses enfants et petits-enfants. J'ai été frappée par ses yeux pétillants et ses vêtements de bonne coupe. Leonid Brejnev, en revanche, me rappelait ces bureaucrates et hommes politiques anonymes et impassibles que l'on rencontre partout dans le monde. Le leader soviétique me donnait l'impression d'être un homme dur, inflexible et sec, pareil à un gros ours quelque peu menaçant. (Des années plus tard, Mstislav Rostropovitch – grand violoncelliste russe et ardent défenseur des droits de l'homme, et bon ami de Pierre – m'a chuchoté à l'oreille pendant l'entracte à un concert : « Ch'adore votre mari. Ch'adore Willy Brandt. Brejnev est un con. »)

Quand nous nous sommes mariés, Pierre avait promis de m'emmener à Terre-Neuve – voyage qui comporterait une part de travail, une part de loisir. C'est donc avec grande joie que peu après notre retour de Russie je suis montée à bord d'un brise-glace de la marine à Lunenburg, en Nouvelle-Écosse. J'ai apporté avec moi un sac de réglisse, car j'avais développé une insatiable envie pour cette friandise. On nous avait réservé la cabine du capitaine et, si elle n'était pas luxueuse, elle nous satisfaisait pleinement. La côte était malheureusement souvent cachée par la brume et de nombreux Terre-Neuviens ont été déçus que notre navire ne puisse pas entrer dans les petits ports où des cérémonies nous attendaient.

Il ne nous était pas venu à l'esprit que le gouverneur de Saint-Pierre-et-Miquelon, un archipel d'îles françaises au sud de Terre-Neuve, attachait une grande importance au protocole. Ayant imaginé une visite très informelle, je portais un chemisier de coton et une jupe paysanne que j'avais faite moi-même. Quand nous sommes arrivés à quai, j'ai constaté avec horreur que la femme du gouverneur portait un tailleur Chanel, un chapeau et des gants blancs. On nous a fait monter dans une longue et rutilante limousine décapotable, puis nous sommes partis à la tête d'un cortège d'automobiles faire le tour de l'île principale. Seul problème : encore une fois, la brume cachait la côte. Notre hôte décrivait, sans l'ombre d'un sourire, le splendide littoral des îles, les magnifiques baies et de célèbres rochers. En essayant de garder notre sérieux, Pierre et moi regardions à travers la brume blanche et admirions ce que nous ne pouvions voir. En de pareilles occasions, avec Pierre à mes côtés me tenant la main, je pouvais affronter n'importe quoi.

J'ai été heureuse au cours de l'été de 1971. Mon sentiment d'isolement et de solitude avait disparu. Je me sentais bien, enceinte ; je n'étais plus seule et j'avais soudain un but dans la vie. Un tel bonheur me paraissait presque irréel.

J'ai aidé à rénover le 24 Sussex, qui était en piètre état et meublé dans différents tons de gris. Bien que la décoratrice ait très peu tenu compte de mes suggestions, j'ai réussi à créer une jolie salle de couture au dernier étage, où je passerais des heures à confectionner des vêtements. La pièce avait un plafond en pente et quatre grandes fenêtres, et offrait des vues superbes sur les jardins, jusqu'à la rivière.

La décoratrice préférait le beige et le brun, mais j'ai insisté pour que les murs de la chambre à coucher principale soient tapissés de soie jaune. J'ai trouvé très pénible de tenir tête à cette femme, qui en fait n'était pas décoratrice mais architecte, et qui se montrait hautement condescendante envers moi. Malgré tout, l'expérience a été amusante. En quelques mois, la maison s'est transformée en un lieu où j'avais envie de vivre. Nous avons peint le salon dans des couleurs douces et neutres, posé de la moquette beige de haute laine, bien moelleuse, installé des canapés modernes et des meubles de style géorgien. Les murs de la salle à manger ont été recouverts d'un imprimé Fortuny, un tissu italien dans les tons rouge orangé, pour rehausser le magnifique plafond orné de moulures. Nous avons emprunté des tableaux du Musée des beaux-arts, que nous remplacions de temps en temps. J'adorais aller dans les entrailles du musée avec le conservateur pour choisir les tableaux de grands peintres canadiens. J'ai ainsi beaucoup appris au sujet de l'art canadien.

Je me suis également intéressée aux jardins de la propriété, dont l'entretien était assuré par une petite armée d'employés de la Commission de la capitale nationale. Portant d'épais tabliers et des gants, ils plantaient des rangées et des rangées de tulipes – de la même taille, de la même forme et de la même couleur. Quand elles commençaient à faner, ils rasaient toutes

les platebandes et y plantaient d'autres fleurs, des impatien-
tes par exemple – avec la même uniformité. On aurait dit
que des militaires s'adonnaient au jardinage.

J'ai convaincu les jardiniers, plutôt méfiants, de faire
preuve d'un peu plus de spontanéité dans leur choix de plantes. Sur un côté en plein soleil, j'ai créé un jardin anglais
– semblable à ceux que j'avais connus sur la côte ouest du
Canada – composé de lupins, de dahlias, de pieds-d'alouette,
de marguerites, de roses, de digitales et de mufliers.

À cette même époque, Pierre m'avait fait cadeau d'un
chiot, et j'ai écoulé les mois de ma grossesse à parcourir des
kilomètres et des kilomètres avec lui en guise d'exercice.

Les premiers mois de nausées passés, je me suis sentie en
pleine forme. Je ne fumais pas, ne buvais pas et refusais
même un comprimé d'aspirine. J'ai transformé une des
chambres d'invités au deuxième étage en chambre d'enfant,
la peignant d'un bleu « œuf de merle » – un hommage à la
maison de ma grand-mère, comme je m'en rends compte
aujourd'hui – et y installant une berceuse ancienne, une
table et une courtepointe. J'ai également fait fabriquer un
lit d'enfant, très simple.

À l'Hôpital d'Ottawa en ce temps-là, les maris n'étaient
pas autorisés à assister à l'accouchement. Quand je l'ai su, au
cinquième mois de ma grossesse, j'étais indignée. Il n'était
pas question que Pierre ne soit pas présent à la naissance de
son premier enfant. J'ai protesté, menacé d'accoucher à la
maison. Mon médecin a finalement demandé une autorisation spéciale au conseil d'administration, qui a rapidement
changé le règlement pour tous les futurs papas.

Pierre semblait aussi heureux que je l'étais, et nous avons
passé de belles longues heures à imaginer notre futur rôle de
parents. Même si tout le monde se moquait de moi, j'étais
persuadée que le bébé arriverait comme prévu le jour de

Noël. Pierre et moi avions tout planifié : on irait à la messe de minuit le 24, ferait la grasse matinée le matin de Noël, ouvrirait nos cadeaux, prendrait un léger repas, puis on irait avoir le bébé. C'est ainsi que ça s'est déroulé. Après le petit-déjeuner, nous avons appelé le médecin. Il nous a conseillé d'aller faire une promenade avec le chiot. Quand les contractions ont commencé à se rapprocher, nous sommes allés à l'hôpital. La naissance de Justin a été aussi dépourvue de complications que les neuf mois qu'il avait passés dans mon ventre.

Nous lui avons donné le nom de Pierre comme deuxième prénom, suivi de James, en souvenir de mon père. Justin était un enfant adorable, attachant et très intelligent. Tout le Canada a semblé se réjouir autant que nous de cette naissance, qui n'aurait pu recevoir meilleur accueil. C'était la première fois en cent deux ans qu'un premier ministre en poste avait un enfant. Il y a eu des messages à la télévision, des télégrammes et des appels téléphoniques, et des milliers de lettres de félicitations. Ma collection de pulls, de petits bonnets, de bavoirs et de petits chaussons tricotés à la main commençait à prendre énormément de place dans ma chambre. Dès qu'il a été su que j'allaitais Justin, j'ai été inondée de milliers d'autres lettres me félicitant pour ma décision.

Nous nous sommes installés dans une douce routine. Quand j'ai senti qu'il était temps de sevrer Justin, j'ai demandé à un membre du personnel de la maison, Diane Lavergne, une jeune fille de la campagne au bon caractère qui avait commencé comme femme de chambre, de m'aider à m'occuper du bébé. Elle adorait Justin et m'a par la suite aidée avec les autres enfants.

Il y eut bientôt d'autres visites de chefs d'État et d'autres rencontres protocolaires. En juin 1973, Indira Gandhi est venue au Canada en visite officielle et demeurait avec son entourage chez le gouverneur général. J'avais l'impression d'avoir pris de l'assurance comme hôtesse lors des grandes réceptions et j'ai consacré beaucoup d'efforts à préparer un dîner officiel délicieux et agréable.

Peu de temps après, en août, alors qu'on venait à peine de terminer les travaux de décoration au 24 Sussex, la reine et le prince Philippe sont arrivés. Je me serais bien passée, cependant, du spectacle auquel leur célébrité a donné lieu. Je me réjouissais de leur venue, car ma grand-mère avait été une passionnée de la monarchie, possédant d'innombrables livres sur la famille royale.

La visite royale comprenait une promenade dans les rues de la ville. Pendant que la reine et Pierre parlaient à la foule d'un côté, le prince Philippe et moi marchions de l'autre, et de temps à autre nous changions tous les quatre de côté. J'éprouve beaucoup d'admiration et de compassion pour le prince Philippe. Je lui tire mon chapeau. Éternel second violon, il a un rôle à jouer et il le prend au sérieux. Jamais je n'aurais pu assumer un tel rôle.

On aurait pu s'attendre à ce que Pierre, fervent Canadien français, ne se montre pas très enthousiaste à l'idée d'accueillir une reine britannique, mais, en fait, il l'admirait. Ils conversaient en français, Pierre appréciant son intelligence et la façon dont elle – comme lui – faisait ses devoirs.

Parce que la résidence du lac Mousseau – le seul endroit où nous pouvions réellement nous retrouver en famille – jouait un rôle de plus en plus important dans ma tranquillité d'esprit, j'étais déterminée, encore plus qu'au 24 Sussex, à préserver son caractère intime et privé. Personne, absolument personne ne gâcherait ce lieu.

Un jour, j'ai reçu un appel du responsable de l'entretien de la propriété. Pierre et moi devions partir pour quelques semaines et l'homme m'informait que la décision avait été prise de moderniser la maison. L'idée, affirma-t-il, était de remplacer «tout ce vieux revêtement de bois hideux par une belle façade bien lisse et moderne». Je fulminais.

«Jamais de la vie!» me suis-je écriée. L'homme m'a rappelée un peu plus tard. Et si on remplaçait les vieux cadres de bois des fenêtres par des cadres en aluminium? Encore une fois, j'ai dit non. Puis a eu lieu un affrontement – une véritable comédie – devenu une sorte de cause célèbre à Ottawa.

Je faisais du pain dans la cuisine de la maison au lac Mousseau quand tout à coup j'ai entendu un vacarme épouvantable; on aurait dit une armée passant à l'attaque. Me précipitant à la fenêtre, j'ai vu près du lac un groupe d'hommes et une énorme machine crachant un insecticide. J'ai laissé tomber la pâte et, sans même prendre le temps de me laver les mains, j'ai couru dehors, dévalant la pente en brandissant le rouleau à pâte.

«Arrêtez! ai-je crié. Allez-vous-en!» Les hommes se sont tournés vers moi, bouche bée. Le contremaître a ordonné d'arrêter la machine. J'ai supplié, tenté d'amadouer ces hommes, les ai menacés. Ils me regardaient de travers, en grommelant. Finalement, voyant que je n'avais aucunement l'intention de céder, que je préférais me coucher dans la boue et laisser le camion me passer sur le corps, ils sont partis. J'étais convaincue que le produit insecticide était nocif pour mon bébé et pour l'équilibre écologique de la magnifique forêt. Pour ces hommes, nous protéger des moustiques voraces semblait plus important.

Puis un jour, je me suis rebellée contre les mesures de sécurité extrêmes, notamment l'exigence – véritable perte de temps – d'appeler pour que quelqu'un m'accompagne chaque fois que je voulais sortir de la maison, et ensuite d'attendre que cette personne arrive. De manière plutôt puérile, j'ai décidé de déjouer les gardes et de sortir seule avec Justin. J'ai mis Justin dans sa voiture d'enfant, puis j'ai quitté la maison en passant devant les policiers qui regardaient dans l'autre direction et suis allée rendre visite à mon amie Nancy Pitfield, qui habitait non loin. Mais on m'avait aperçue, et quand je suis revenue, Pierre a piqué une colère. Il y avait deux choses, a-t-il dit, que je devais absolument comprendre : d'abord, si jamais Justin ou moi étions kidnappés, il n'y aurait aucune négociation pour notre libération ; ensuite, en tant que femme et enfant du premier ministre, nous étions des cibles de choix pour les terroristes. J'ai été formellement avertie de ne jamais recommencer.

Puis Pierre a voulu me donner un cours d'autodéfense. Il m'a demandé d'aller chercher un animal en peluche, de m'imaginer que c'était Justin et de commencer à marcher. À un signal donné, je devais me jeter sur le bord du trottoir, le corps replié sur le bébé dans mes bras, de manière que les kidnappeurs aient beaucoup de difficulté à nous prendre. En même temps, je devais hurler à l'aide, de toutes mes forces.

C'était une leçon nécessaire, mais elle m'a donné des frissons dans le dos : j'ai finalement compris la menace que pouvait représenter le milieu de Pierre. Mes enfants ne seraient jamais parfaitement en sécurité, et à partir de ce jour, où que j'aille, quoi que je fasse, je serais toujours accompagnée d'hommes à la carrure imposante avec des oreillettes et des fusils. Cela marqua la fin d'une certaine innocence.

Un terrible incident qui s'est produit à peu près au même moment m'a apporté une autre preuve de notre vulnérabilité. Le *Vancouver Sun* avait publié un article sur « la riche élite de Vancouver ». Parmi les dix hommes d'affaires les plus influents, classés selon l'actif de leurs entreprises, figurait mon père. La semaine suivante, cinq adolescents ont emprunté un camion et sont allés sur une plage déserte le long de la rivière Fraser pour se baigner. Un homme armé d'une carabine est sorti des bosquets et en a abattu quatre. Le cinquième a réussi à s'échapper et à donner l'alerte. Quand les agents de GRC sont arrivés, ils ont trouvé les corps, mais pas le camion.

Un certain temps s'est écoulé avant qu'on retrace l'individu. Au cours de son interrogatoire, il a révélé avoir lu l'article et décidé de kidnapper un des hommes mentionnés, de demander une rançon, puis de partir faire le tour du monde. Mais pour réussir son coup, il avait besoin d'un camion. Il avait utilisé celui des adolescents pour repérer les résidences des dix hommes d'affaires. La plupart habitaient des rues passantes dans les quartiers Shaughnessy ou Kerrisdale.

La maison de mes parents, par contre, se trouvait dans une rue tranquille, cachée par de hautes haies. Quand la police a arrêté l'homme, il a admis que sa cible était mon père et qu'il avait eu l'intention de l'enlever, de le garder attaché à un arbre dans la forêt et d'exiger une rançon. Comme j'allais souvent à Vancouver et qu'à l'occasion je laissais Justin chez mes parents, les policiers responsables de la sécurité se sont dits extrêmement inquiets pour notre sécurité.

Cette histoire m'a durement rappelé que ma position de femme du premier ministre mettait tous les membres de ma famille en danger. Ma famille a été horrifiée, car elle a compris à quel point la menace était réelle. Nous voyions maintenant les forces policières d'un autre œil – non plus comme une présence agaçante, mais comme des protecteurs et la première ligne de défense.

La sécurité n'était pas la seule chose qui me rendait nerveuse. Dès le début, il semblait écrit que j'allais commettre d'épouvantables gaffes qui m'attireraient les critiques et les moqueries des médias. Parfois, ils me donnaient l'impression de n'être bonne à rien. Leurs railleries, cependant, n'ont réussi qu'à faire sortir la rebelle en moi. Quand Pierre et moi nous sommes mariés, j'avais fait confectionner une magnifique robe, parsemée de perles et tombant à mi-mollet, pour la réception au cours de laquelle j'allais être présentée au gouverneur général. J'étais particulièrement fière de cette robe, une de mes créations. Des années plus tard, nous avons été invités à Washington – Jimmy Carter était alors président – et j'avais décidé de porter cette robe à l'occasion d'une réception à la Maison-Blanche. Or ce soir-là, Rosalynn Carter et les autres femmes présentes portaient toutes une robe longue.

Le lendemain matin, ne voyant aucun journal avec notre petit-déjeuner, j'ai demandé qu'on m'en apporte un. Après beaucoup d'hésitations, ce fut fait. Dans un long article du journal, il était écrit que j'avais insulté les Américains en général et Mme Carter en particulier parce que je n'étais pas correctement vêtue. Rosalynn s'est immédiatement portée à ma défense : il n'y avait eu aucune insulte, a-t-elle affirmé. Au contraire, mes vêtements étaient très élégants et parfaitement appropriés. Dorénavant, ajouta-t-elle, il n'y aurait plus de commentaires sur les vêtements portés aux réceptions de la Maison-Blanche.

Le soir suivant, c'était à notre tour de donner une réception en l'honneur des Carter. En réaction aux critiques des médias, j'ai basculé dans la démesure. J'avais apporté avec moi une robe achetée en Floride, une robe en tissu argenté très courte, moulante et couverte de paillettes. Pierre l'adorait et approuva mon choix. Or, parmi nos invités, se trouvait Elizabeth Taylor ; faisant preuve de tact, elle est venue en robe courte.

Au Canada, la presse ne s'est pas gênée pour critiquer ma tenue provocante et mon soi-disant mépris pour le protocole. Pierre et moi avons parcouru les journaux, qui avaient consacré leur une à ces absurdes reportages, essayant de comprendre la raison de ces attaques de la part de journalistes et de chroniqueurs politiques.

J'ai cependant reçu un appui inattendu : l'Américaine Robin Morgan, militante féministe radicale, a écrit un article dans lequel elle disait se réjouir de voir les femmes enfin sortir des pages mondaines pour se retrouver à la une des journaux, là où était leur place – opinion, d'une certaine façon, tout aussi absurde.

Même avec Justin dont je devais m'occuper, je me sentais désœuvrée. À mon arrivée à Ottawa en tant que femme du premier ministre, j'avais été inondée d'invitations à faire du bénévolat dans des hôpitaux et pour des œuvres caritatives, comme l'avait fait Maryon Pearson, l'épouse du premier ministre Lester B. Pearson. Mes journées auraient pu être bien remplies avec de telles activités, mais Pierre avait dit non. Il me voulait femme au foyer : nu-pieds, enceinte et aux fourneaux. Il voulait prendre soin de moi et me protéger ; lui connaissait le monde extérieur, moi pas.

À sa manière, Pierre était l'homme le plus tolérant que j'aie jamais connu. Mais sa tolérance prenait la forme d'un altruisme orienté vers le monde. Sa vie était guidée par le modèle de pensée suivant : «Je vous tolère. Vous n'êtes pas aussi bon que moi, mais je vous tolère.» Il avait une attitude condescendante.

Je savais que l'Université d'Ottawa avait un excellent département de pédopsychiatrie et de psychologie du développement, avec un volet ciblant plus particulièrement les enfants souffrant de troubles mentaux. J'ai décidé de m'inscrire en maîtrise à cette université. Instinctivement, j'ai dû me douter que Pierre n'approuverait pas. Je me suis donc inscrite avant de lui parler de mon projet un soir à table. Non seulement était-il contre l'idée, mais il m'a interdit d'envisager d'y donner suite, affirmant que j'en avais fait la suggestion seulement parce que je voulais me trouver en compagnie de jeunes hommes. Il n'avait pas tout à fait tort : je recherchais en effet la compagnie, non pas de jeunes hommes, mais de jeunes gens, de gens de mon âge, ayant les mêmes champs d'intérêt que moi. C'était une coïncidence si la maladie mentale, qui allait bientôt miner ma vie, comptait parmi ces champs d'intérêt, sauf que j'avais dû avoir une espèce de prémonition.

Le refus de Pierre de me laisser entreprendre des études a entraîné la première vraie dispute entre nous. En m'imposant sa volonté, croyait-il, il me transformerait en femme parfaite, de la même façon qu'un père impose sa volonté à une adolescente rebelle. Mais Pierre n'était pas mon père ; il était mon mari.

Chapitre 4

Ça commence

L'année précédant les élections, au printemps de 1973, j'étais de nouveau enceinte et l'idée d'entreprendre une maîtrise en psychologie a simplement disparu. Les hormones maternelles, encore une fois, m'ont donné un répit dans mes changements d'humeur, dans mes hauts et mes bas.

Quand j'étais enceinte de Justin, je m'étais immédiatement sentie bien et en pleine forme, et j'avais un but. Ce fut la même chose cette fois-ci. Nous avons demandé à un ami de Pierre, l'architecte Arthur Erickson, de rénover et de décorer un petit salon privé à l'étage, une pièce pour la famille dont l'accès serait interdit aux étrangers. Quand Justin l'a vue pour la première fois à l'automne de 1973, il avait presque deux ans et la pièce n'était pas encore meublée. En poussant la porte, ce petit garçon enjoué, intelligent et plein d'énergie s'est mis à courir dans la pièce en criant de joie et en hurlant à tue-tête : « Liberté ! Liberté ! » Pourquoi ce mot ? Je lui chantais souvent la chanson si merveilleusement interprétée par Richie Havens à Woodstock en 1969, dont une phrase dit : « Parfois, je me sens comme un enfant orphelin de mère », mais le mot que Havens répète très souvent, le mot qui a donné le ton à ce festival rock est *liberté*. Le petit Justin aimait ce mot. (Plus tard, quand la vie publique a commencé à m'étouffer, je partais à l'occasion en « voyage de liberté », comme Pierre et moi disions, dans des endroits où personne ne savait que j'étais la femme du premier ministre. Au début, cela nous faisait rire, mais quand, plus tard encore, je partais pour fuir mon mariage qui me suffoquait, ces voyages sont devenus source de grandes frictions entre Pierre et moi.)

À partir de ce jour de 1973, le petit salon est devenu la pièce de la liberté pour la famille. Il a été mon havre, un lieu de bonheur, avec son épaisse moquette beige, ses murs recouverts de soie brute et son ameublement moderne de style italien: tables de marbre, fauteuils de cuir, meuble stéréo et téléviseur encastrés. Le soir, Pierre venait y travailler, levant les yeux de temps en temps pour regarder la rivière.

De tous mes voyages avec Pierre, le plus dépaysant et celui qui a donné les meilleurs résultats est sans conteste le voyage en Chine à l'automne de 1973. L'enjeu était de taille. Le président Nixon avait reconnu la Chine l'année précédente, mais le Canada était le premier pays occidental à y envoyer une délégation officielle, et Pierre souhaitait ardemment conclure une entente commerciale avec ce pays. J'étais enceinte de sept mois et demi, mais mon médecin m'avait assuré que tout irait bien. Il a cependant insisté pour que je sois accompagnée – une vraie bénédiction, car sa recommandation a établi un précédent et dorénavant j'aurais toujours de l'aide en voyage, surtout si j'étais malade ou enceinte. J'ai choisi Joyce Fairbairn, l'adjointe parlementaire de Pierre. Dans l'avion, il y avait également Maurice Le-Clair, sous-ministre de la Santé et du Bien-être social, lui-même médecin. De plus, comme les Chinois voulaient à tout prix que le voyage se déroule sans anicroche, un médecin m'attendait à l'aéroport.

Nous sommes arrivés à Beijing à la mi-octobre. Le temps était idéal, chaud le jour, frais la nuit. J'ai été subjuguée par la beauté de la ville et ses constructions de glaise et de bam-

1 Mon père (à droite), capitaine dans l'Aviation royale du Canada pendant la Seconde Guerre mondiale, devant un avion allemand abattu en Tunisie.

2 Photo pour une campagne électorale de mon père, député de la circonscription de North Vancouver à la Chambre des communes. De gauche à droite : Heather, Janet, moi et Lin. Betsy complétera la famille en 1951.

3 Moi, à l'âge de trois ans, parmi les tulipes sur la colline du Parlement. Nous avons habité durant six ans à Ottawa, où mon père a été ministre des Pêcheries de 1952 à 1957.

4 Les « chamailleuses » du clan Sinclair. De gauche à droite : Heather, Janet, Lin, moi et Betsy.

5 Juliette et Roméo au bal costumé de la Bibliothèque nationale à Ottawa le 31 octobre 1969.

6 Sur le traversier, en route pour présenter Pierre à ma grand-mère Rose Bernard à Roberts Creek, à l'été de 1970, juste après nos fiançailles.

7 Le jour de mon mariage, avec des fleurs dans les cheveux. J'ai conservé la robe.

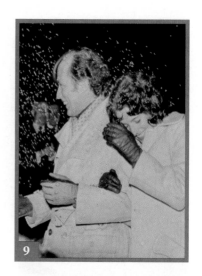

12

8 Pierre et moi signant nos vœux de mariage le 4 mars 1971 (en compagnie du père John Schwinkles qui a célébré le mariage). Je signais Margaret Trudeau pour la première fois.

9 Pierre et moi quittant la maison de mes parents sous une pluie de riz, en route pour notre voyage de noces.

10 Tous les deux sportifs, nous avons choisi de passer notre première journée en tant que mari et femme à skier à Whistler.

11 Dansant avec Pierre dans une cabane à sucre dans un village près de Montréal, au printemps de 1971.

12 Première photo officielle de Justin.

13 Pierre et Justin, âgé d'environ dix-huit mois.

14 Croquée sur le vif, nu-pieds, dans un magasin de la rue Sparks par Peter Bregg (devenu plus tard un ami) – mon premier contact avec un photojournaliste.

15 Indira Gandhi, première ministre de l'Inde, et moi au 24, promenade Sussex.

16 À titre d'épouse du premier ministre, je jouais souvent le rôle d'hôtesse lors de déjeuners au 24 Sussex. Pour cette photo, les épouses des chefs d'État du Commonwealth se sont rassemblées devant la véranda.

17 Ma première rencontre avec la reine, à Ottawa. J'étais si nerveuse que je vacillais sur mes talons hauts. D'une solide poignée de main, la reine me retient alors que j'amorce ma révérence. De gauche à droite : le prince Philippe, le gouverneur général Roland Michener, la reine Élisabeth II, Norah Michener (derrière), Pierre et moi.

18 Le prince Philippe s'ennuyait-il autant que moi ?

19 Visitant les grottes bouddhistes de Longmen à Luoyang à l'automne de 1973. J'ai passé beaucoup de temps avec Chou En-lai (à gauche), un homme merveilleux. Enceinte de Sacha, j'en suis à sept mois et demi de ma grossesse, mais j'ai trouvé un ensemble pantalon et veste chinois.

20 Avec mon entourage, je visite le service de maternité dans un hôpital en Chine.

21 La journée passée à la Grande Muraille fut mémorable. J'en ai ressenti une grande joie.

22 J'emmène Sacha à la maison après ma sortie de l'hôpital, en décembre 1973.

23 Zulfikar Ali Bhutto et son épouse, Nusrat, dans la bibliothèque au 24 Sussex. Constamment photographiés, nos jeunes fils ont rapidement appris à rester tranquilles.

24 Pierre et moi étions d'accord sur l'importance des activités de plein air; nous voulions que nos enfants aient un lien avec la nature. Ici, nous faisons une randonnée au mont Sunshine, dans les Rocheuses, au printemps de 1974.

25 Je m'adresse à une foule dans les îles de Toronto à la fin de la campagne électorale de 1974. J'ai souvent pris la parole en public au cours de cette campagne et me suis découvert un talent d'oratrice.

26 J'ai toujours aimé jardiner et j'étais fière des fruits et légumes qui poussaient dans notre potager au lac Mousseau. On voit ici quelques produits issus de ma récolte de l'été 1975.

27 Michel et moi.

28 Le baptême de Michel, âgé d'environ deux mois, au début de décembre 1975, à Vancouver.

29 Moi, Michel et ma grand-mère Rose Bernard.

30 Le petit Sacha avec la casquette de chef de train qu'il portait constamment. Il n'y a pas à dire, il a toujours eu un style bien à lui.

31

31 Nous allons chercher papa au bureau.

32 Avec Fidel Castro, à Cuba, au mois de janvier 1976. Fidel portait toujours Michel dans ses bras.

32

33 Aux Jeux olympiques de Montréal, en 1976, avec le prince Charles et le prince Andrew.

34 La reine Alia (à droite) était une bonne amie. Au cours de nos vacances en Jordanie, le roi Hussein (à gauche) a pris soin de nous faire visiter le pays.

35 Le jour d'Halloween avec les enfants (de gauche à droite : Nadine, fille d'un membre de notre personnel, Justin, Michel et Sacha). Comme bien des familles canadiennes, nous emportions des boîtes de l'Unicef.

36 Photo prise au lac Mousseau pour notre carte de Noël de 1976. Ce fut ma dernière carte de Noël avec la famille.

bou à un étage s'étalant sans fin, qui lui donnaient un air de petite ville de campagne au développement tentaculaire. On voyait du vert partout. En descendant vers le sud, nous avons vu des orangers, des jasmins et des cassis en fleurs.

J'avais la tête remplie d'idées préconçues sur l'état de santé déficient et la pauvreté de la population chinoise. Lorsque mes sœurs et moi étions petites, mon père, qui était déjà allé en Chine, nous obligeait à terminer nos assiettes en faisant allusion aux enfants chinois qui mouraient de faim. «Eh bien, qu'on leur envoie ce repas», avais-je envie de répondre. Or ce voyage m'a fait radicalement changer d'idée. Les gens que je voyais dans les rues n'étaient ni maigres ni maladifs, mais enjoués et débordants d'énergie. Dans le service de maternité d'une clinique où l'on m'a parlé d'acuponcture, j'ai demandé à une femme qui venait d'accoucher si l'acuponcture avait atténué la douleur. J'ai ri quand elle a secoué la tête. Il fut convenu qu'à notre retour au Canada nous mettrions l'hôpital de Beijing en contact avec les autorités médicales appropriées, car il n'existait pas de programme en Chine pour déceler l'incompatibilité rhésus, c'est-à-dire l'incompatibilité entre le groupe sanguin de la mère et celui du fœtus. Partout où nous allions, nous étions accueillis par une foule enthousiaste. Des petites filles au visage maquillé, des pompons dans les mains, dansaient pour nous en chantant : «Vive l'amitié entre le Canada et la Chine!»

Mao étant déjà bien malade (il est mort environ trois ans plus tard), seul Pierre a été autorisé à avoir un entretien avec lui. J'ai cependant rencontré le premier ministre Chou En-lai, un bel homme de soixante-seize ans, élancé, élégant et chaleureux. Ayant appris que j'avais très envie de goûter du canard laqué, il nous a servi ce mets à l'occasion d'un banquet en notre honneur. Il m'a fait asseoir à ses côtés et m'a parlé dans un excellent anglais. J'ai été étonnée de la franchise avec laquelle nous avons conversé ; nous avons discuté d'illégitimité, de féminisme et de libération de la femme.

Les Chinoises, m'a-t-il expliqué, avaient encore une attitude féodale par rapport à leur féminité, à leur corps et à leur sexualité. Me sentant mal à l'aise à cause de mon gros ventre, j'ai pris une serviette de table pour essayer de le cacher. Cela l'a fait rire.

« Non, non, non. Ne faites pas ça. Vous assumez votre féminité, vous en êtes fière. Les Chinoises, elles, essaient d'imiter les hommes. »

Contrairement à ma première grossesse, cette deuxième m'a causé des ennuis, surtout vers la fin. La position du bébé m'empêchait de m'installer confortablement. J'étais également beaucoup plus grosse et me déplaçais difficilement dans la maison. Noël approchant, j'étais fermement décidée à organiser une merveilleuse fête d'anniversaire pour Justin, qui coïnciderait avec la fête de Noël, bien sûr, mais qui revêtirait un caractère spécial pour lui.

Le repas de Noël a eu lieu le 24 pour permettre au personnel de fêter chacun dans sa famille. Ma mère et ma sœur Jan étaient avec nous. Je levais mon verre au toast de Pierre quand j'ai senti un élancement familier, suivi d'un autre peu après. Bientôt, il ne fit aucun doute, il s'agissait de contractions.

Comme bien des hommes canadiens la veille de Noël, Pierre était occupé à assembler un jouet – une motocyclette en plastique pour Justin. C'est tout ce que Justin voulait : une motocyclette. Pierre était donc assis par terre à l'étage, trente-six vis et trente-six rondelles étalées devant lui, en train d'assembler le petit véhicule. Je n'arrivais plus à monter l'escalier, alors c'est lui qui descendait de temps à autre pour me faire un compte rendu et voir comment j'allais.

Peu après vingt-deux heures, Pierre est venu pour m'emmener à la messe de minuit. Je lui ai dit qu'à mon avis nous devrions plutôt nous rendre à l'hôpital. Il s'est mis à rire : « Il n'y a que toi, Margaret, pour croire que tu vas accoucher une deuxième fois le jour de Noël. Impossible. Allez, viens, mets ton manteau. C'est seulement le faux travail. »

Voulant le croire, je me suis traînée de peine et de misère à l'église, puis à la maison et au lit. Une heure plus tard, il n'y avait plus de doute possible sur ce qui s'en venait. « Joyeux Noël, a simplement dit l'obstétricien lorsque nous l'avons réveillé. Je savais que cela allait vous arriver, à vous. »

L'accouchement a été long et extrêmement douloureux. Néanmoins, comme Pierre, j'étais d'avis que la naissance devait être le plus naturelle possible, sans médicaments d'aucune sorte. Justin était sorti facilement, mais Sacha se présentait par le siège, et j'avais beau pousser, il ne voulait pas se retourner et sortir. Pierre insistait pour que je continue de forcer. Finalement, à l'aube, le médecin a pris la situation en main et a demandé à Pierre de quitter la pièce. Il m'a dit que c'était ridicule de souffrir comme ça, qu'il me soulagerait. Il me proposait un anesthésiant ou une péridurale, mais je ne voulais ni l'un ni l'autre. Me tournant vers le mur, j'ai fait d'héroïques efforts pour me relaxer, même si j'avais l'impression que ma colonne vertébrale se faisait écraser.

Un bébé plutôt fatigué et mécontent a enfin émergé. Je l'ai immédiatement aimé. Nous avons décidé de l'appeler Sacha, diminutif d'Alexandre, d'après Alexandre le Grand, et Emmanuel, à la demande expresse de Pierre, car ce nom signifiait « Dieu est avec nous » et cet enfant était assurément une deuxième bénédiction du ciel. Le premier ministre britannique, Edward Heath, nous a envoyé un télégramme de félicitations pour ce « deuxième bébé de Noël ».

Avec deux enfants en un peu moins de trois ans de mariage (j'ai été enceinte durant dix-huit des trente-quatre premiers mois de notre mariage), Pierre et moi nous sommes rendu compte que la forte attirance physique du début de notre relation avait considérablement faibli. Je demeurais mélancolique et soucieuse. Un matin, peu de temps après l'accouchement, je me suis réveillée le moral à zéro. Ce n'était pas ma première dépression grave ; je m'étais sentie déprimée et malheureuse à mon retour du Maroc, un état que j'avais attribué à l'énorme choc culturel du retour à la vie canadienne. Mais la dépression post-partum après la naissance de Sacha m'a terrassée, et c'est seulement bien des années plus tard que j'ai compris que les fluctuations hormonales agissaient fortement sur moi.

Bientôt, il me fut impossible de sortir du lit et de me traîner jusqu'à la chambre des enfants. Comme j'ai un instinct maternel très fort, de ne pas ressentir de joie en tenant mon enfant dans mes bras m'a complètement déroutée. La dépression vous dépouille de tout et vous anéantit. Je voulais seulement dormir, en sécurité et au chaud, et ne pas me réveiller. Je n'avais aucune envie de jouer avec Justin ni de donner le sein à Sacha, paniquant quand l'un des deux pleurait, éclatant moi aussi en sanglots. Le monde est devenu gris, plus rien ne m'amusait. Comme les jours passaient sans que mon état s'améliore, et sentant que je me détachais de plus en plus de Pierre, je me suis mise à penser à mon avenir qui s'annonçait sombre et sans espoir.

Je voyais ma vie sous une lumière fade, dénuée de couleur, sans possibilité de joie. J'étais seule, sans travail, mariée à un homme froid, rationnel et doté d'une discipline de fer, et suffisamment âgé pour être mon père – un homme qui s'attendait à ce que je lui fasse des enfants et le distraie (aujourd'hui, je me rends compte que j'étais sa distraction par excellence). De plus, je ne devais jamais m'opposer à lui ni exprimer mes opinions.

Quand une de mes sœurs, inquiète de mon état d'esprit, a dit à ma mère que j'avais besoin de soins psychiatriques, ma mère s'est fâchée : « Pas question. Margaret n'ira pas voir un psychiatre. Il va dire que c'est de ma faute. C'est tout ce qu'ils font, les psychiatres : rejeter le blâme sur les mères. » Ses paroles et son attitude en disent long sur les préjugés liés à la maladie mentale qui existaient au Canada à cette époque et qui ont persisté jusque tard dans les années 1980.

Aux États-Unis, d'autres indices montraient qu'il n'était pas toujours bon de faire preuve de franchise par rapport à la maladie mentale. En 1972, Thomas Eagleton, candidat démocrate à la vice-présidence, avait été forcé de se retirer après la révélation qu'il avait reçu des soins psychiatriques, y compris des électrochocs.

Voyant ma détresse grandissante et se rendant compte qu'il fallait faire quelque chose, Pierre a convenu que je devais consulter un psychiatre, mais son esprit rationnel trouvait toute la situation déroutante. Il m'a donc amenée chez le médecin, et je me vois encore, assise dans le cabinet du psychiatre, l'écoutant me parler doucement et de façon rassurante de ce qu'il appelait le baby-blues. Lorsque je repense à ce « traitement », je me demande si une amie psychiatre n'avait pas raison d'affirmer que les patients qui sont des personnes connues sont les plus mal soignés : impressionné ou intimidé, le médecin se concentre sur le personnage et non sur le patient.

Pour Pierre, tout était parfaitement simple. Mon rôle dans la vie était d'être la femme du premier ministre et la mère de ses enfants, et plus vite je reprendrais ce rôle, mieux ça vaudrait pour tout le monde. Qu'il puisse y avoir une maladie sous-jacente, que je lutte pour m'adapter à une vie pour laquelle je n'étais absolument pas préparée lui importait peu. La question était de savoir dans combien de temps et avec quelle efficacité il pouvait me remettre sur pied. Je me sentais comme une auto en panne amenée au garage pour y être réparée.

La dépression a fini par disparaître après quelques mois. Ayant constaté combien mélancolique et malheureuse j'étais, mon gynécologue m'avait prescrit du Valium, un calmant couramment utilisé à l'époque. J'aimais la sensation de calme qu'il me procurait et j'ai pu reprendre mes activités. Bien des années plus tard, j'ai compris à quel point ce médicament était dangereux et combien j'en étais devenue dépendante : c'est à peine si je pouvais attendre de quitter la pharmacie avant d'avaler un comprimé.

La couleur était revenue dans ma vie et mes deux petits garçons étaient mon centre d'intérêt principal. Pierre et moi avons repris notre relation amoureuse, même si sur le plan physique elle manquait un peu de passion. Visiblement, mon effondrement l'avait secoué, et il m'écoutait maintenant un peu plus attentivement et me consacrait plus de temps. Le personnel de maison avait reçu la consigne de me remonter le moral et se montrait plus amène, d'un abord plus facile. La sensation d'isolement s'atténua. Un journal a publié un article où l'on nous décrivait comme « la famille la plus prestigieuse du Canada », et cela m'avait profondément touchée.

Nous étions installés dans une routine. À huit heures moins cinq, une femme de chambre frappait à la porte et entrait pour ouvrir les rideaux. Si Sacha se réveillait la nuit, l'interphone nous avertissait et Pierre sautait hors du lit pour aller changer la couche de son fils ou me l'amener quand je lui donnais encore le sein. Pierre était peut-être premier ministre, mais il était toujours pressé de retrouver son fils; voir aux besoins de ce poupon lui procurait une immense joie. Il m'amenait Sacha emmailloté dans plusieurs couvertures, un bonnet de laine sur la tête, car Pierre, un inconditionnel de l'air frais, tenait à ce que les fenêtres dans notre chambre demeurent ouvertes, quelle que soit la température ou la saison. Parfois, l'eau gelait dans le verre à côté de notre lit – fabriqué par la Constance Cox Brass Bed Company. Les couettes en duvet n'étaient pas encore à la mode, mais elles faisaient partie de notre équipement de survie hivernal.

Pierre était déjà parti pour le bureau au moment où je me levais. Entre neuf et dix heures, je lisais les journaux, discutais de menus et d'affaires domestiques avec le personnel, planifiais ma journée. Puis je téléphonais à mon adjointe pour organiser mon emploi du temps: les personnes à contacter, les personnes à inviter à telle soirée, à telle réception. Vers treize heures, j'allais dans la cuisine, ouvrais le réfrigérateur et me faisais un sandwich grillé au crabe, au thon ou au saumon. Je tenais à préparer mon lunch malgré les protestations des cuisiniers. Dans l'après-midi, pendant que les enfants dormaient, j'écrivais des mots de remerciement, triais les cadeaux reçus, concoctais des menus.

Nous avions maintenant une bonne d'enfants à la maison, pour les fois où je devais assister à une réception ou à une activité officielle. C'était au début des années 1970 et les garçons étaient encore tout petits. Si je restais à la maison, je m'occupais d'eux moi-même. Quand je m'habillais pour sortir, j'entendais parfois la bonne d'enfants parler d'une activité intéressante à laquelle j'aurais bien voulu participer.

Nos soirées se déroulaient avec une précision militaire: à dix-huit heures quarante-cinq, Pierre arrivait à la maison, conduit par un chauffeur. «Salut, les enfants!» lançait-il aux garçons en les prenant chacun leur tour dans ses bras avant de sortir faire du jogging. Plus tard, nous avons fait construire une piscine intérieure. (Payée grâce à des dons de particuliers, et magnifique ajout à la résidence du premier ministre, la piscine fut installée dans un bâtiment séparé, relié à la maison par un tunnel.) Pierre faisait des longueurs : quarante-quatre au total, pas une de plus, pas une de moins. Cela lui prenait environ dix-sept minutes, et quand les garçons ont été un peu plus vieux, il restait quinze minutes de plus avec eux.

La bonne d'enfants partait à dix-neuf heures, et Pierre et moi passions le reste de la soirée avec les garçons. Justin s'assoyait à la table pendant que nous mangions et j'avais souvent Sacha sur les genoux, une serviette de table sur sa tête chauve afin de ne pas le brûler si jamais je renversais de la nourriture sur lui. Le dîner était servi à vingt heures précises.

Fanatique d'un mode de vie sain, Pierre refusait d'entreprendre quoi que ce soit durant quarante-cinq minutes après un repas. Les aliments, croyait-il, avaient besoin de temps pour être digérés. Pendant cette période de repos, nous écoutions de la musique ou faisions de petits travaux. Les quarante-cinq minutes écoulées, Pierre retournait travailler et il m'était absolument interdit de le déranger à moins de circonstances très graves. J'étais comme un robinet qu'il ouvrait et fermait selon son bon vouloir. J'ai appris à m'adapter, et, consciente de tout le travail qu'il abattait, j'avais beaucoup de respect pour son assiduité et sa grande discipline. Jamais je n'ai rencontré quelqu'un d'aussi consciencieux. Il m'arrivait souvent d'être avec lui dans le petit salon et, pendant qu'il travaillait, je lisais ou regardais la télévision – avec des écouteurs sur les oreilles pour ne pas le déranger.

Puis venait le temps de mettre les garçons au lit, mais pas avant que Pierre leur ait lu une histoire. Il pouvait s'agir de *Bonsoir, lune*, un livre de Margaret Wise Brown publié pour la première fois en 1947, ou d'histoires du Dr Seuss ou de Richard Scarry, qui comptaient parmi les préférées des garçons. Quand ceux-ci ont été plus vieux, Pierre leur a lu des livres de Jack London, *Le Comte de Monte-Cristo* d'Alexandre Dumas, *L'Île au trésor* de Robert Louis Stevenson et des passages de la Bible. Beaucoup plus tard, ce fut Tolstoï, Dostoïevski et Sartre. La lecture terminée, Pierre et les garçons se mettaient à genoux et priaient à côté du lit, puis Pierre les bordait.

Il se remettait ensuite au travail jusqu'à minuit. Règle générale, il travaillait environ soixante-deux heures par semaine et se donnait à fond dans tout ce qu'il entreprenait. Il passait en revue chaque dossier de chacune de ses boîtes verticales – sorte de valises de cuir brun utilisées pour transporter des documents officiels. Après la dernière boîte, son travail était terminé – même si en réalité il ne l'était jamais tout à fait.

De temps en temps, il dérogeait à son horaire strict et nous allions manger des mets libanais (sa cuisine préférée) ou japonais (la mienne), bien que lui et moi aimions les deux types de cuisine. Il voulait bien qu'on le distraie, mais seulement au moment où il le décidait, où il en avait envie, soit, habituellement, le soir pendant le repas ou les week-ends. Cela avait bien fonctionné au début de notre relation quand j'allais au théâtre, sortais avec des amis, visitais des expositions, et pouvais l'amuser avec des anecdotes sur le monde extérieur.

Cependant, comme je ne sortais plus et ne faisais rien, je ne pouvais pas le divertir – surtout sur commande. Je me rendais parfaitement compte qu'il me voulait dans sa vie seulement à certains moments et savais qu'il détestait toute forme de spontanéité. Ce contrôle a atteint le comble de l'absurde quand il m'a informée que nous pourrions faire l'amour le week-end et, au besoin, le mardi, mais que le mercredi, jour où il devait préparer la réunion du cabinet, il n'en était absolument pas question.

Je me sentais seule, et plus particulièrement dans un groupe, car j'étais victime d'une espèce de culte de la personne aux effets pervers : les gens se dissociaient, s'éloignaient de moi parce que j'étais quelqu'un. Pourtant je n'étais personne. Mon mari était quelqu'un ; moi, j'étais juste moi. Venant d'une famille chaleureuse, j'étais toujours étonnée de devoir constamment me battre pour corriger la présomption voulant que je sois snob. Or je n'étais pas prétentieuse, et c'est pourquoi Pierre m'aimait.

Pierre, moi et les enfants : quel bonheur nous avons connu ! Nous formions une famille heureuse, avec de bons moments d'intimité – lorsqu'on nous en laissait la possibilité. Les week-ends, nous montions au lac Mousseau, souvent sans être accompagnés (sauf d'agents de la GRC, bien sûr). À l'occasion, une femme de chambre venait me donner un coup de main durant quelques heures, mais je préférais que nous restions seuls. J'ai souvent passé des étés complets au lac Mousseau, mon refuge et havre de paix.

J'associerai toujours deux souvenirs à cette grande maison de bois aux nombreux coins et recoins : une tranquillité absolue et les parfums si caractéristiques de la campagne. Pas de bruit, pas de cuisinier me harcelant avec des menus, pas de conventions à respecter, personne à qui il faut faire plaisir.

C'est sa simplicité qui rendait l'endroit si attrayant. Tout dans la maison était en bois : les murs peints en blanc, les grands parquets de pin, les armoires de cuisine. Se trouvant au milieu d'une réserve naturelle, la résidence était entourée d'une forêt. Paix et intimité étaient garanties. Des portes vitrées séparaient le salon de la salle à manger et, en été, nous les laissions toujours ouvertes pour accentuer l'impression d'espace.

J'ai transformé la chambre des domestiques en salle de jeux pour les enfants, qui pouvait également servir de petit salon quand, en de rares occasions, une bonne d'enfants ou une femme de chambre venait avec nous. Ici, à ma plus grande joie, j'étais chef cuisinière et laveuse de biberons dans une cuisine que je pouvais enfin dire mienne.

La cuisine était vaste et aménagée à l'ancienne, avec des armoires vitrées et un office, une pièce attenante équipée d'un divan. En Europe, autrefois, de telles pièces servaient de lieu d'entreposage, mais les majordomes y dormaient parfois, car une de leurs tâches consistait à garder l'argenterie sous clé. La lumière entrait à flots dans la cuisine. Des panneaux de bois et un lambrissage donnaient le ton à la pièce.

J'ai fait venir toute ma batterie de cuisine de Vancouver : des ustensiles et des casseroles aux couleurs vives que j'ai rangés dans un petit meuble sur roulettes, des assiettes achetées au Maroc que j'ai posées sur des étagères et des paniers remplis d'épices. J'ai introduit le bois naturel dans la cuisine, faisant installer un billot de boucher, monté sur une base en acier inoxydable sur roulettes, et une immense table de pin où nous prenions tous les repas. La cuisine est ainsi devenue un endroit chaleureux, ouvert et romantique, et qui plus est, mon domaine.

J'allais souvent au marché local acheter les ingrédients nécessaires pour cuisiner les mets japonais et chinois que nous aimions tous. Les enfants m'aidaient à farcir les wontons de viande et d'épices. À peu près à ce moment-là, la revue anglaise *Chatelaine* m'a demandé d'écrire un article sur ma vie et j'ai choisi de décrire les étés au lac Mousseau. J'ai parlé de mon potager, du marché où j'allais chercher les provisions et des repas que je préparais. Après la publication de l'article, des lecteurs ont dit douter que la femme du premier ministre cuisine et jardine.

Pourtant c'était vrai. Dans un coin d'un champ où un agriculteur avait fait pousser des navets pour ses vaches, j'ai fait un grand potager biologique comprenant des fraises, des courges, des framboises, du maïs et bien d'autres fruits et légumes. Nous avions inventé un jeu avec les enfants : il fallait cueillir des épis de maïs, les éplucher, courir à la cuisine, les faire bouillir et les manger, tout ça sans s'arrêter.

Une clôture grillagée entourait le potager pour le protéger contre les ratons laveurs et les chevreuils maraudeurs. À l'automne, je récoltais les fruits et les légumes et les congelais. Il existe une photo de nous perchés sur un rocher avec la récolte plutôt impressionnante de l'année. Un mouvement de retour à la terre s'amorçait en Amérique du Nord et l'autosuffisance recherchée par ce mode de vie passait par le jardinage. Moi, j'avais le jardinage dans la peau. Ma grand-mère était une vraie passionnée, tout comme ma mère, et j'ai suivi leurs traces.

Quel contraste entre ma vie au lac Mousseau et ma vie à la ville ! Au 24 Sussex, je me sentais cloîtrée, oppressée même, surtout quand Pierre était en voyage et que le chef cuisinier, seul autre homme dans la maison, était rentré chez lui. Nous étions huit femmes et deux enfants, et nous nous retirions dans nos cellules le soir, comme dans un couvent isolé. Parfois, je me sentais davantage mère supérieure que femme d'un premier ministre.

Puis Pierre déclencha des élections en juin 1974. Les dernières remontaient à dix-huit mois, mais comme il les avait remportées avec une très faible majorité, il n'osait pas attendre plus longtemps. C'était maintenant ou jamais : il voulait une véritable victoire libérale. Selon ses conseillers, un de ses plus grands atouts auprès de l'électorat était son statut de père, un homme se préoccupant du bien-être des enfants et ayant à cœur de bâtir un pays propice à la vie de famille.

Au début, Pierre était extrêmement réticent à me laisser l'accompagner dans sa campagne électorale. Or, pour moi, il ne faisait aucun doute que j'avais un rôle à jouer, ne serait-ce que pour faire découvrir aux gens son côté chaleureux, car Pierre donnait parfois l'impression d'être un homme froid et arrogant. Je l'accompagnerais donc en tournée électorale, avec Sacha que j'allaitais encore et une bonne d'enfants pour m'aider. Mary Alice Conlon, une ex-religieuse, a accepté le poste avec joie.

Nous sommes donc partis en campagne dans un avion où la partie avant, fermée par un rideau, nous était réservée, tandis que les conseillers de Pierre et les représentants de la presse prenaient place à l'arrière. La difficulté quotidienne, pour ne pas dire de toutes les heures, était de trouver un moyen d'allaiter mon bébé sans choquer personne. Au début de la campagne, j'étais très pudique, me cachant derrière des rideaux, dans des toilettes et des bureaux inoccupés où je pouvais m'installer avec un peu d'intimité. Plus tard, j'ai fait fi de la pudeur et suis devenue habile à nourrir Sacha n'importe où et n'importe quand, arrivant même à répondre au téléphone, à discuter et à planifier les journées tout en lui donnant le sein.

Toutefois, il y avait un problème majeur : on avait encore le droit de fumer à bord des avions et les journalistes étaient de gros fumeurs. Seul un mince rideau me séparant d'eux, j'allaitais Sacha dans la fumée qui flottait dans l'air et je m'inquiétais des conséquences. En fin de compte – et non sans hésitation –, nous avons décidé de laisser Sacha avec ma famille à Vancouver tandis que je poursuivrais le voyage avec Pierre. J'ai détesté me séparer de mon bébé.

J'ai vite été emportée par le tourbillon de la campagne électorale. J'ai convaincu Pierre de parler avec son cœur, d'expliquer ce qu'il envisageait pour tous les Canadiens, et lui ai fait comprendre que les gens voulaient le connaître, lui, et l'entendre parler avec enthousiasme et ardeur.

Un jour, à Humboldt, en Saskatchewan, Pierre se préparait à s'adresser à une foule, des feuilles à la main. Les gens pique-niquaient sur l'herbe dans une atmosphère détendue. J'ai demandé à Pierre ce qu'étaient ces feuilles.

« C'est notre politique sur le blé.

— Tu vas leur lire ça ? ai-je demandé, incrédule. Pourquoi ?

— Eh bien, parce que la presse en a besoin. »

Je lui ai retiré les feuilles des mains en disant : « Alors réserve ton discours pour les journalistes, mais ici, parle aux gens. » Pierre a repris ses feuilles, est monté sur l'estrade, a mis ses lunettes, puis juste avant de commencer à lire, il a levé la tête. Reposant les feuilles, il a dit : « Selon ma femme, je devrais vous parler, pas vous faire un discours. Alors, voici... »

À l'occasion, j'ai moi-même pris la parole pour parler en faveur de Pierre. M'adressant à des élèves dans une école secondaire en Colombie-Britannique, j'ai déclaré que le Pierre que je connaissais n'était pas un homme politique, mais un être humain chaleureux et tendre « qui, au cours de nos trois ans de mariage et pendant quelques années auparavant, m'a beaucoup appris au sujet de l'amour, et je ne parle pas seulement de l'amour entre deux personnes, qui n'est pas désagréable, mais de l'amour du prochain, de cette tolérance manifestée envers autrui et dont la portée est grande ».

J'étais au courant, ai-je ajouté, que certaines personnes trouvaient Pierre arrogant, mais l'homme à qui j'étais mariée n'était pas ainsi. Pierre était timide et modeste, et « d'une très grande gentillesse ». On pouvait penser que c'était la femme de l'homme politique qui parlait, mais j'étais sincère. Les élèves m'ont applaudie chaleureusement. Partout où nous allions le temps était affreux, mais la gentillesse des gens nous réconfortait. En Saskatchewan, quand j'avais encore Sacha avec moi, les foules avaient hurlé : « Bravo pour le petit ! »

Après que Pierre eut laissé de côté ses textes, toute sa personnalité s'en trouva changée, et les gens étaient ravis. Un des enjeux les plus importants des élections était l'inflation galopante. Les progressistes-conservateurs proposaient le gel des prix et des salaires durant quatre-vingt-dix jours et Pierre avait décidé de se moquer d'eux. Sa célèbre formule « Zap ! Vous êtes gelés ! » est devenue la blague de la tournée électorale.

Nous avons parcouru le pays en train, et il m'est arrivé de prendre la parole, trouvant en moi un talent d'oratrice et un goût pour le spectacle. Je me savais surtout capable d'écouter les gens et de répondre à leurs besoins. J'avais étudié les sciences politiques, mais là je découvrais les rouages de la politique et cela me grisait. Nous étions le couple chéri, la famille chérie du Canada, et tout le monde semblait nous aimer. J'avais convaincu les conseillers de Pierre de m'inclure dans les discussions de stratégie et la planification du programme, et je donnais mon opinion. Il était très intéressant de faire partie du processus, d'entendre parler des différences entre les régions et de voir s'il était possible de concilier les attentes des gens et les propositions des libéraux. J'ai été touchée et ravie quand Pierre s'est adressé à une foule en disant : « Je peux vous révéler quel est mon secret, cette fois-ci. J'ai un train… et j'ai Margaret. »

Nous avons remporté une victoire écrasante et Pierre est demeuré au pouvoir. C'était le premier gouvernement majoritaire formé par le Parti libéral depuis 1968, en grande partie grâce à l'appui massif obtenu au Québec et en Ontario.

Comme le journaliste Peter C. Newman l'écrirait bien des années plus tard : « Jamais plus nous n'aurions un premier ministre semblable. Il nous a envoûtés. C'était l'homme qui dansait, glissait sur les rampes d'escalier, esquivait les grévistes, faisait une pirouette dans le dos de la reine, sautait d'un bond sur les estrades. »

La pirouette fait référence à une photo prise au palais de Buckingham le 7 mai 1977 lors du sommet du G7. Le photographe Doug Ball a croqué Pierre esquissant une pirouette alors que la reine et son entourage s'éloignaient sans se rendre compte de rien. Le coup avait été planifié : c'était une façon de protester silencieusement, mais de façon espiègle, contre le faste et le protocole aristocratiques. Pierre aimait beaucoup la reine, mais il ne pouvait supporter toutes les règles strictes qui régissaient les contacts avec elle.

Newman avait raison. Quel autre premier ministre canadien a obtenu une ceinture noire au judo ou fait de la plongée sous-marine ? Newman a également dit qu'il y avait toujours un côté sombre chez Pierre, parce qu'il avait « un glaçon à la place du cœur ». C'était mal le connaître. Pierre était fier de son image d'homme rationnel et maître de lui, mais comme sa façon d'agir avec ses enfants le démontrait clairement, il avait un cœur exceptionnellement tendre.

Je n'avais pas anticipé le sentiment de déception qui a inévitablement suivi les élections. Pierre est retourné à son bureau et moi au 24 Sussex. J'étais très heureuse de retrouver Sacha et Justin, mais jamais je n'avais eu autant conscience du silence et de l'isolement dans lesquels je me trouvais. Les élections finies, je n'avais plus rien à faire.

J'ai toujours pensé qu'on ne m'avait pas convenablement remerciée (m'adresser des remerciements sincères aurait été reconnaître que j'avais joué un rôle important) et que le Parti libéral s'était servi de moi. Je détenais un diplôme universitaire, aimais les débats, savais défendre mes opinions et poser les bonnes questions, et je revendiquais le droit de demander ce qui se passait. Je possédais tous ces outils, mais aucune occasion de m'en servir.

J'avais repris ma place à la maison. Le personnel était efficace, les agents de sécurité polis, les bonnes d'enfants compétentes. Je n'avais rien à faire sauf écrire des lettres aux centaines de personnes qui m'avaient gentiment envoyé des cadeaux pour les enfants. Le 24 Sussex devenait rapidement une prison – le plus beau fleuron du système carcéral canadien – dont j'étais l'unique prisonnière. Je ne pensais pas comme les gens de mon entourage, comme mon mari, comme la presse. Je n'arrivais pas à m'intégrer dans cet univers. Mon monde était un monde en déséquilibre. J'étais souvent en colère, et furieuse d'avoir été utilisée puis balayée du revers de la main. Plus tard, un psychiatre me dirait que la dépression n'est rien d'autre que de la colère réprimée; on est sans voix, incapable d'exprimer ses sentiments. C'était moi tout crachée.

Pierre est redevenu le compagnon sérieux, discipliné et travailleur qu'il avait toujours été, sans l'allégresse et la bonne humeur de la campagne électorale – prêt à s'amuser, mais seulement à certains moments et pas très souvent. Quand je discutais de notre vie avec lui, quand je proposais des changements, j'avais l'impression d'être une adolescente insolente s'adressant à son père. À vingt-cinq ans, je voulais plus; je n'aurais peut-être pas dû m'attendre à davantage, mais c'était le cas. Je voulais un rôle à moi. C'est plus tard, avec Mila Mulroney, qu'on a donné à la femme du premier ministre un statut professionnel de même qu'un bureau et du personnel.

Puis est survenu un incident troublant avec Pierre, qui ne m'a que trop bien rappelé son côté pingre. Le propriétaire d'un grand magasin, Creeds, avait offert de m'aider à constituer une garde-robe pour la campagne électorale. J'avais consulté Pierre, qui trouvait l'idée excellente, et le propriétaire et moi avons choisi des vêtements à la fois élégants et pratiques. J'avais dépensé environ trois mille dollars et j'étais heureuse du résultat ; ce n'était pas de la haute couture, mais des créations de bons designers qui m'avantageaient.

Après notre retour au 24 Sussex, le propriétaire a envoyé la facture. Lorsque je l'ai remise à Pierre, il m'a dit de la payer moi-même.

« Mais comment veux-tu que je paie ? » lui ai-je demandé.

Sa réponse :

« Tu aurais dû y penser avant. »

Il a finalement payé la facture, bien sûr, mais je m'étais sentie humiliée, comme si j'avais reçu une gifle – d'autant plus que j'avais consacré beaucoup d'efforts à l'aider à gagner les élections. Il me traitait comme si j'étais une vilaine petite fille.

En repensant à l'euphorie de la campagne électorale, je vois bien qu'elle était artificielle. Une dépression a inévitablement suivi, mais cette fois on ne pouvait pas l'attribuer à un accouchement. Ballottée entre des hauts et des bas, aux prises avec ce que maintenant je sais être une chimie du cerveau complètement détraquée, j'ai dit à Pierre que j'avais besoin de vacances. Il n'a pas fait d'histoires et je suis partie à Montréal, où j'ai fait les boutiques – l'euphorie, encore –, puis je me suis envolée pour Paris.

J'avais oublié de prendre mon passeport, mais à force d'argumentation j'ai réussi à monter dans l'avion – cela en dit beaucoup sur l'époque et le fait d'être la femme du premier ministre. Arrivée à Paris, je suis allée à l'ambassade canadienne demander un nouveau passeport. J'étais alors en phase maniaque, l'esprit survolté. Convaincue de ne pas avoir été appréciée à ma juste valeur, je me croyais engagée dans une sorte de quête d'identité. Je l'ignorais à l'époque, mais le fait de sevrer Sacha à six mois avait provoqué un déséquilibre hormonal et un dérèglement des neurones. Pour Pierre et moi, c'était le début de la fin.

De Paris, je suis allée en Crète où je me suis promenée, visitant de vieilles églises, me croyant en pèlerinage. Une nouvelle phase maniaque commençait, et j'ai réussi à me convaincre que j'avais mérité ces trois merveilleuses semaines pour bonne conduite. Je savais les enfants entre de bonnes mains. Pierre était un merveilleux père et, me disais-je, c'était à son tour de s'en occuper. De plus, il pouvait compter sur l'aide de la bonne d'enfants et du personnel de maison. Je ne l'avais pas informé de ma destination, mais il aurait pu me trouver s'il l'avait réellement voulu. Le fait qu'il ne s'en soit pas donné la peine et que, de mon côté, je ne lui aie pas dit où j'allais est très révélateur de l'état de notre relation.

Ce voyage m'a ouvert les yeux. Au cours de la campagne électorale, parce que j'avais été plongée dans la vraie vie, avais rencontré des Canadiens ordinaires, avais eu un rôle à jouer, je m'étais sentie revivre. J'avais été une femme de premier ministre durant quatre ans et une mère durant trois ans, mais je n'avais toujours bien que vingt-six ans. Ce qui me manquait, c'était de vivre au rythme de ma génération.

Pierre appartenait à une autre génération, aux idées vieillottes, figées, sclérosées, et jamais je ne les avais trouvées aussi ennuyeuses qu'après l'excitation éprouvée pendant la campagne électorale. Le monde entier voyait Pierre comme un homme exécutant des pirouettes, alors que tout ce qu'il faisait c'était travailler. Sauf s'il s'agissait d'une soirée officielle, nous n'allions jamais au ballet ou au théâtre. Pour lui, c'était la vie parfaite : concentrée sur le travail et les enfants.

Pour moi, ce n'était pas assez; je voulais m'amuser – j'en avais besoin.

Lorsque, trois semaines plus tard, je suis revenue à Paris, j'ai appelé Pierre. Il n'était pas content, mais s'est montré aimable. Il m'a rappelé que nous étions invités par la famille Kennedy au tournoi de tennis Robert F. Kennedy à New York, auquel participaient des célébrités, et m'a dit de le rejoindre là-bas. La rencontre a été plutôt difficile. Pierre, à juste titre, m'en voulait, mais je n'avais rien de sensé à dire. Ethel Kennedy a eu la gentillesse d'envoyer sa bonne repasser ma robe pour le bal qui devait avoir lieu au célèbre Starlight Roof, une boîte de nuit et restaurant dans l'hôtel Waldorf-Astoria en plein cœur de Manhattan.

Pierre et moi avons rapidement été happés par le côté prestigieux de l'événement, avec les flashs aveuglants des photographes à l'entrée de l'hôtel. Pendant un moment, j'ai été décontenancée, mais soudain j'ai senti une main, celle de Teddy Kennedy, agripper la mienne. J'ai passé toute la soirée à flirter et à danser avec lui. Je le trouvais charmant, séduisant et chaleureux. Il semblait me comprendre et saisir la confusion qui régnait dans mon esprit par rapport à mon rôle de femme d'un homme politique. Comme j'étais dans une phase maniaque, et me sentais sûre de moi, belle, pétillante, pleine de vivacité, il a été attiré par moi.

Teddy m'a présentée à d'autres personnes et j'ai pu constater à quel point il était gentil et sociable. J'ai été subjuguée. Âgé de quarante-trois ans, Teddy était séparé depuis peu de sa femme, Joan. Cependant, la mort de Mary Jo Kopechne à Chappaquiddick le hantait encore et il venait de traverser une période difficile, son fils Edward ayant dû se faire amputer d'une jambe à la suite d'un cancer. Or il y avait quelque chose d'irrésistible dans son sens de l'humour et son affabilité, et je n'étais pas la seule femme à le remarquer.

Ted paraissait beaucoup plus jeune que son âge; il était enjoué, jovial, et son côté insouciant exerçait une certaine attirance. Pendant quatre ans, je m'étais ennuyée de la camaraderie que l'on trouve dans une grande famille, et par leur capacité à prendre du bon temps, les Kennedy me rappelaient la mienne. Voilà ce qui me manquait: pouvoir m'amuser, me sentir vivante, ne pas toujours être rationnelle, raisonnable. Je me rends compte maintenant que je vivais un épisode maniaque; j'avais désespérément besoin d'aide et aurais probablement dû me trouver à l'hôpital.

Les quelques moments passés avec Pierre ont été peu agréables. «Nous devons parler de tout ça, a-t-il simplement dit, mais pas maintenant.»

À notre retour au 24 Sussex, l'atmosphère est devenue irrespirable. Avant de monter à l'étage, j'ai attrapé une bouteille de vodka et bu à même le goulot. Ce soir-là, Pierre a exigé que nous parlions. J'ai vidé mon sac, mais de façon incohérente et désespérée. Je fulminais, tempêtais; Pierre était glacial et furieux.

Il m'a reproché de ne pas savoir me maîtriser, de ne pas contenir mes émotions, de m'accrocher à des chimères hippies. Il était persuadé que j'étais amoureuse d'un autre homme. J'ai dit à Pierre que c'était vrai – je me croyais déjà amoureuse de Teddy Kennedy –, que je ne l'aimais plus et voulais mettre fin à notre relation. Teddy était ma porte de sortie.

Pierre répétait qu'il ne comprenait pas, qu'il avait présumé que j'étais partie en Europe avec un autre homme. Il ne savait pas ce qui m'arrivait. Pas plus que moi, d'ailleurs. Mes paroles n'étaient pas si étranges; c'étaient la violence et l'incohérence avec lesquelles je les proférais qui étaient nouvelles. La manie étendait son emprise sur moi et, bientôt, Pierre s'en

est rendu compte. Il a compris que mes propos étaient absurdes, complètement insensés, et que quelque chose en moi
s'était brisé. J'avais besoin d'un médecin.

Chapitre 5

Docteur, diagnostic, déni

De toute évidence, je couvais un mal terrible depuis long-temps. J'ai compris que les autres pouvaient le constater quand Pierre m'a appelée dans son bureau pour me dire qu'il avait reçu une lettre de Stuart Smith, chef du Parti libéral de l'Ontario, mais aussi ami de Pierre et psychiatre.

Le Dr Smith m'observait depuis quelque temps et avait remarqué mes violentes sautes d'humeur. Il craignait que je ne sois maniacodépressive. Si c'était le cas, disait-il, il existait des traitements. Je me souviens d'avoir été à la fois amusée et soulagée : quelqu'un s'inquiétait enfin à mon sujet. En même temps, tout cela me semblait absurde. Je n'avais pas un com-portement en dents de scie, pas de périodes de grande excita-tion suivies de périodes de profonde mélancolie. Le problème, c'était ma vie : isolée et désœuvrée à un moment donné, je pouvais danser avec le prince Charles ou flirter avec Teddy Kennedy l'instant d'après. Qui, me disais-je, ne connaîtrait pas de fortes fluctuations d'humeur dans ces circonstances ?

Il fut convenu que je rencontrerais le Dr Smith au domi-cile de Ruth Macdonald dont le mari, Donald (leader du gouvernement à la Chambre des communes), faisait partie du cabinet de Pierre. Le temps étant beau ce jour-là, nous nous sommes assis à l'extérieur pour parler. Le fait que la rencontre devait avoir lieu dans un endroit isolé, à l'abri du regard du public, n'est pas surprenant étant donné ce que l'on pensait des maladies mentales dans les années 1970 : la femme du premier ministre du Canada ne pouvait souffrir de dépression et de manie.

Or le problème était le suivant : je suis une actrice et sais jouer la comédie au besoin. Et ce jour-là, j'ai été éblouissante, donnant la meilleure performance de ma vie. Charmante, digne, extrêmement lucide, j'ai parlé du stress dans ma vie et de ma façon d'y faire face. Le Dr Smith n'a pas dit grand-chose et est parti sans me donner de conseils ni d'ordonnance. Beaucoup plus tard, j'apprendrais à mes dépens que le déni n'est qu'une étape dans l'évolution de la maladie bipolaire, étape qui précède celle de la négociation. Je n'étais pas prête à accepter le diagnostic.

À l'automne de 1974, j'ai compris intuitivement que j'avais besoin d'aide, mais sans savoir à quelle fin. J'étais malheureuse, troublée, tenant des propos incohérents – même moi, je m'en rendais compte – et rejetant le blâme sur tous ceux qui m'entouraient. Pierre aussi voyait bien que j'avais l'esprit profondément troublé. Il me fallait une aide appropriée. Seule option : l'hôpital.

Pour ne pas éveiller les soupçons, nous avons décidé que je retournerais à Montréal où une amie m'emmènerait à l'Hôpital Royal Victoria – un scénario complètement farfelu. Mon amie et moi nous sommes d'abord arrêtées au Ritz pour le lunch, comme j'avais l'habitude de le faire quand je passais des journées à faire les boutiques avec des copines. Après avoir bavardé et mangé, nous sommes allées à l'hôpital. Je paraissais enjouée et sûre de moi, mais à l'intérieur j'étais terrorisée.

J'étais maigre comme un jeune adolescent et n'avais plus de seins. Je ne dormais pas, n'avais jamais faim, ne pouvais avaler de nourriture. Et je n'arrêtais pas de parler, les pensées se bousculant dans ma tête. Je voulais de l'aide, je voulais désespérément redevenir moi-même et ne plus être cette ter-rifiante étrangère au comportement délirant.

À ce stade, personne n'avait encore clairement parlé de psychose maniacodépressive, comme on appelait alors la ma-ladie bipolaire. Les médecins ont discuté avec moi et m'ont administré un médicament qui a rapidement engourdi mon cerveau. J'ai eu l'impression que ma langue enflait, et un coin de ma bouche s'est affaissé de façon inquiétante. Une partie de ma terreur venait d'un sentiment d'abandon : je ne connaissais presque personne à Montréal et n'avais ni mem-bres de la famille ni amis à mes côtés. J'étais seule au monde. Le médicament, dont je ne me rappelle pas le nom, semblait m'enlever toute capacité de m'exprimer, et l'effet d'engour-dissement me remplissait d'horreur. Je me sentais apathique, vidée, léthargique.

Pour ne pas attirer l'attention sur moi, on ne m'avait pas placée dans l'aile psychiatrique, mais plutôt dans une suite pour des hommes souffrant de troubles de la prostate ou de dysfonctionnement érectile. Aujourd'hui, je peux voir le côté tragicomique de ma situation, mais pas à ce moment-là. Ma chambre, sorte de petit studio avec coin-cuisine, était grise ; je m'y sentais encore plus coupée du monde. J'avais vingt-six ans et me sentais abandonnée de tous.

Je ne comprenais pas ce qui m'arrivait, et personne ne me fournissait d'explication. Il m'aurait été probablement plus facile d'accepter les soins si j'avais été dans un service psy-chiatrique. J'aurais vu d'autres gens dans le même état, avec les mêmes problèmes, j'aurais constaté que je n'étais pas seule au monde à souffrir de cette forme apparemment rare de folie. Que Pierre, ses conseillers et les médecins aient cru bon de nous soustraire au regard du public – pour notre bien – en dit long sur la façon dont les maladies mentales étaient alors perçues. Je vois un lien entre ce qui m'est arrivé et un film, gagnant de cinq oscars, sorti un an plus tard : *Vol au-dessus d'un nid de coucou*.

Le film est basé sur le roman de l'auteur américain Ken Kesey, qui avait travaillé comme garçon de salle dans un hôpital psychiatrique en Californie. Le titre est tiré d'une vieille comptine pour enfants comprenant le vers «*And one flew over the cuckoo's nest*».

Dans le film, un Amérindien surnommé «Chef» raconte que sa grand-mère lui chantait cette comptine quand il était petit. On utilise parfois l'euphémisme *cuckoo's nest* (nid de coucou) pour désigner un asile psychiatrique et *cuckoo* pour une personne atteinte d'une maladie mentale. L'expression *to fly over a cuckoo's nest* (voler au-dessus d'un nid de coucou) signifie «aller trop loin et se retrouver dans le pétrin». Pas de doute, c'était mon cas.

Quelques jours après mon admission à l'hôpital, Pierre et les deux garçons sont venus à Montréal en hélicoptère pour me sortir pour la journée. Justin avait trois ans et demi, Sacha dix-huit mois ; pour eux, cette journée était une belle aventure, et de les voir m'a remonté le moral. Même au plus profond de ma dépression, je trouvais leur amour d'un grand réconfort et me sentais toujours au meilleur de ma forme en leur compagnie. Pierre nous a emmenés chez une ancienne amie. Bien que fragile et troublée, j'étais suffisamment lucide pour comprendre que rendre visite à un des grands amours de Pierre n'était sans doute pas la meilleure idée. Pierre avait sûrement pensé que nous serions à l'abri des regards indiscrets, mais c'était une mauvaise décision de sa part.

En revanche, cette visite m'a permis de sortir de l'hôpital pour la journée. L'amie a évidemment eu un choc en me voyant. Même Pierre me trouvait complètement changée ;

ma voix semblait étrange et je paraissais désorientée, tournant en rond l'air absent, gardant le silence, m'isolant.

Les jours passant sans que mon état s'améliore, Pierre s'est dit que j'irais mieux à la maison. Venant à ma rescousse, il m'a ramenée à Ottawa.

Le vrai problème, arrivais-je à me convaincre – malgré mon cerveau embrouillé par les médicaments –, était l'isolement du 24 Sussex. J'étais coupée de ma famille, et même de Pierre. Ce sentiment d'isolement n'était pas totalement le fruit de mon imagination. Pierre tenait beaucoup à sa vie privée. Il n'avait pas vraiment d'amis et ne voyait pas l'utilité de fréquenter des gens. De toute façon, pour un premier ministre, les occasions de rencontrer des gens se limitent la plupart du temps aux fonctions officielles. « Quelle importance, disait Pierre, que les gens soient intelligents ou bêtes ? Le fait est qu'on n'aurait pas la chance de le découvrir, alors pourquoi les rencontrer ? »

J'ai donné une petite conférence de presse avant de quitter l'hôpital. Les efforts pour garder secrètes les circonstances de mon admission avaient échoué ; les journaux s'étaient livrés à une foule de conjectures sur la raison de mon séjour à l'hôpital. En me levant pour m'adresser aux journalistes, je me suis sentie comme un chevreuil terrifié, ébloui par des phares. J'ai expliqué avoir souffert d'une forme bénigne de maladie mentale, mais que j'étais maintenant presque complètement rétablie.

Qu'on ait fait des gorges chaudes de mon aveu est très révélateur, encore une fois, de l'opinion publique dans les années 1970, même si dans le *Toronto Star* un psychiatre m'a chaudement félicitée pour ma franchise. On a raconté des blagues sur la femme cinglée du premier ministre. Les préjugés à l'égard de toute forme de maladie mentale étaient très répandus à cette époque, et par la suite j'ai été très réticente à me livrer aussi facilement. Beaucoup plus tard, j'ai su que cette dangereuse candeur dont on m'accusait constitue en fait la première étape – et une étape cruciale – dans la démarche pour demander de l'aide.

J'ai quitté l'hôpital sans diagnostic clair. Pierre croyait préférable de me ramener à la maison où je serais bien nourrie par le personnel, où je pourrais dormir, prendre mes bébés dans mes bras, où il pourrait s'occuper de moi. Il n'avait pas tout à fait tort, c'était ce dont j'avais besoin. Je devais prendre la décision de guérir, de ne plus être malade et de me battre, mais sans un bon psychiatre ni médication appropriée, c'était beaucoup demander.

Cependant, je me suis battue et mon état s'est peu à peu amélioré. Inconsciemment, je devais savoir que me battre était une option, alors c'est ce que j'ai fait. Grâce à une petite cuisine attenante à notre nouvelle salle de séjour, j'ai pu préparer les repas des garçons et me sentir davantage comme une femme ordinaire, normale.

J'ai également été très chanceuse d'avoir deux amies qui m'ont offert leur soutien. Nancy Pitfield, déjà souvent à mes côtés dans le passé, me prêtait une oreille attentive et essayait de me dérider. Ayant déjà travaillé comme infirmière psychiatrique, elle avait une bonne idée de ce que j'avais traversé. Avec les garçons, j'ai passé bien des après-midi dans sa maison: un endroit douillet, sûr, sans prétention – le contraire de chez moi. L'autre amie, Heather Gillin, femme d'un homme d'affaires de la région, qui habitait tout près et dont les enfants avaient à peu près le même âge que les miens, est devenue une sorte de seconde mère pour mes garçons.

J'ai également reçu une merveilleuse lettre d'une inconnue qui m'a fait sentir que j'avais eu raison de parler ouvertement de ma dépression. La lettre venait de l'écrivaine Gabrielle Roy.

Chère Madame Trudeau,

Je vous ai vue et entendue [...] à la télévision, et j'ai été profondément touchée par l'accent de sincérité qui résonnait dans vos paroles. La télévision ne nous a pas habitués à une telle franchise où l'âme est à nu.

J'avais l'impression que vous parliez pour toutes les femmes et pas seulement pour vous, pour chacune d'entre nous qui sommes toutes plus ou moins enchaînées. Car dès que nous aimons, ne sommes-nous pas réduites à une forme d'esclavage? Cela arrive certainement aux hommes aussi – existe-t-il des êtres parfaitement libres? –, mais moins qu'aux femmes, peut-être, pour qui aimer est au cœur même de la vie et qui, par conséquent, sont les créatures les plus vulnérables.

J'étais loin d'être la femme parfaite que Pierre avait imaginée et, comme dans tous les cas de dépression, ma libido avait disparu. Mon but – retourner auprès de mon mari, être une femme attentive et aimante et une bonne mère, pas une personne triste et abattue, oscillant entre l'euphorie et la folie – semblait de plus en plus inatteignable.

Ni Pierre ni moi n'étions capables, voire désireux, d'aborder la question de ma relation avec Teddy Kennedy, cet homme extraordinaire dont je me croyais amoureuse. Avec le recul, je crois pouvoir dire que je l'ai réellement aimé, l'attirance physique ne jouant qu'un rôle mineur dans la relation. Homme de grande compassion, Ted Kennedy voulait véritablement m'aider et je me souviens avec tendresse de son soutien et de son réconfort. À son décès en août 2009, j'ai ressenti une profonde peine, pour lui et pour sa famille. Comme moi, il regrettait certains comportements blessants, mais c'était un homme d'une grande bonté, qui deviendrait un grand défenseur d'un système de santé public et le patriarche du clan Kennedy.

Nous ne nous étions pas revus après notre rencontre à New York, mais nous avions eu de longues conversations au téléphone. Lorsque j'ai été hospitalisée, il m'a encouragée à recevoir des soins psychiatriques et me téléphonait pour dire qu'il pensait à moi. Dans mon délire, je le voyais comme un prince charmant qui viendrait me délivrer sur son cheval blanc. Ne tentait-il pas de communiquer avec moi à travers l'univers, pourrait-on dire, sur une ligne téléphonique privée? Plus tard, j'ai compris à quel point j'avais perdu contact avec la réalité, avec toute notion de limites, et qu'en fait je recherchais le réconfort auprès des mauvaises personnes et aux mauvais endroits, confondant flatterie et amour, attirance sexuelle et engagement.

À mon retour au 24 Sussex, Pierre et toute la maisonnée marchaient sur des œufs. Personne ne savait quoi faire avec la maman folle. Les enfants étaient bien sûr très affectueux, et, même si je me sentais bizarre, j'étais soulagée de constater que j'arrivais encore à agir comme une bonne mère, douce, aimante et responsable. Ma douleur, mon désespoir, ma folie, rien de tout ça ne semblait se retrouver dans ma relation avec les enfants. Pierre et moi avions tacitement convenu de ne jamais nous disputer devant eux, et il m'a suppliée d'essayer de ne pas paraître trop agitée en leur présence. Bien qu'encore très jeunes, les garçons étaient conscients de la tension entre Pierre et moi. Nous avons repris nos week-ends au lac Mousseau et nos activités nautiques. Pierre parlait de montrer à Justin, bientôt âgé de cinq ans, à faire du ski nautique.

Dès le début, Pierre s'était montré un père dévoué; il était prêt à tout pour ses garçons. Il jouait au «monstre» avec eux dans l'obscurité, se cachant quelque part dans la maison et attendant que l'un d'eux le trouve, puis surgissant de sa cachette et les poursuivant jusque dans leur chambre pour les mettre au lit. Quand il coinçait une lampe de poche sous son menton et étendait les bras de chaque côté, la lumière le faisait paraître un géant. Les garçons étaient effrayés et en même temps émerveillés. Je me sentais parfois jalouse, comme si les garçons avaient usurpé ma place dans le cœur de mon mari, et au plus fort de mon ressentiment, je pensais que, ayant donné à Pierre ce qu'il voulait, j'étais maintenant devenue inutile. Cependant, même du fond de mon désespoir, je voyais bien à quel point ils le rendaient heureux et l'aimaient.

Dans ses *Mémoires politiques* publiés en 1993, Pierre écrivait à propos de la paternité : « Je ne connaissais pas ce sentiment merveilleux. Il vous rend éternellement reconnaissant envers le miracle de la vie et la mère qui a porté ces enfants. » Pierre était sévère mais juste ; jamais il n'élevait la voix et il avait en horreur l'idée même de punition corporelle. Il préférait que ses fils ne regardent pas la télévision, les exhortait à lire les auteurs classiques et voulait qu'ils soient capables de lui parler de tout, ce qu'ils faisaient. Inévitablement, il m'arrivait de penser que je n'étais pas assez bonne pour lui.

Rien n'avait vraiment changé et je cherchais une porte de sortie. Quand une personne souffre d'une maladie mentale, elle pense presque tout le temps à fuir, fuir ses pensées, les gens et le regard qu'ils posent sur elle, sa tristesse. Dans mon cas, la marijuana a toujours représenté le moyen d'évasion le plus facile. Or – je l'ai appris plus tard – elle peut déclencher un épisode maniaque chez certaines personnes, et puisque la phase maniaque s'accompagne de poussées d'énergie enivrante, d'une sensation de puissance et du sentiment que tout vous réussit, c'est précisément ce que je recherchais. L'alcool constituait un autre moyen de fuir. Un troisième – très courant, comme je le découvrirais plus tard – était de rejeter le blâme sur les autres (le mari, la bonne d'enfants, la presse, la police) et de ne pas reconnaître ma part de responsabilité (ce n'était certainement pas moi la fautive). J'ai eu recours aux trois moyens : j'ai trop bu, parfois trop fumé et j'ai certainement consacré beaucoup d'énergie à rejeter le blâme sur Pierre.

Je l'accusais d'être un mari médiocre, de ne pas me soutenir, de ne pas me comprendre, d'être un homme trop important pour trouver le temps de se préoccuper de sa femme. Bien sûr, toutes ces accusations étaient fausses et profondément injustes. En effet, Pierre se faisait beaucoup de souci pour moi, et je pense que mes problèmes l'ont fait vieillir avant le temps.

Le pire, je crois, était de ne pas éprouver de véritable colère. Mes parents ne s'étant jamais disputés, je ne savais pas comment m'exprimer lorsque j'étais furieuse. Si j'avais su extérioriser ma colère plutôt que la réprimer, Pierre et moi aurions peut-être été en mesure d'affronter la situation. Je ne manquais pourtant pas d'occasions de me mettre en colère, à commencer par la façon dont la presse me traitait. Quand j'ai su ce qu'était la colère, le mal était déjà fait et notre relation ne pouvait plus être réparée.

Pour compliquer encore davantage la situation, j'ai continué de parler à Teddy Kennedy au téléphone après avoir quitté l'hôpital. Aux yeux de Pierre, c'était inacceptable : il voyait dans ces longues conversations une forme d'infidélité émotionnelle. L'idylle s'est intensifiée ; Pierre était furieux et l'idée de me perdre lui brisait le cœur. Au bord du désespoir, j'ai dit à Pierre que notre mariage était fini. Pourtant, je savais bien que ça ne pouvait pas fonctionner avec Teddy ; c'était la manie qui me faisait tenir de tels propos. Teddy et moi parlions de nous enfuir ensemble, un fantasme dont on riait ensuite – il ne s'agissait que d'un rêve fou.

Pierre fulminait à l'idée que j'aie pu donner mon cœur à Ted Kennedy. « Pourquoi pas un homme plus honorable ? me disait-il sur un ton de reproche. Pourquoi choisir quelqu'un qui a triché à ses examens à Harvard ? »

En repensant à cette relation amoureuse, je me pose des questions sur ma capacité de jugement. La femme du premier ministre ayant une histoire d'amour avec un sénateur américain ? Mais qu'est-ce qui m'était passé par la tête ? Or on pourrait dire la même chose à propos de Ted : à quoi pensait-il ?

Des années plus tard, Ted Kennedy est venu à Ottawa pour étudier notre régime universel de soins de santé. Le personnel du bureau de Pierre a été stupéfait lorsque celui-ci a refusé de lui accorder ne serait-ce qu'un entretien de cinq minutes. Encore une fois, je dois m'interroger sur la faculté de jugement de Ted : a-t-il pensé que Pierre avait oublié ou pardonné la faute ? A-t-il réellement cru que Pierre allait lui adresser la parole ?

J'ai continué de tempêter et de harceler Pierre, dans d'épouvantables épisodes maniaques suivis d'épisodes dépressifs tout aussi effroyables, jusqu'à ce qu'il se mette à riposter, comme tout homme normal le ferait. Sa réaction m'a enfoncée encore davantage dans mon désespoir, au point qu'un jour j'ai saisi un couteau et suis sortie en courant dans la neige. Je ne sais pas si j'avais l'intention de me faire du mal, mais Pierre est rapidement accouru. Toutes ces scènes dramatiques et déplacées étaient complètement absurdes. Je me suis plus tard demandé pourquoi personne ne m'avait aidée, n'avait compris que j'avais besoin d'aide. Je devais bien sûr assumer une part de responsabilité par rapport à ma maladie, mais il y a une leçon à tirer, ici, pour les gens de mon entourage. Me sachant fragile, pourquoi ne sont-ils pas intervenus plus rapidement ? Pourquoi ont-ils attendu ?

Le jour de l'épisode du couteau a été un moment char-
nière. Pierre et probablement tout le personnel de maison
me voyaient comme une personne détraquée, mentalement
malade. J'étais découragée, anéantie. J'ai capitulé. Pierre a
dit qu'il oublierait tout à condition que je m'engage à mettre
un terme à cette ridicule histoire avec un autre homme, à
redevenir une bonne épouse et une bonne mère de famille, à
reprendre ma place à ses côtés et à faire mon mea-culpa. Mais
il ne m'aimerait plus. Il ne l'a pas dit dans ces mots, mais je
savais qu'il ne le pourrait ou ne le voudrait pas – jamais. Quelque chose s'était brisé. Nous avons continué, cahin-caha, de
vivre ensemble.

Notre vie publique s'est poursuivie avec son lot de visites
d'État, la plus pénible étant celle que nous avons faite en
France en 1974. Mon état mental fragile, auquel s'ajoutaient
un cérémonial et un protocole encore plus contraignants
qu'en d'autres occasions semblables, compliquait la situation. Les contradictions s'accumulant autour de moi étaient
presque insoutenables.

Il s'agissait de la première visite d'un chef d'État canadien
en France depuis le célèbre «Vive le Québec libre!» de Charles
de Gaulle à Montréal pendant l'Expo 67. Les relations entre
la France et le Canada avaient été rompues pendant pratiquement dix ans. L'enjeu était important: il fallait rétablir les
relations tout en faisant valoir que la France ne pouvait traiter le Québec comme un pays indépendant.

Ma première activité sans Pierre – il avait été invité à un
déjeuner officiel pour hommes seulement – était une réception donnée par l'épouse du premier ministre, Bernadette
Chirac, une femme élégante aux yeux pleins de douceur. La
nourriture était excellente. Il n'y avait que des femmes – des
épouses de ministres – et toutes avaient environ vingt-cinq
ans de plus que moi. On dit que le peuple français est le plus

grossier, le plus arrogant et le plus condescendant du monde ; or on peut dire que les femmes présentes à cette réception étaient dans leur élément.

Extérieurement, elles étaient polies et charmantes, mais pas une n'a manqué l'occasion de me faire sentir inculte, mal renseignée, maladroite. J'avais emmené avec moi Marie-Hélène Fox, attachée politique de Pierre, une femme menant une carrière prometteuse. La conversation a rapidement porté sur l'égoïsme des femmes de carrière, si sottes de ne pas se marier et de ne pas avoir d'enfants. Je me suis efforcée de soutenir Marie-Hélène, mais en raison de mon français lamentable et de ma propre situation de femme élevant une famille, j'étais bâillonnée.

Ayant un après-midi de libre, j'avais prévu assister à un défilé de mode. Yves Saint Laurent laissait tomber le petit tailleur et présentait une nouvelle collection de vêtements extravagants, style paysanne. Au courant de mes projets, Mme Chirac me proposa plutôt de l'accompagner à un défilé haute couture plus classique. J'ai décliné son offre.

Elle est finalement venue avec moi au défilé d'Yves Saint Laurent. Mme Chirac a trouvé les vêtements hideux ; moi, je les ai adorés. Yves Saint Laurent était mon couturier préféré : il avait libéré la femme, créant pour elle des tailleurs-pantalons et des smokings.

J'ai prêté une attention particulière à mes vêtements pour cette visite d'État, plus que pour toute autre visite officielle : j'étais plus sûre de moi et pouvais tout affronter quand je me sentais bien dans mes vêtements. Par contre, des chaussures éraflées suffisaient à me déconcentrer et à me faire perdre confiance en moi. J'avais demandé qu'une bonne m'accompagne à Paris, mais on avait jugé la dépense exagérée.

Pour le dîner d'apparat à l'Élysée – résidence officielle du président français –, mon choix s'était porté sur une robe

Valentino en organdi de soie rose à motifs de pivoines. Quelque chose de très féminin, une robe pour les grandes occasions. Pour la mettre en valeur, j'avais décidé de me faire coiffer par Alexandre, l'un des plus grands coiffeurs de Paris, qui avait accepté de prolonger les heures d'ouverture de son salon pour moi. Son maquilleur a consacré quarante-cinq minutes juste à mes lèvres.

Le résultat fut un désastre. Après avoir défrisé mes cheveux, il m'a fait une coupe style mandarin : cheveux raides et frange droite. Avec cette coupe, un épais maquillage et un rouge à lèvres écarlate, je ressemblais à Cléopâtre. Je suis sortie en pleurant.

Ce n'était pas un style qui allait avec une jolie petite robe rose, élégante et décolletée. J'ai essuyé mes lèvres pour enlever quelques couches de rouge, mais je ne pouvais rien faire pour mes yeux, disparus sous plus de couches de fards vert et gris que n'en portait Elizabeth Taylor. Désespérée, j'ai décidé de ne pas porter la robe Valentino, mais une longue jupe noire et un chemisier blanc en soie. Or, en arrivant à l'Élysée, j'ai immédiatement constaté que j'étais la seule femme à ne pas être en robe griffée.

La soirée avait mal commencé et est vite devenue un cauchemar. J'étais assise entre le président Valéry Giscard d'Estaing, qui voulait me parler de hippies et de marijuana, comme si j'étais une espèce d'extraterrestre, et le premier ministre Jacques Chirac, qui en entendant le mot marijuana est intervenu pour raconter que son neveu avait commencé à en fumer et qu'il avait menacé de l'expulser de la famille.

« On lui a tout simplement fait comprendre que s'il persistait on le renierait, lui couperait les vivres, et qu'il ne serait plus autorisé à venir à la maison. »

Je l'ai regardé. « Et il n'a plus jamais fumé ? »

M. Chirac a paru étonné. « Bien sûr que non », a-t-il répondu.

La descente aux enfers s'est poursuivie, du moins à mes yeux. Le lendemain, l'épouse de Giscard d'Estaing, Anne-Aymone, et d'autres femmes m'avaient invitée au Louvre. Dans un français exécrable, je m'efforçais de dire quelques phrases pour exprimer mon appréciation, de tableau en tableau. Subitement, j'en ai eu assez. Ma coupe était pleine. Je me suis évanouie, et si la femme de l'ambassadeur de France au Canada, Mme Viot – ma seule alliée dans ce voyage –, n'avait pas freiné ma chute, je me serais étendue de tout mon long.

J'avais déjà utilisé l'évanouissement comme mécanisme d'évasion – bien qu'inconsciemment –, surtout quand j'étais enceinte ou très angoissée, comme la fois, à Charlottetown, où j'avais perdu connaissance et glissé de ma chaise au plein milieu d'un discours de la reine. J'avais aussi failli m'évanouir au cours d'une visite du président Josip Tito. Après le toast de bienvenue du gouverneur général, les hommes avaient sorti leurs cigares et j'avais dû quitter la pièce, sinon je me serais écroulée.

S'habiller pour des visites officielles comporte bien des embûches – comme la visite en France l'a démontré –, mais procure également bien des moments agréables. Pour moi, porter des vêtements chics me permettait d'accéder à un monde magique – une récompense pour être obligée de supporter les longues réceptions ennuyeuses et guindées. Je savais que je pouvais bien paraître, et dès que je m'investissais dans le rôle, la fille portant habituellement un jean et des chaussures sport se transformait en une femme élégante et raffinée. Au cours de ces visites officielles de grand apparat, je m'imaginais parfois dans un conte de fées, et chaque fois que Pierre s'habillait en tenue de soirée ou mettait son smoking, je redevenais amoureuse de lui, et mon fantasme n'en était que renforcé. En ces occasions, nous donnions un spectacle – la hippie et l'homme politique le plus séduisant du monde. Des rôles que nous savions tous les deux jouer.

Parfois, c'était un spectacle où je figurais seule. Un jour où Pierre était absent, j'ai été invitée à un dîner – une occasion rare étant donné ce que Pierre pensait des réceptions. Il n'allait pas à de telles soirées, donc moi non plus. Dès le début, cette soirée a été amusante. On a servi des cocktails avant que l'on passe à table, et des vins différents avec chaque mets. Après le repas, j'ai bu un verre de Cointreau. Tout à coup, j'avais la tête qui tournait. Je me suis dirigée d'un pas incertain vers les toilettes, où je me suis écroulée après avoir vomi. Un des invités était médecin et il a compris que j'étais non seulement soûle, mais complètement déshydratée. On m'a conduite à l'hôpital, où l'on m'a administré un soluté intraveineux. Le lendemain, j'étais rétablie, mais extrêmement mal à l'aise. Quand j'ai vu le médecin dans la salle d'urgence, il m'a rassurée : « Même les gens qui ont des problèmes psychologiques peuvent se soûler et avoir la gueule de bois. » Jamais plus je n'ai mélangé autant d'alcools différents.

Quant aux problèmes psychologiques, la situation allait s'aggraver avant de s'améliorer.

CHAPITRE 6

La raison avant la passion
ou la passion avant la raison ?

J'étais encore loin de comprendre la délicate chimie du cerveau responsable de mon comportement, mais, par expérience, je savais que je revenais à la vie lorsque j'étais enceinte.

En 1974, à Noël, Pierre et moi sommes allés en vacances en Jamaïque. Il m'en voulait toujours pour mon idylle avec Ted Kennedy, mais jouant de mes charmes, j'ai séduit mon mari et suis tombée enceinte. Cette grossesse ne plaisait pas à Pierre ; à son avis, ce n'était pas ce qu'il fallait à un couple si malheureux. Cependant, dès le début j'ai commencé à me sentir beaucoup mieux. La solitude, l'isolement, l'impression d'incompétence et de vide ont été balayés par un flot d'hormones complexes et mystérieuses : estrogène, progestérone, insuline, relaxine, ocytocine, prolactine. Peu importe le cocktail, peu importe son fonctionnement, je redevenais un être humain.

Nous étions en vacances, mais Pierre, bien sûr, avait apporté du travail. Deux jours avant la fin de notre séjour, il a fermé la dernière boîte brune de documents.

« J'ai fini, je n'ai plus rien à faire », a-t-il annoncé.

Du jamais vu ! De nos jours, les ordinateurs et les appareils de communication portables assurent un flot ininterrompu de travail, contrairement à cette époque. Nous nous trouvions dans un endroit retiré, et une fois le dernier document fermé, Pierre n'avait plus rien à lire. Il m'a demandé ce que je lisais.

À l'exception d'œuvres classiques, Pierre ne lisait jamais de romans. Un peu gênée, je lui ai montré mon livre: *Le Complexe d'Icare*, de la féministe Erica Jong. C'est l'histoire d'une femme mariée qui se rend en Europe avec son mari et qui décide de donner libre cours à ses fantasmes sexuels en prenant plusieurs amants.

Pierre a été estomaqué par ce qu'il lisait et nous avons eu des discussions animées le soir à table. Publié l'année précédente et lu par des millions de lecteurs, cet ouvrage était l'un des premiers romans féministes. Alors que la femme avait toujours été présumée inférieure à l'homme, le livre présentait un nouveau point de vue et, avec son sens de la justice et de l'équité, Pierre admettait que la femme était l'égale de l'homme sur bien des plans. Dans son for intérieur, il reconnaissait cette vérité et, pourtant, il trouvait très difficile d'accorder cette liberté tant à moi qu'aux autres femmes dans sa vie. Homme très religieux, il honorait la Vierge et sa mère. Celle-ci lui avait transmis des idées strictes sur ce qui était acceptable et convenable.

Elle lui avait également donné le sens de la liberté, mais comme il est resté avec elle jusqu'à son ascension au poste de premier ministre, on peut dire qu'il a longtemps vécu dans le giron d'une femme dominante. J'avais dix-neuf ans quand il m'a choisie: j'avais du sang écossais, j'étais sans prétention et économe, je jardinais, confectionnais mes propres vêtements. J'étais une bonne fille. Mais avant tout, il cherchait une épouse et une mère pour ses enfants. Vu mon âge, il pensait pouvoir me façonner. Il a eu l'épouse et la mère, mais pas le modèle en argile malléable.

Pendant quelque temps, notre vie a repris comme aux beaux jours de notre mariage. Je commençais à mieux fonc-

tionner. Au printemps de 1975, j'ai donné mon premier discours en public, m'adressant aux femmes des chefs de gouvernement des pays du Commonwealth réunis en Jamaïque.
Le sujet était la place des épouses en politique. J'ai partagé
mon désir de sortir de la cuisine et de me lancer dans le travail,
précisant ne pas vouloir seulement être une rose à la boutonnière de mon mari. Il y avait environ une centaine de personnes, et j'étais terrifiée. Pierre m'avait aidée pour le discours. J'ai
fait rire l'assistance en citant une phrase d'une vieille version
du livre *Comment soigner et éduquer son enfant*, du Dr Benja-
min Spock (ouvrage dont la première édition date de 1946 et
qui a constitué la bible des mères pendant des décennies). La
phrase, retirée des éditions subséquentes, disait : « Sur le plan
biologique et sur le plan du tempérament, les femmes, à mon
avis, sont faites pour s'occuper d'abord et avant tout de leurs
enfants, de leur mari et de leur maison. » Pierre, de toute évidence, n'était pas d'accord. Comme moi ou la bonne d'enfants, il changeait volontiers les couches de ses fils.

Pierre a été ravi lorsque notre troisième enfant, un autre
garçon, est né le 2 octobre 1975. Nous savions que nous
chéririons toujours cet enfant. L'accouchement s'est déroulé
rapidement, contrairement aux deux autres fois. J'avais lu au
sujet de la théorie du cri primal – comment le fait d'expulser
de l'air, de lancer un cri triomphal pouvait aider à atténuer la
douleur. Les médecins et le personnel infirmier étaient au
courant de mon intention de crier, mais j'avais oublié d'aver-
tir l'agent de la GRC assis à l'extérieur de ma chambre. Henry
Kennedy, qui était devenu en quelque sorte un ami, et sa
femme attendaient leur premier enfant, et mon cri effroyable
lui a fait une peur bleue.

« Est-ce que ça va ? » m'a-t-il demandé quand on m'a roulée
hors de la salle d'accouchement. Mon cri avait été si perçant
qu'il m'avait crue mourante.

Pierre et moi avions de la difficulté à trouver un nom pour le bébé. Puis un soir, le réalisateur italien Sergio Leone, vieil ami de Pierre, est venu dîner. Quand je suis descendue avec le bébé dans les bras, Sergio a suggéré de lui donner le nom d'un des anges puisqu'il était né le jour de la fête des anges. Les noms Raphaël et Gabriel ne nous plaisaient pas beaucoup, mais Michaël était certainement une possibilité.

Quelques jours plus tard, je me trouvais en compagnie de Mamie Angus, une amie d'origine russe. Berçant le bébé dans ses bras, elle l'a appelé Micha. J'ai immédiatement téléphoné à Pierre, mais son conseiller m'a répondu qu'il était en réunion avec ses ministres. Je m'imposais rarement, mais j'ai insisté : « Faites-le venir au téléphone. » Pierre a trouvé la suggestion excellente. Alors le bébé est devenu Micha (bien que son nom de baptême soit Michel), avec Charles-Émile pour deuxième prénom, comme le père de Pierre.

Nous avons connu de bons moments après la naissance de Michel. Quelques années auparavant, le roi Hussein et sa femme, la reine Alia, nous avaient invités à leur résidence d'été en Jordanie. Une section d'autoroute près du palais venait d'être terminée, mais n'était pas encore ouverte à la circulation. Nous emmenant au garage après le repas, le roi a invité Pierre à choisir une Harley-Davidson. La reine Alia a enfourché sa Vespa rose et je suis montée à l'arrière de la Harley-Davidson du roi, puis nous sommes partis dans la nuit étoilée. Je n'avais encore jamais roulé en moto, et habituellement de tels engins me terrifient, mais quelle sensation grisante ! Je m'agrippais au roi Hussein et nous avons fait la course avec Pierre qui fonçait à deux cents à l'heure dans l'obscurité silencieuse, en riant et en criant à tue-tête. Au cours de cette visite, Alia et moi sommes devenues amies et à mon retour au Canada nous avons souvent parlé au téléphone. Perturbée elle aussi, elle était toutefois plus forte que moi.

Quand j'étais enceinte de Michel, elle et son mari étaient venus en visite officielle et m'avaient offert pour mon anniversaire un équipement photographique professionnel, soit un appareil photo et des objectifs Nikon valant plusieurs milliers de dollars. Un cadeau qui tombait à pic. J'ai suivi un cours sur la photographie et les techniques de développement en chambre noire. J'ai découvert que regarder à travers l'objectif me procurait un autre moyen d'évasion, me permettait de voir le monde différemment.

Je pouvais faire un zoom uniquement sur de beaux détails et devenir le témoin d'événements. Ce geste de générosité de la part du roi Hussein et de la reine Alia a marqué un tournant dans ma vie. Aucun autre cadeau ne m'avait fait autant plaisir, car la photographie m'ouvrait des portes que j'avais crues à jamais fermées. Pierre m'avait encouragée à trouver un passe-temps, mais une personne déprimée ne voit pas l'intérêt de s'adonner à une activité et ne s'imagine même pas en être un jour capable.

Cet appareil photo et les cours de photographie – et le fait que Pierre m'autorisait maintenant à suivre des cours – m'ont donné mon premier sentiment d'indépendance. J'avais enfin l'occasion de devenir autre chose que l'épouse de Pierre Trudeau et la mère de ses enfants. Pendant les deux années suivantes, j'ai fait de la photographie, et Pierre et moi nous sommes efforcés d'être de bons parents et de bien nous entendre.

Au cours d'un voyage officiel, j'ai cependant compris à quel point je pouvais manquer de jugement. Pierre avait projeté de se rendre en Amérique du Sud en janvier 1976, un voyage de trois semaines qui l'emmènerait dans trois pays, le Mexique, Cuba et le Venezuela. Fruit des efforts de Pierre pour tisser des liens encore plus grands entre le Canada et les pays en développement, ce voyage revêtait une très grande importance, d'autant plus que les États-Unis n'entretenaient pas de relations diplomatiques avec Cuba.

Michel n'ayant que quatre mois, je ne voulais pas me séparer de lui et j'ai donc présumé que je ne ferais pas partie du voyage. Mais, comme avec Justin et Sacha, mon médecin m'a assuré que Michel ne risquait rien. J'ai demandé à Diane Lavergne, la personne la plus accommodante et décontractée de tout notre personnel, de m'accompagner à titre de bonne d'enfant.

Nous avons pris l'avion pour le Mexique où j'ai immédiatement été séduite par toutes les couleurs vives, l'aurore australe et les odeurs dans les marchés. Au cours d'une réception officielle, l'épouse du président mexicain Luis Echeverría m'a offert de magnifiques cadeaux ; moi, je n'avais qu'une feuille d'érable à lui donner. Mal à l'aise, je lui ai donné la broche que je portais – un épaulard –, fabriquée par l'artiste et orfèvre de la Colombie-Britannique Bill Reid. Pierre a remarqué mon malaise. La broche valait cher et avait une valeur sentimentale, mais j'estimais n'avoir pas le choix.

À partir de ce jour, j'ai exigé un droit de regard sur le choix des cadeaux devant être remis à nos hôtes lors de voyages à l'étranger ou aux dignitaires en visite à Ottawa. (Je me souviens, par exemple, d'avoir offert au roi et à la reine du Luxembourg de jolies épinglettes en platine représentant des coccinelles, réalisées par Gabriel Lucas, joaillier montréalais de grande renommée.)

Pierre et moi logions dans un luxueux hôtel au centre de Mexico où le beurre servi à notre table était sculpté en forme de roses. Tout ce que nous avons fait et vu, de même que l'accueil chaleureux des Mexicains partout où nous allions, a suscité chez moi une euphorie que je n'avais pas ressentie depuis très longtemps. Michel restait dans notre suite avec

Diane, et je pouvais aller le voir à ma guise. Je me sentais si bien que toute prudence a fondu comme neige au soleil.

Je venais de lire Carlos Castaneda, alors ma tête était remplie d'histoires de shamans lorsque Pierre et moi avons visité des vestiges de la civilisation maya près de Mexico. Comme nous étions en excellente forme physique, nous avons monté les marches de la pyramide au pas de course. La vue au sommet était à couper le souffle, mais nous sommes immédiatement redescendus, toujours au pas de course, en voyant que la bonne avait posé Michel sur l'autel des sacrifices. Mauvais karma, avons-nous tous les deux pensé.

Deux hippies canadiens, qui avaient entendu parler de la visite officielle, avaient réussi à franchir l'important dispositif de sécurité déployé aux ruines mayas dans la jungle. J'ai été surprise, mais n'ai pas protesté, quand l'un d'eux, une jeune fille, m'a chuchoté à l'oreille : « Nous avons quelque chose pour vous. » J'ai négligemment déposé mon sac sur le sol près de l'auto, où Diane était assise avec Michel dans les bras, puis me suis dirigée vers les ruines. Quand je suis revenue, un officier chargé de la sécurité s'est approché de moi.

« Je dois vous dire, madame Trudeau, que cette jeune Canadienne a glissé quelque chose dans votre sac.

— Merci, ai-je répondu. Il doit s'agir des biscuits dont elle m'a parlé. »

Ouvrant mon sac, j'ai sorti, de façon à ce qu'il le voie bien, un paquet de biscuits que j'avais apporté. L'agent ignorait toutefois qu'au fond du sac était caché un sachet en plastique contenant du peyotl, une plante hallucinogène. Ce soir-là, à Cancún, j'y ai goûté en cachette... et j'ai eu hâte d'en reprendre.

Du Mexique nous sommes allés à Cuba. J'avais projeté d'arriver dans ce pays vêtue de mes plus beaux atours : une superbe robe en soie achetée à Rome avec chaussures, chapeau et sac à main assortis. Juste avant l'atterrissage, j'ai changé la couche de Michel, et au moment où je fermais l'épingle de sûreté l'avion a fait un bond en touchant le sol et la pointe de l'épingle m'a piqué le doigt. Une goutte de sang est tombée sur le devant de ma robe. Comme l'avion roulait maintenant sur la piste d'atterrissage, je n'avais plus le temps de me changer. Mme Trudeau gaffait encore: à la première visite d'un chef d'État canadien à Cuba, la voilà avec du sang sur ses vêtements.

À l'ouverture des portes, une vague de chaleur humide nous a frappés en plein visage. Fidel Castro nous attendait sur le tarmac. J'ai immédiatement été subjuguée par cet homme de grande taille en treillis d'une coupe parfaite et sans un pli, aux yeux d'une beauté remarquable, et qu'un regard intense, presque fanatique, rendait physiquement très attirant. D'une voix grave et bourrue, et avec un fort accent, il nous a adressé un flot de paroles de bienvenue dans un anglais fleuri et lyrique. Son attitude envers Michel lui a rapidement valu mon affection. Il l'appelait Miche et l'emmenait partout avec lui. Il a même fait faire un insigne spécial: Miche Trudeau, membre VIP de la délégation officielle canadienne. À partir de ce moment, toute la famille l'a appelé Miche plutôt que Micha, mais pour tous les autres il demeurait Michel.

Pierre, Michel, Diane et moi logions dans une charmante villa à La Havane, construite en bois et en pierre, où l'air était rafraîchi par de l'eau coulant dans des rigoles creusées à même le carrelage d'ardoise; pour passer d'une pièce à une autre, il fallait marcher sur de grosses dalles de pierre. Chaque fenêtre donnait sur un jardin tropical. Ayant vécu si longtemps dans le milieu politique conservateur et guindé d'Ottawa, j'ai soudain été envahie de souvenirs de mon époque hippie. Si c'est ça la révolution, me suis-je dit, eh bien vive la révolution! Une fois convaincue que Cuba était sans reproche, j'ai trouvé confirmation de mon impression partout où j'allais. Les Cubains me semblaient un peuple heureux. Nous avons assisté à de magnifiques représentations, à des jeux d'eau spectaculaires et à d'impressionnants spectacles de gymnastique. J'ai visité des garderies où les enfants paraissaient parfaitement heureux. Les journées ont passé beaucoup trop vite: jamais une visite officielle n'avait été si agréable, si dénuée de lourdeur protocolaire.

Quand je pense à ce voyage – j'avais alors vingt-sept ans et l'hiver sévissait à Ottawa –, je comprends très bien comment ma dépression a pu s'évanouir sous le soleil chaud. J'aime le ski, la raquette et les randonnées dans la neige, mais je supporte mal l'hiver. Le trouble affectif saisonnier ou dépression hivernale est un mal réel, et maintenant j'utilise une lumière artificielle en hiver et prends de la vitamine D. Quand le temps est gris, froid et morose, l'humeur d'une personne sujette à la dépression s'assombrit aussi. Pas étonnant que le soleil cubain me rendait heureuse.

Le point culminant de ce voyage a été un séjour sur l'île de Cayo Largo, abritant des installations militaires. On avait mis une confortable villa à notre disposition. En fin d'après-midi, Pierre et Fidel sont allés pêcher. Pacifiste, Pierre ne voulait rien tuer, mais Castro a pris un fusil à harpon et les deux hommes sont partis à la nage à la recherche de poissons. Ils sont revenus avec une belle prise. Castro tenait un gros homard et, sous mon regard ahuri, a arraché une des pinces du crustacé qui se débattait encore. « Vous mangez le homard avec ou sans lime? » m'a-t-il demandé. J'ai hésité, d'abord parce que la patte me semblait encore vivante, mais aussi parce que, à l'exception des huîtres, il n'était pas recommandé de manger des crustacés crus. Le homard cru s'est cependant avéré délicieux.

En soirée, Diane et moi nous sommes promenées au bord de la mer. Fidel et un de ses conseillers ont eu tôt fait de nous rejoindre. Heureusement que Fidel et moi n'étions pas seuls, car il a commencé à m'inonder de compliments extravagants.

«Vous savez, ma vue n'est pas très bonne, m'a-t-il dit, alors tous les jours, pour l'améliorer, je me force à regarder le soleil. C'est très difficile, mais savez-vous ce que je trouve encore plus difficile? Regarder le bleu de vos yeux.»

J'étais triste en quittant Cuba. Ce voyage avait clairement mis en évidence la contradiction entre ce que j'aimais faire et ce qu'on attendait de moi. Le dernier soir, nous avons mangé avec Castro, et tout le monde autour de la table s'est mis à applaudir et à taper du pied au son de la musique tonitruante qui jouait pendant le repas. Au moment du départ, émue par les trois chaises qu'on nous avait remises pour les garçons, j'avais les larmes aux yeux. Pierre m'a gentiment taquinée: «Je suis content que tu viennes avec nous. Je me demandais si tu n'allais pas demander l'asile.»

Notre dernière étape était le Venezuela. Patricia Schwarz-mann, la femme de notre ambassadeur, m'avait envoyé des notes sur le travail de l'épouse du président, Blanca Pérez, dans les garderies, et j'étais toute disposée à l'aimer. Peu après notre arrivée à Caracas, elle m'a demandé si je voulais l'accompagner à l'une de ses garderies dans un quartier défavorisé de la ville, où elle travaillait tous les jours auprès d'enfants parmi les plus démunis et malades.

Nous sommes parties en car, Blanca Pérez portant une robe blanche très simple et des chaussures robustes, et moi un ensemble style safari, appareils photo en bandoulière. Nous avons emmené Michel avec nous. À un moment donné, je me suis retournée et j'ai vu l'entourage de Mme Pérez et les femmes de diplomates qui nous accompagnaient, toutes affichant la même expression de consternation et de dégoût. Dans leurs chaussures à talons hauts en crocodile et leurs robes en soie Pucci, couvertes de lourds bijoux en or, elles semblaient trop terrifiées pour descendre du car. Cela ne m'a fait qu'aimer davantage Mme Pérez. De retour à notre ambassade, j'étais remplie d'admiration pour elle.

Le soir de notre dernier jour au Venezuela, nous devions donner un dîner en l'honneur du président et de Mme Pérez. Au cours de l'après-midi, j'avais mâché un des morceaux de peyotl que m'avaient remis les hippies au Mexique. Mauvaise idée. Erreur de jugement. Le peyotl a commencé à faire effet pendant que je m'habillais pour la réception et m'a entraînée dans un voyage assez incroyable. Ayant été très impressionnée par Mme Pérez – et exaltée sous l'effet hallucinogène du peyotl –, j'ai décidé de composer un poème en son honneur et de le lui réciter au dîner. Je me prenais à la fois pour Eva Perón et Gabriel García Márquez.

C'était une très mauvaise initiative, d'autant plus que la nature de la soirée avait changé. Il ne s'agissait plus d'un simple dîner intime, mais d'une grande réception officielle réunissant tout le gratin de Caracas. À la fin du repas, je me suis levée et j'ai entamé ma chanson. Le peyotl agissant, je distinguais nettement chaque détail dans la pièce, chaque pétale de chaque rose.

« Señora Pérez, ai-je annoncé, j'aimerais vous chanter une chanson qui parle d'amour. »

Et j'ai commencé mon gazouillement :

Señora Pérez, j'aimerais vous remercier
J'aimerais chanter pour vous
Vous chanter une chanson d'amour
Car je vous ai observée
Avec mes yeux grands ouverts
Vous ai observée avec des yeux admiratifs…

Je vous épargne le reste. Même avec le cerveau embrouillé, je me rendais compte du profond malaise suscité par ma chanson. Les Pérez ont été on ne peut plus charmants, mais la presse canadienne s'en est donné à cœur joie. Grâce aux médias, mes précédents épisodes de comportement fantasque n'étaient pas passés inaperçus au Canada, et le lendemain matin, en ouvrant leur journal, les Canadiens se sont régalés d'histoires au sujet des bouffonneries scandaleuses de la femme détraquée et exhibitionniste de Pierre Trudeau. Je grimace de honte quand je repense à ce comportement vraiment idiot et indigne.

« Margaret Trudeau récidive », titrait en grosses lettres le *Globe and Mail*. J'avais terriblement honte de mon épouvantable conduite. Or, une fois rentrée à la maison, j'ai aggravé mon cas. En me réveillant, j'ai entendu à la radio des commentaires, presque tous défavorables, sur mon numéro. Puis l'animateur a dit : « Margaret Trudeau, pourquoi ne pas nous donner un coup de fil ? » Et je l'ai fait. Une autre terrible erreur qui m'a fait paraître encore plus ridicule. Je me sentais si seule, si triste.

Le temps passait, les garçons vieillissaient. Pratiquement dès qu'ils ont pu marcher, Pierre les a emmenés sur les pentes de ski, où ils sont rapidement devenus intrépides, dévalant les pistes à toute vitesse, culbutant, chutant, se relevant, reprenant leur descente. Parmi les agents de la GRC, il a fallu trouver des skieurs de très haut calibre pour les suivre. Mais entre Pierre et moi, quelque chose s'était brisé et il semblait impossible de le réparer.

Au cours de l'été de 1976, nous étions à Rome et avons obtenu une audience avec le pape Paul VI à sa résidence d'été de Castel Gandolfo. Pierre m'avait suggéré de préparer une liste de questions à poser au souverain pontife. Agenouillée devant le pape, j'ai été profondément impressionnée et touchée par l'aura de sainteté qui se dégageait de lui. Je voulais l'interroger sur des aspects du catholicisme encore nébuleux pour moi, et que ma conversion n'avait pas réussi à clarifier. Qu'était le péché? Les pensées comptaient-elles autant que les actes? (Dieu, certainement, ne me punirait pas pour mes errances intérieures.) Et le péché originel : comment des enfants innocents (mes trois fils, par exemple) pouvaient-ils naître avec la tache du péché? Et où étaient les femmes? Pourquoi l'Église catholique gardait-elle les femmes dans un état d'infériorité?

Avant que j'aie eu la possibilité de poser une seule question, le pape m'a tapoté la tête en me disant bénie entre toutes les femmes parce que j'avais eu trois merveilleux fils. Puis il s'est tourné vers Pierre, m'excluant complètement de la conversation plus sérieuse.

L'audience terminée, le pape a demandé à Pierre s'il avait des questions, mais contrairement à moi, Pierre n'en avait pas. Je lui enviais ses convictions religieuses. Cependant, j'étais également très en colère. En quittant Rome, j'ai senti que je me distanciais de l'Église catholique en raison de ses manquements envers moi en tant que femme.

Pierre et moi avions depuis longtemps des divergences d'opinions au sujet de la religion. Chaque soir, avant de border les enfants, Pierre priait avec eux. Cela ne me dérangeait pas; quand nous nous étions mariés, j'avais accepté qu'ils soient élevés dans la religion catholique. Toutefois, la notion du péché originel était incompréhensible pour moi. Je ne pouvais concevoir qu'un petit garçon ait le péché en lui. J'avais encore plus de difficulté à accepter l'idée d'un prêtre âgé donnant l'absolution à un petit garçon pour ses soi-disant péchés, comme manger une tablette de chocolat avant le dîner. Je me disais que mon

Dieu anglican était plus indulgent que le Dieu catholique de Pierre.

Environ vingt-cinq ans plus tard, Sacha et moi avons eu un entretien d'une heure avec Sa Sainteté le dalaï-lama, qui fut tout le contraire de l'audience avec le pape. Il m'a incluse dans la discussion. Portant ma main à son visage, il a dit que les mères représentaient la force et la puissance.

Les deux saints hommes parlaient de l'état de grâce de la mère, mais le dalaï-lama me voyait en tant qu'être individuel – et non comme une femme parmi tant d'autres. Le pape m'a mise à ma place en m'excluant de la conversation; le dalaï-lama m'a donné ma place en m'incluant dans la conversation.

Une des visites d'État les plus éprouvantes a eu lieu à l'automne de 1976. Aujourd'hui, je me rends compte à quel point j'étais tendue. Nous avions été invités au Japon et cette invitation m'aurait normalement remplie de joie, car j'adore le Japon et tout ce qui est japonais. Nous étions logés dans le magnifique palais d'Akasaka où tout était raffiné. Or nous étions accompagnés d'Ivan Head, un conseiller de Pierre avec qui je n'étais pas en très bons termes. Il n'acceptait pas, me semblait-il, que je puisse aider Pierre dans son travail. Nous avions essayé, sans succès, de collaborer pendant la campagne électorale de 1974 et je savais qu'il avait tout fait pour me tenir à l'écart. Je le trouvais chauvin et détestais ses manières de bureaucrate.

Dès le début de la visite au Japon, j'ai trouvé les règles protocolaires très contraignantes et intimidantes (tout un contraste avec l'atmosphère décontractée et conviviale à Cuba). Au Japon, chaque petit geste semblait revêtir une signification. Le meilleur moment de la visite a été un déjeuner en compagnie de l'empereur et de l'impératrice au cours duquel nous avons parlé de photographie. Sinon, les rencontres officielles, rigides et empesées, se succédaient – avec une exception, cependant. J'en ris encore. Le week-end, Pierre et moi étions allés nous reposer dans une auberge au nord du pays. Une charmante serveuse en costume traditionnel nous a apporté des bols de soupe, mais à la vue de petits poissons flottant à la surface, j'ai dit à Pierre que je ne pouvais pas avaler ça. « Je te croyais une grande voyageuse, m'a-t-il dit d'un ton condescendant. Tu dois t'ouvrir à de nouvelles expériences, essayer de nouvelles choses. » Et il s'est mis à manger les petits poissons. Revenant à ce moment précis, la serveuse a paru horrifiée. « Non, non, non, s'est-elle exclamée, il ne faut pas manger les petits poissons. C'est seulement pour parfumer la soupe. » Puis elle les a retirés avec un petit filet.

À la fin du voyage, j'étais complètement épuisée et quelque chose en moi a cédé. Comme nous descendions l'escalier pour nous rendre à la dernière conférence de presse, avec le personnel en rang de chaque côté, Ivan Head m'a informée que je n'étais pas invitée. J'ai toujours aimé les conférences de presse à la fin des visites officielles : on y apprend si la visite a été un succès et ce que les gens en ont pensé. J'étais hors de moi. J'ai fait demi-tour et, en remontant l'escalier à la course, j'ai lâché un retentissant : « *Fuck you!* » C'était une terrible chose à faire, très embarrassante, et j'ai honte quand j'y repense. Pierre est monté me chercher. Je pouvais l'accompagner, a-t-il dit, mais comme les épouses étaient exclues de la conférence de presse, j'allais devoir rester seule dans une petite cabine vitrée.

Vers le milieu du mois de février 1977, nous sommes allés en visite officielle à Washington. Écoutant Pierre prendre la parole à une session conjointe du Congrès, je me suis sentie déchirée entre un besoin intense d'être avec lui et mon désir de retrouver Ted Kennedy. Un peu plus tard, j'ai assisté

à un déjeuner du département d'État donné par Grace Vance
(femme du secrétaire d'État Cyrus Vance) et ensuite j'ai visité un institut psychiatrique en compagnie de Rosalynn
Carter. Ce soir-là, au cours d'une réception à l'ambassade
canadienne, Elizabeth Taylor, assise en face, s'est penchée
vers moi en me disant : « Vous avez l'air de vous ennuyer
mortellement. Je sais exactement ce que vous ressentez. »

C'était gentil de sa part, mais j'étais horrifiée de savoir
que mon ennui était à ce point visible. Cela m'a ramenée
d'un coup sec à la réalité et j'ai eu honte de ce manquement
aux règles de bienséance. Ce sentiment de honte, toutefois, a
été fugace et j'ai organisé une rencontre discrète avec Teddy
à son bureau, où nous avons bu du vin blanc. Je lui ai dit
qu'il n'avait pas brisé mon mariage, mais que je m'étais servie
de lui pour m'aider à mettre fin à une relation déjà terminée.
Changer radicalement sa vie n'est pas un défi impossible, ai-
je ajouté, mais une nécessité. Pourtant, je n'arrivais pas à passer à l'action.

Je n'étais pas au bout de mes peines dans ce voyage. J'avais
porté une robe courte à la réception officielle et, comme si
cela ne suffisait pas, mes bas avaient filé. Il y avait plein de
célébrités à la Maison-Blanche, ce soir-là – Harry Belafonte
et John Kenneth Galbraith, pour n'en nommer que deux –,
or ce sont ma robe et mes bas déchirés qui ont retenu l'attention de la presse.

Jimmy et Rosalynn Carter m'ont rapidement témoigné
leur soutien. À peine étions-nous revenus à la maison qu'une
lettre manuscrite, adressée à Pierre et à moi, nous arrivait de
la part du président.

*Rosalynn et moi avons été ravis de vous accueillir et nous
espérons avoir le plaisir de vous revoir souvent. Pierre, votre
expérience et votre approche franche et directe m'ont été*

d'une très grande utilité en tant que nouveau président. [...]
Margaret, vous avez apporté beaucoup de fraîcheur et de
charme à Washington. Je vous en remercie.

Votre ami, Jimmy

Je me suis sentie... légèrement mieux.

En 1977, j'ai appris que Jiddu Krishnamurti, alors âgé de
quatre-vingt-deux ans, devait donner une conférence en Californie, près de Santa Barbara. Je m'intéressais depuis longtemps
aux enseignements de cet écrivain, orateur, philosophe et
guide spirituel originaire de l'Inde. Maintenant constamment entourée de lourdes formalités, soumise à un protocole
contraignant, prisonnière d'un mode de vie qui me paraissait
artificiel et prétentieux, j'ai commencé à souhaiter la simplicité que ses mots évoquaient.

Je le voyais comme un gourou antigourou, un homme
sage, humble, et je me suis rappelé les paroles de Leonard Cohen :
« L'homme sage a dit "Suis-moi", mais il marchait derrière
moi. » Voyageant sous mon nom de jeune fille – Margaret
Sinclair –, je suis allée rencontrer Krishnamurti en Californie.
Il savait qui j'étais, car nous avions un ami commun, un jeune
homme de qui j'avais déjà été très proche autrefois. Peu après
mon arrivée, Krishnamurti m'a invitée à venir discuter avec
lui. Comme je n'avais pas de place réservée à la conférence, il
m'a fait asseoir à ses côtés.

Jiddu et moi avons passé des soirées à marcher dans les
orangeraies et à discuter. Son message portait sur la liberté,
sur la nécessité de s'exprimer et de rester fidèle à soi-même,
de ne pas se laisser arrêter par les contraintes exercées par
autrui. « Sondez les profondeurs de votre propre conscience.
Seul l'amour créatif est réel, tout le reste n'est que distraction. »
Je suis rentrée à la maison en réfléchissant à ses paroles. Jiddu

Krishnamurti ne croyait pas à la religion en tant qu'institution ni au pouvoir, et pourtant, moi, j'étais mariée à l'un des
hommes les plus puissants et dominateurs du monde occidental. Quelque chose allait devoir céder, et c'est ce qui s'est
produit.

Peu de temps après mon retour de Californie, un soir où
je me sentais malheureuse et remplie de rage, je me suis atta-
quée à une courtepointe inestimable de Joyce Wieland, œuvre
d'art accrochée sur un mur de notre petit salon, que Pierre
aimait particulièrement. Sur le devant, brodée en lettres bien
nettes, se trouvait son expression préférée : la raison avant la
passion. Ces mots semblaient me narguer. Prenant une paire
de ciseaux, j'ai découpé les mots, puis je les ai intervertis et
fixés avec des épingles, pour obtenir « la passion avant la raison ». J'étais dans une de mes phases maniaques, et m'étais
convaincue que la seule façon d'amener Pierre Trudeau à
m'écouter était de profaner une œuvre d'art.

La furie de Pierre était justifiée. Le lendemain matin, une
des femmes de chambre a réparé les dommages, mais le véritable dommage, celui causé à ma relation avec Pierre, était
irréparable.

Puis le jour est arrivé où j'ai commencé à détester Pierre, et
je savais que j'allais devenir folle si je ne partais pas. Jamais je
ne pourrais survivre dans cet état frisant la démence, et cela
n'était juste ni pour moi ni pour les garçons. Je ne pouvais
rester avec Pierre pour les mauvaises raisons, et il ne semblait
pas y en avoir beaucoup de bonnes. Je lui reprochais – injuste-
ment – sa discipline et son ascétisme, son manque d'intimité
et de spontanéité. Je lui reprochais de vieillir et de ne pas avoir
le temps de prendre soin de moi, et aussi d'être trop occupé
pour remarquer mon difficile cheminement vers la maturité.

Je suis devenue une femme acariâtre, une harpie prête à
tout. Le courage dont j'ai fait preuve pour partir était sans

aucun doute alimenté par un épisode maniaque. Cependant, il existait, profondément ancré en moi, un instinct de survie qui m'incitait à trouver le courage de quitter le 24 Sussex, de laisser derrière moi la solitude et l'isolement pour découvrir qui j'étais et ce dont j'étais capable. Mon espoir, mon ambition, était de trouver un travail valorisant.

Toutes mes sœurs travaillaient. Heather, professeure très respectée à la faculté d'éducation de l'Université de la Colombie-Britannique, a été décorée par la reine pour sa contribution à la refonte du programme scolaire de la province. Jan, d'abord assistante dentaire, a ensuite travaillé comme agente à la billetterie d'Air Canada et, plus récemment, comme représentante syndicale à la table de négociations de cette société. Elle a toujours été, et demeure, du côté des plus faibles. Adolescente, Lin était une élève timide, manquant de confiance en elle, qui se réfugiait dans sa chambre pour lire des romans Harlequin, mais en onzième et douzième années, ma mère l'a mise en pension au collège Havergal, prestigieuse école pour filles à Toronto. Elle en est revenue transformée et, depuis, n'a cessé d'aller de l'avant. Elle s'est spécialisée en médecine nucléaire, enseignant aux techniciens le fonctionnement de nouveaux appareils de radiologie ; elle avait décidé de s'installer à Tucson, en Arizona. Quant à Betsy, elle est devenue une infirmière dévouée et une administratrice dans un hôpital. Et Margaret ?

Dans ma tête, ma carte professionnelle disait : Margaret Trudeau, photographe.

CHAPITRE 7

M*^{me}* *Rochester, la pauvre folle cachée dans le grenier*

Dernièrement, j'ai retrouvé un journal intime de cuir rouge, que j'ai commencé à tenir au printemps de 1977 au cours du mois où j'ai pris la décision de quitter Pierre. Le journal couvre la pire année de mon existence, celle de mes vingt-neuf ans, sans aucun doute la plus destructrice. La lecture de ce journal m'est pénible.

Sur la première page, ces quelques phrases : « Le 6 mars. Toronto. C'est fait. J'ai laissé Pierre et les enfants à Ottawa, et je pars dans le monde tenter ma chance. Ou je réussirai, ou j'échouerai. »

Le 4 mars, jour de notre sixième anniversaire de mariage, Pierre et moi avions décidé de nous séparer temporairement. Il ne voulait pas me perdre, avait-il insisté, mais était prêt à me laisser « explorer ma nouvelle liberté », comme je l'ai écrit dans mon journal. Il m'aiderait financièrement jusqu'à ce que je sois en mesure de voler de mes propres ailes. Je m'absenterais quelques semaines, puis reviendrais pour passer un long week-end ou plus avec les enfants. En mon absence, les garçons seraient sous la garde de deux excellentes bonnes d'enfants et de Pierre. Justin avait cinq ans, Sacha trois et Michel pas tout à fait dix-huit mois. De toute évidence, je ne savais pas ce que je faisais, mais je ne pouvais rester.

Profondément bouleversée et dépassée par la situation, j'avais l'impression de devenir invisible, d'être sur le point de disparaître complètement. Entre mon désir de liberté – que Pierre comprenait – et son désir de contrôle – qui était dans sa nature –, l'écart était immense.

Les garçons ne voulaient pas que je parte, mais sont demeurés stoïques. «Maman doit travailler», disait Sacha. Justin, lui, avait compris que son père et sa mère avaient chacun un travail et déduit que son père était «le patron du Canada».

Fruit du hasard, l'incident qui s'est déroulé à Toronto a donné le ton aux deux années suivantes : deux ans de grandes turbulences au cours desquels la presse internationale n'a cessé de m'attaquer. J'avais prévu me rendre directement à New York pour travailler avec Richard Avedon, un photographe de mode et portraitiste de grand renom, qui avait accepté de me prendre en stage pour une semaine. Cependant, une amie, Penny Royce, m'a invitée à passer quelques jours avec elle à Toronto où, disait-elle, nous pourrions rencontrer les Rolling Stones, qui jouaient dans une petite boîte de nuit appelée El Mocambo.

Le palmier vert, enseigne au néon distinctive de la boîte, orne l'avenue Spadina depuis 1946. Au cours des années, l'endroit a attiré un vaste éventail de stars du rock et du jazz, dont Jimi Hendrix et Charles Mingus. Les 4 et 5 mars 1977, les Rolling Stones ont enregistré deux spectacles en direct au El Mocambo pour leur album *Love You Live*.

Je prenais des photos pendant que le groupe jouait. Plutôt timide au début, comme une vieille groupie n'osant s'approcher, j'ai peu à peu pris de l'assurance et mon état d'esprit s'est amélioré. J'aimais bien Mick Jagger, le trouvant intelligent et sérieux. Plus tard, j'ai rencontré chaque membre du groupe individuellement. Comme pour eux la nuit se confondait avec le jour, j'ai fini par passer presque toute la nuit en leur compagnie à l'hôtel Hilton Harbour Castle – la nuit entière, en fait, avec Ronnie Wood. La manie a un pouvoir aphrodisiaque ressenti tant par la personne atteinte que par celles avec qui elle se trouve. La nuit a été amusante ; ma nouvelle profession connaissait un début grisant. Le lendemain matin, cependant, mon état d'excitation a laissé place à un sentiment de découragement. Je me sentais triste et seule, et me suis demandé si je ne devais simplement pas retourner à la maison.

Or je n'avais pas songé à la publicité. Ma décision de faire un détour par Toronto avait été une grave erreur. Dans ma manie, je n'avais pas pensé un seul instant que l'agent publicitaire des Rolling Stones, Paul Wasserman, pouvait me jeter en pâture à la presse ni que les journalistes canadiens se tenaient à l'affût de scandales. Je m'étais servie des Stones et maintenant les Stones se servaient de moi. La rumeur voulant que Pierre et moi étions séparés circulait déjà : les journalistes avaient faim d'autres nouvelles.

J'ai quitté Toronto pour New York où j'ai retrouvé une vieille amie, Yasmin Aga Khan, alors âgée de vingt-huit ans. Fille de l'actrice Rita Hayworth et de l'ancien représentant du Pakistan à l'Assemblée générale de l'ONU, elle est aujourd'hui une éminente philanthrope. Elle était mon amie, et j'avais bien besoin d'une amie. J'aimais son esprit libre, sa grande élégance et sa propension à rire facilement et à chanter. Je venais à peine de m'installer chez elle quand l'histoire a fait les manchettes : « La femme du premier ministre et les Rolling Stones » et « Orgie dans la suite de la femme du premier ministre ».

J'aurais peut-être dû m'attendre à un tel traitement, mais cela a malgré tout été pénible et terrifiant. Le 10 mars, j'ai écrit dans mon journal : « Ma vie tourbillonne de plus en plus vite. Je dois faire appel à toutes mes forces pour maîtriser la crise.» Bianca Jagger était apparemment furieuse, et ma mère bouleversée («Si elle a des problèmes, elle sait qu'elle a un foyer et une famille qui l'aime», avait-elle déclaré à des journalistes), et la presse canadienne réclamait avec insistance d'autres détails. À des journalistes lui demandant s'il avait couché avec moi, Mick Jagger aurait répondu: «Je ne la toucherais même pas avec des pincettes.» Il se tirait bien d'affaire avec cette réponse astucieuse, mais pour moi ce fut l'humiliation totale.

Quand je suis retournée à Ottawa, Pierre était furieux et malheureux. Il éprouvait un affreux sentiment d'échec et détestait toute la publicité. Surfant sur la crête d'une vague de manie destructrice, je me comportais d'une façon vraiment épouvantable. Pierre n'en pouvait plus. Dans toutes nos disputes, il devait toujours avoir le dernier mot, et ce soir-là, il l'a eu.

Ce qui l'enrageait, répétait-il, c'était que je «couvrais la famille de honte». Nous devions aller au ballet dans la soirée, mais comme j'avais le visage barbouillé par les larmes après notre dispute, j'ai présumé que Pierre irait sans moi. Mais il a insisté: il me voulait avec lui, à ses côtés, pour que tout le monde nous voie. Il voulait que j'aie honte, et j'avais honte. Je l'ai accompagné. La soirée a été triste et pénible. Notre relation avait franchi le point de non-retour. J'étais une jeune femme malade, troublée et très en colère; je ne pouvais rester au 24 Sussex. Je suis donc retournée à New York.

Dans l'atelier de Richard Avedon où j'entreprenais mon stage, j'ai entendu par l'interphone ce que disaient les journalistes faisant le pied de grue dehors: «Est-ce qu'il y a un lit là-dedans? Est-ce qu'elle couche avec Avedon aussi?»

On pouvait pardonner mes écarts de conduite précédents – l'épisode embarrassant de la chanson au Venezuela, mes débordements occasionnels au Canada –, mais ceci était différent. Cette faute grave, une terrible erreur de jugement de ma part, m'avait jetée dans un monde froid et hostile rempli de gens avides de potins. Du jour au lendemain, le peu de vie privée qui me restait avait disparu. Ce soir-là, j'ai écrit dans mon journal, comme une sorte de défi : « Personne ne devrait avoir à supporter les préjugés grossiers et odieux de gens à l'esprit étroit... C'est fini. Je ne suis plus la première dame du Canada... J'en ai assez d'être triste et seule, de me sentir impuissante, de souffrir. »

J'avais perdu le contrôle – de moi-même et des paparazzis. C'était ça le problème. L'appétit des journalistes pour mes comportements insensés, suscités par mes épisodes de surexcitation, était insatiable. Où que j'aille, quoi que je fasse, tout était rapporté dans les journaux. Je figurais souvent dans la rubrique mondaine du magazine *Time*, habituellement associée à un nouvel homme. Je suis devenue une cover-girl, une star avant que la culture des stars n'existe, célèbre uniquement en raison de mon comportement scandaleux. De la rubrique mondaine, je suis passée à la rubrique « scandales ». On m'a citée comme ayant affirmé que mon mariage avait eu « un effet catastrophique sur l'affirmation de mon identité » et que la femme d'un homme politique ne devrait pas seulement être une « rose à sa boutonnière » (en y pensant bien, j'étais plutôt épine que rose). Keith Richards et son amie, Anita Pallenberg, avaient été accusés de trafic d'héroïne : que mon nom ait été associé au leur a été perçu comme une « honte pour le pays ». Je ne pouvais rien faire de bien.

Des erreurs, en revanche, j'en faisais à la tonne. Invitée un jour au *Phil Donahue Show*, j'avais été bombardée de questions par l'auditoire :

« Margaret, c'est vrai que vous avez abandonné vos enfants ? »

« Qui est votre amant ? »

«Comment justifiez-vous ce que vous faites subir à votre famille?»

Dans cette émission, la «victime» était assise dans un fauteuil sous la lumière aveuglante de projecteurs. Péniblement, je m'efforçais de répondre de façon cohérente, mais soudain, exaspérée, j'ai fait pivoter mon fauteuil, tournant ainsi le dos à ce pauvre Phil et à l'auditoire. Mon geste a provoqué des rires, des huées même, mais j'en avais eu assez.

Une autre fois, un chroniqueur respecté du *Globe and Mail* a écrit que tout le monde savait que Pierre voulait à tout prix éloigner ses enfants d'une si mauvaise mère. On m'avait cataloguée comme une irresponsable, une femme aux mœurs légères, avide de célébrité, et même à moitié folle. Mon esprit en chute libre faisait de moi une proie facile.

J'ai aussi accordé une entrevue à Jane Pauley de l'émission *The Today Show* à la chaîne NBC, car je connaissais et appréciais son travail. Au moment où nous nous sommes assises, elle a révélé s'appeler elle aussi «Margaret Trudeau»: un de ses prénoms était Margaret et elle allait bientôt épouser Garry Trudeau, auteur de la bande dessinée *Doonesbury* (comme Pierre, celui-ci pouvait retracer ses ancêtres jusqu'à Étienne Trudeau, venu en Nouvelle-France à la fin du dix-septième siècle à titre d'«engagé»).

L'entrevue avait bien commencé. Bientôt, cependant, Jane Pauley s'est mise à me poser des questions sur Teddy Kennedy. Je les esquivais comme je pouvais, mais elle revenait constamment à la charge. Finalement, j'en ai eu assez. Me levant, j'ai dit: «Je sais très bien sur quel terrain vous voulez m'emmener, mais je n'y irai pas.» Puis j'ai quitté le plateau. Tout le monde était furieux. Quant à moi, je venais d'avoir un bref aperçu d'une leçon qu'il me faudrait apprendre: savoir à quel moment tirer sa révérence.

Vous devez vous demander pourquoi je persistais à accepter les invitations de journalistes qui me mettaient sur la sellette. À mes yeux, cela faisait partie des efforts pour faire avancer ma carrière ; manifestement, je ne connaissais pas les règles du jeu et j'étais mal préparée. Ma folie, également, me poussait à continuer. Les personnes en phase maniaque manquent terriblement de jugement. Je pensais agir correctement, mais ce n'était pas le cas. On devait me trouver bien naïve, mais à ce moment-là je croyais réellement pouvoir amener les gens à comprendre ce que j'essayais de faire. Et plus j'essayais, plus je m'enfonçais.

Il y a une sombre suite à cette entrevue avec Jane Pauley. En 2001, elle a reçu un diagnostic de maladie bipolaire et en 2005, dans son livre intitulé *Skywriting*, elle raconte un épisode maniaque, une situation qui m'était très familière :

> J'étais assaillie par des émotions apparaissant et disparaissant à la vitesse grand V, par des idées, aussi, auxquelles je donnais suite en faisant des appels téléphoniques qui à leur tour engendraient des plans d'action. Mon esprit était en ébullition. La plupart du temps, tout allait bien, mais j'étais consciente d'être en mode manie dès mon lever à six heures trente quand la journée débutait sur les chapeaux de roue. Un matin, lorsque le téléphone a sonné à huit heures, j'ai eu l'impression que la moitié de la journée s'était déjà écoulée, et j'ai demandé à ma belle-mère si je pouvais changer de téléphone, car j'étais dans la buanderie avec un marteau dans la main. Le fait d'errer dans la maison avec un marteau à la main était presque devenu une métaphore de ma vie domestique.

Je trouvais les journalistes britanniques, en particulier, obséquieux, rusés et dangereux ; ils pratiquaient un journalisme de bas étage. Je ne faisais pas le poids devant leurs manières séductrices et tombais constamment dans le piège de leur soi-disant empathie, pour me voir ensuite décrite dans leurs journaux comme volage et avide de publicité.

Chaque mot dur était comme une goutte de poison distillant son venin et je n'avais aucun moyen de défense. Même Pierre, le pauvre, subissait les contrecoups de mon comportement débridé et irrationnel. Un jour, un homme l'a apostrophé dans la rue : « Vous n'êtes qu'un cocu. »

Toute cette publicité commençait à fausser la façon dont les gens ordinaires me percevaient. Un jour, après avoir été présentée à un Canadien et à sa femme, je suis restée à bavarder avec eux. Au moment où nous nous sommes quittés, l'homme m'a chaleureusement serré la main en disant : « J'ai été très heureux de faire votre connaissance. J'avoue que j'avais très peur de vous. Je ne savais pas ce que vous alliez faire ou dire. » Au cours de mes week-ends avec les garçons à Ottawa, quand je me trouvais de nouveau entourée d'agents de sécurité, je devenais paranoïaque. Et parler à mes parents était difficile – très, très difficile.

Je n'avais pas abandonné les garçons et pensais constamment à eux. Environ toutes les deux semaines, je revenais à Ottawa, au dernier étage du 24 Sussex où j'avais établi mes quartiers, et donnais congé aux bonnes d'enfants. Ces jours en compagnie des garçons, soit à Ottawa, où nous passions souvent la nuit tous les quatre pelotonnés dans mon grand lit, ou au lac Mousseau, constituaient de petites périodes de lucidité et de bonheur. Je cuisinais pour eux et, dans la pièce sous les combles, cousais des vêtements sur une machine à coudre que j'utilise toujours : une Bernina portative de 1971, vert pâle, fabriquée en Suisse – la Rolls-Royce des machines à coudre. J'avais exprimé le souhait d'en avoir une et Pierre me l'avait offerte en cadeau de mariage. Comme une montre suisse, la machine était précise et fiable. Au moins quelque chose l'était...

Je commençais à me voir comme un des personnages du roman *Jane Eyre* écrit au dix-neuvième siècle par Charlotte Brontë : Mme Rochester, la pauvre folle cachée dans le grenier.

Les enfants et moi prenions le petit-déjeuner au lit et jouions avec leur nouveau chien, un jeune terre-neuve. Les garçons avaient chacun leur personnalité propre. Justin était le meneur et, bien qu'affectueux et bon, il pouvait se montrer très dur avec les plus jeunes. Sacha ressemblait beaucoup à Pierre : très discipliné et travailleur. Michel, le bébé de la famille, avait un tempérament enjoué.

Pierre et moi avons toujours manifesté notre affection aux garçons par des gestes physiques, les serrant souvent dans nos bras, par exemple. Je crois que chaque génération essaie de combler les lacunes de la précédente, et si nos parents ne se sentaient pas à l'aise avec les contacts physiques, ce n'était pas notre cas.

N'étant plus associée à la vie du 24 Sussex, je n'avais pas à assister à des activités officielles ; j'étais libre de me consacrer entièrement à mon rôle de mère. J'avais parfois l'impression de n'être jamais partie, sauf que la maternité était maintenant plus agréable, même si, à l'occasion, je me sentais retomber en enfance.

Je devais m'absenter pour mon travail, avais-je expliqué aux garçons, mais reviendrais aussi souvent et resterais aussi longtemps que je le pourrais. La plupart des membres du personnel s'efforçaient de m'aider, surtout Hildegarde, la femme de chambre principale, une femme très gentille qui ne critiquait jamais, et le cuisinier Yannick Vincent, qui me préparait des repas lorsque mon avion arrivait tard à Ottawa. Mary-Alice Mullaley était religieuse dans un couvent dans les Maritimes avant de postuler un emploi de femme de chambre au 24 Sussex. En peu de temps, elle s'est élevée au poste d'intendante en raison de son éducation, de son attitude posée et de sa compétence. Grâce à cette administratrice efficace et au grand cœur, la maison fonctionnait bien avec ou sans moi.

Les bonnes d'enfants, toutefois, jouaient le rôle le plus important, et nous avons été comblés à cet égard. Diane Lavergne, la première que nous avons engagée, venait d'une famille nombreuse et avait été élevée à la campagne, près d'Ottawa. C'était une jeune femme très affectueuse qui adorait s'occuper de Justin, puis de bébé Sacha.

Quand elle a dû nous quitter après la naissance de Michel, j'ai fait paraître une annonce dans le *Globe and Mail* se lisant à peu près comme ceci : « Recherche bonne d'enfants pour une famille de trois garçons vivant dans une résidence gouvernementale. » J'ai reçu plus de deux mille réponses parce qu'un rédacteur très observateur avait vu mon annonce et l'avait publiée en première page. Notre choix s'est porté sur Leslie Kimberley et Monica Mallon, toutes deux ayant une formation en éducation à la petite enfance. Le jour où Leslie a voulu entreprendre une maîtrise en audiologie, sa sœur Vicki l'a remplacée.

Ces jeunes femmes, que nous considérions comme des membres de la famille, ont effectué un travail exemplaire, donnant à nos tout-petits le soutien psychopédagogique et l'affection dont ils avaient besoin. Si j'ai pu guérir mon esprit perturbé, c'est en partie grâce à leur présence. En tant que mère et épouse souffrant d'une maladie mentale, j'ai été privilégiée d'avoir pu bénéficier d'une telle aide et en suis extrêmement reconnaissante. J'éprouve énormément d'empathie pour ceux et celles qui souffrent et doivent se débrouiller seuls. Le moment viendrait où, moi aussi, je serais désespérément seule dans ma folie.

Chaque fois que je devais m'arracher à mes enfants et retourner à New York, j'étais rongée par l'angoisse et le doute, et les larmes ruisselaient sur mon visage. Le fait de savoir que bien des gens au Canada – y compris un ou deux membres de notre personnel – me voyaient comme une femme préférant les boîtes de nuit à ses fils rendait mes départs encore plus déchirants.

Les garçons s'agrippaient à moi quand j'étais avec eux, et Sacha pleurait lorsque je partais. Un jour, une femme de chambre s'est empressée de me dire qu'elle l'avait entendu gémir à la porte de ma chambre. Pierre et moi nous comportions avec prudence l'un envers l'autre, mais nous étions distants. Si je parvenais à démontrer que je pouvais m'occuper d'une maison, il serait prêt à partager la garde des enfants, m'a-t-il affirmé, mais il était très réticent à me donner plus qu'une allocation minime. À New York, j'avais déjà vendu des bijoux pour avoir un peu d'argent. Quant au divorce, Pierre, fervent catholique, ne l'envisageait même pas.

Jamais je ne m'étais sentie aussi jeune et vulnérable, et jamais Pierre ne m'avait paru aussi dur. Il m'arrivait parfois de rêver que nous réussirions à résoudre nos différends, à redevenir une famille aimante, mais une partie de moi savait que ce rêve était irréalisable. La différence d'âge – Pierre allait avoir soixante ans et j'en avais vingt-neuf – me paraissait énorme, maintenant. Malgré tout, une nouvelle sorte de relation s'installait entre nous, davantage une relation père-fille, et j'avais besoin de lui, besoin de le tenir au courant de mon évolution. De son côté, il semblait amusé par mes anecdotes sur le monde extérieur.

Le plus difficile pour moi, c'était quand Pierre recevait au 24 Sussex. On m'avait interdit de me montrer ; je devais rester dans mes quartiers. Une fois les garçons endormis, je m'installais sur la banquette sous la fenêtre de ma chambre et écoutais les voix des invités qui arrivaient. Plus tard dans la soirée, je les regardais se promener dans le jardin, dans leurs robes longues et leurs smokings, avec la lumière sur la rivière scintillant au loin. Je me rappelais les soirées où ç'avait été moi l'hôtesse, oubliant combien j'étais malheureuse à l'époque.

Je n'étais pas toujours aussi mélancolique. Lorsque Pierre ne travaillait pas, nous reprenions une espèce de vie de famille. Pierre apprenait aux garçons à nager tandis que, sur le bord de la piscine, je les encourageais. Au lac Mousseau, nous partagions notre temps entre le canotage, les randonnées pédestres, la baignade et les barbecues. Ceinture noire au judo, Pierre enseignait aux enfants comment tomber sans se faire mal.

Pierre a commencé à sortir avec des femmes à l'automne de 1977 et j'ai été bien plus jalouse que je ne l'aurais cru – surtout que certaines de ces femmes étaient venues au 24 Sussex au début de notre mariage à titre d'invitées et amies. Les repas préparés par le cuisinier – homard et champagne – étaient les mêmes que Pierre me servait au début de notre relation. Malgré tout, je voulais le bonheur de Pierre et j'essayais même de lui trouver des femmes qui pouvaient lui convenir.

Mon premier pied-à-terre à New York a été chez Yasmin Aga Khan. Plus tard, j'ai occupé deux pièces dans l'appartement, qui en comptait quinze, d'une riche Texane sur Park Avenue ; elle voulait quelqu'un sur place quand viendraient les décorateurs. Je m'y suis installée, travaillant le jour et passant mes soirées au Studio 54.

Mes amis Richard et Lise Wasserman habitaient un étage au-dessus et m'ont fait sentir la bienvenue chez eux, m'offrant des sandwichs au thon dans la cuisine. Lise, en particulier, m'était chère. J'avais une vie sociale active, sortant avec des New-Yorkais, dont Andy Warhol, un ami. Nous nous re- trouvions souvent au Studio 54 et regardions le spectacle. Les observations d'Andy étaient parfois sagaces, mais la plu- part du temps il se contentait d'émettre un laconique «Eh bien». Un jour, Fred Hughes, un de ceux qui fréquentaient la Factory (comme Warhol appelait son studio), m'a appelée : apparemment, Andy voulait peindre mon portrait, et cela ne me coûterait que trente-trois mille dollars! L'idée de deman- der cette somme à mon mari ne m'a même pas traversé l'es- prit. Pourtant, ç'aurait été de l'argent bien placé…

J'ai également côtoyé le grand couturier yougoslave avant- gardiste Zoran, Truman Capote, Warren Beatty et Diana Vreeland, figure phare de *Vogue*. J'ai rencontré Lauren Bacall, Gloria Steinem et bien d'autres personnes fascinantes. Assi- ses sur les marches du Studio 54, Barbra Streisand et moi échangions nos impressions. J'allais au théâtre, à l'opéra et au ballet, et profitais de tout ce que New York, cette mecque du divertissement, pouvait offrir. J'ai eu de brèves relations amoureuses avec des hommes qui me plaisaient, mais que je n'aimais pas vraiment.

Lorsque le téléphone sonnait, c'était souvent Steve Rubell du Studio 54 : «Maggie, on fait la fête ce soir. Toutes les stars y seront. Je vous envoie une auto.» Et je partais danser avec mes amis jusqu'aux petites heures du matin. J'adorais danser.

Je passais tous les week-ends dans les Hamptons, ache- tant des vêtements avec l'argent que je ne possédais pas. J'al- lais à Washington assister à des galas de célébrités et, à une occasion, j'ai été l'animatrice d'une activité de collecte de fonds au profit de la paralysie cérébrale dans un des grands hôtels de la ville, et j'en ai tiré une grande fierté.

Pendant un certain temps, j'ai suivi des cours d'art dra- matique dans une école près de Broadway ; paradoxalement, ce qu'on m'y a montré m'a considérablement nui plus tard. On m'a enseigné comment ne pas montrer mes sentiments, comment me composer un masque ; j'ai ainsi appris à faire semblant que tout allait bien quand, en fait, je voulais mourir. « Ne rien désirer, ne pas souffrir, ne pas avoir peur », ai-je écrit dans mon journal, comme une sorte de défi. Je croyais acquérir de la maturité ; je croyais que j'apprenais à vivre.

À New York, la personne la plus importante dans ma vie a été le Dr Arnold Hutschnecker, psychiatre de renom dont les bureaux se trouvaient sur Park Avenue. Il comptait parmi ses patients des gens puissants et influents. Avec lui, j'ai appris une leçon qui à plus d'une occasion se révélerait d'une grande utilité : savoir à quel moment tirer sa révérence.

Certains jours, dans le métro ou avec des amis, en planifiant mes journées ou en répétant avec les autres acteurs, il m'arrivait de me sentir enfin libre, libre de découvrir qui j'étais. En relisant mon journal, je remarque cependant que le mot « maîtrise » revient régulièrement : pleine maîtrise... parfaite maîtrise... perte de maîtrise.

Souvent – trop souvent –, je me suis sentie manipulée et rejetée, m'imaginant amoureuse d'un homme, qui finissait par me laisser tomber. Un soir, quand j'étais de retour au Canada, Pierre et moi avons convenu de diffuser un communiqué au sujet de notre séparation. Il était très en colère et je m'efforçais par tous les moyens de l'apaiser.

Le communiqué de presse envoyé le 13 mai 1977 spécifiait que Pierre s'occuperait des enfants au quotidien et que, de mon côté, j'entendais poursuivre une carrière professionnelle et renonçais à mes droits et privilèges en tant que femme du premier ministre. Le public était prié de bien vouloir respecter notre vie privée. Une réconciliation n'était pas exclue.

Le communiqué disait partiellement la vérité. Je souhaitais effectivement entreprendre une carrière, mais la question était : dans quel domaine ? Le magazine *People* m'a envoyée en France prendre des photos pour la société Perrier et je me suis liée pendant un certain temps avec son président, Bruce Nevins, un homme affectueux qui a essayé de m'aplanir le chemin.

John Dominis, rédacteur photo au magazine *People*, m'a confié d'autres missions. J'aimais bien John. Nous sommes sorties ensemble une fois, à l'occasion d'un dîner pour la tribune de la presse à Washington. Il avait cinquante-six ans et avait longtemps travaillé comme photographe indépendant pour le magazine *Life* et le *Saturday Evening Post*; plus tard, il deviendrait rédacteur photo pour *Sports Illustrated*. Le travail le plus intéressant qu'il m'ait confié a été le combat de boxe entre Duane Bobick et Ken Norton à Philadelphie en mai 1977.

Quand les rédacteurs de *People* ont eu vent de mes missions, ils ont envoyé des journalistes pour me suivre et écrire des articles sur moi prenant des photos. Mes clichés étaient intéressants et j'aimais aller au bureau, mais le travail est rapidement devenu un vrai cirque : j'étais à la fois « en mission » et « l'objet de la mission ». Cela donnait lieu à des scènes absurdes où des photographes me photographiaient... photographiant quelqu'un d'autre.

Je suivais des cours d'art dramatique dans le but d'obtenir des rôles au cinéma, mais le plus souvent, je me faisais connaître en faisant la fête, passant des nuits entières au Studio 54, ou alors – ayant décidé que Bruce était trop distant et incapable de s'engager – je sortais avec des hommes dans des endroits comme Las Vegas. Aujourd'hui, j'ai honte de ce comportement. Cet aveu, cependant, ne traduit pas à quel point j'étais malheureuse et troublée. J'avais l'impression d'avancer dans le brouillard, en m'accrochant aveuglément à une idée – celle de réussir ma vie professionnelle –, poussée par le désir inconscient de survivre, de ne pas sombrer, de ne pas abandonner.

Invitée sur le plateau de *Good Morning America* pour présenter certaines de mes photos, avec l'entente que cela pouvait mener à un poste de chroniqueuse à cette émission, je me disais que ma chance avait tourné. Mais c'était un leurre. Alors que je parlais de mes photos, l'intervieweuse m'a interrompue. « La question que se posent nos douze millions de téléspectateurs, a-t-elle dit, est : avez-vous abandonné vos enfants ? »

Je voulais lui arracher les yeux.

« Comment pouvez-vous poser une telle question ? » ai-je répliqué vivement.

Je commençais à croire que jamais je ne réussirais à faire mon chemin dans la vie. Le 5 juin 1977, j'écrivais dans mon journal : « Je suis en colère. J'ai mal. Je suis en train de disparaître. Je veux mourir. Je n'ai plus la force de me battre. Je me sens si malheureuse, si seule. » Le 22 juin j'ajoutais : « Stress insoutenable. Je me sens vulnérable, seule, sous pression… écartelée… Au secours… Je ne mange pas, dors à peine. »

J'avais maigri de quatre kilos et demi et je passais par toute une gamme d'émotions. Semaine après semaine, c'est le même refrain dans mon journal : « Mon Dieu, je vous en supplie, aidez-moi à trouver ce que je dois faire de ma vie… aidez-moi à survivre en tant que personne honnête et sincère, qui ne ment pas, ne joue pas la comédie, ne fuit pas… Je veux être capable de m'aimer et de m'accepter. » À ce moment-là, les hauts et les bas, de plus en plus intenses, se succédaient à un rythme effréné. Constamment épuisée, je tombais souvent endormie, ratant des rendez-vous. Des comprimés de vitamines étaient pratiquement ma seule nourriture.

À plusieurs reprises, j'ai été sur le point de faire mes ba-
gages et de rentrer pour de bon au 24 Sussex. Glissés entre les
pages de mon journal rouge, j'ai trouvé des bouts de papier provenant d'un bloc-notes et, sur chacun d'eux, le début d'une lettre désespérée à Pierre : « Pierre, s'il te plaît, viens
me chercher et ramène-moi à la maison. Je t'en supplie... Je
veux seulement que nous soyons une famille heureuse. J'ai
besoin de ton amour... Je serai une bonne épouse. » En février 1978, de retour de Las Vegas où j'étais partie rencontrer
un homme, j'ai écrit : « Pierre, je t'en prie, aide-moi à combattre cette détresse. Je suis si seule. »

De son côté, Pierre avait bien survécu à notre séparation,
du moins sur le plan politique. Sa cote de popularité grimpait en flèche, atteignant un point culminant à l'été de 1977.
Au mois de janvier de cette même année, les conservateurs
menaient suffisamment dans les intentions de vote pour former un gouvernement majoritaire et les sondages révélaient
que John Turner serait un chef plus populaire que Pierre.
Ancien ministre de la Justice et également des Finances, Turner
avait quitté la politique deux ans auparavant et s'était joint à
un cabinet d'avocats de Bay Street, à Toronto. Il attendait
dans les coulisses au cas où Pierre se retirerait. Or en juin
1977, il ne faisait aucun doute pour personne que Pierre était
l'homme de la situation.

Je continuais de revenir passer de longs week-ends avec
les garçons à Ottawa, et chaque fois en les quittant j'étais
déchirée. Cependant, je ressentais une résistance en moi, une
sorte de rage désespérée qui m'empêchait de capituler. Je
m'accrochais à la notion de liberté même si certains jours je
ne comprenais pas pourquoi – les jours où les garçons me
manquaient terriblement et où j'accusais Pierre d'être responsable de ce qui nous arrivait, lui reprochant sa froideur,
sa colère, sa fierté blessée.

Ma détermination à trouver mon propre chemin et à devenir la mère que les garçons méritaient a été grandement renforcée par quelques témoignages de compréhension et de générosité. Après avoir été éclaboussée par des articles peu élogieux, j'ai reçu un cadeau d'un médecin rencontré à New York, accompagné d'un mot : « N'oubliez pas, un tiers des gens vous aimeront pour ce que vous faites, un tiers vous haïront pour la même raison et les autres s'en ficheront. Ce que les gens ressentent est leur problème, pas le vôtre ; s'il y a fausse perception, c'est la leur, pas la vôtre. »

Facile à dire, difficile à mettre en pratique. Je n'arrivais pas à me défaire de mon désir de plaire. Pendant toute mon enfance, je m'étais efforcée de plaire à mes parents, puis, plus tard, à Pierre. Je ne pouvais me débarrasser de l'envie d'être aimée et admirée de tout le monde.

Je me répétais, comme une sorte de mantra, une phrase de la chanson *Garden Party* de Ricky Nelson. À l'automne de 1971, Nelson avait fait partie d'un concert rock au Madison Square Garden, à New York, réunissant Chuck Berry, Bo Diddley et bien d'autres. Après avoir chanté quelques-uns de ses grands succès, il avait interprété une version country de *Honky Tonk Women* des Rolling Stones. Certains spectateurs avaient hué, peut-être parce que la police rudoyait certains fans au fond de la salle ou parce que l'interprétation de Nelson ne leur plaisait pas. Offusqué, il avait quitté la scène et, plus tard, avait composé une chanson basée sur l'incident – *Garden Party*.

La phrase devenue mon mantra disait à peu près ceci : « On ne peut plaire à tout le monde, alors c'est à soi qu'il faut plaire. »

À l'hiver de 1977, j'ai obtenu un rôle dans un film intitulé *Kings and Desperate Men*, aux côtés de Patrick McGoohan.

Femme d'un acteur sans talent et animateur radio controversé, j'étais kidnappée avec mon jeune fils par des terroristes. Le film n'était pas mauvais, mais McGoohan et moi nous
sommes détestés dès le début.

C'était un homme à la carrure imposante et au caractère
explosif et exécrable. Le tournage s'est déroulé dans une atmosphère d'affrontements pénibles. J'ai été soulagée quand
tout a été terminé, même si j'avais beaucoup aimé la camaraderie et le travail d'équipe sur le plateau. Jouer un personnage m'avait permis de donner libre cours à toutes les émotions qui semblaient faire rage en permanence en moi. J'ai
appris à les exprimer et non pas à les contenir.

Par ailleurs, jouer m'a seulement donné l'occasion de
perfectionner un talent inné, c'est-à-dire me composer un
masque pour me montrer sous les traits d'une personne heureuse et pleine d'assurance alors qu'à l'intérieur je me sentais
détachée de la réalité, à la limite de la lucidité. On peut jouer
la comédie et s'en tirer pendant un certain temps. Je faisais
semblant d'être bien, et je l'étais pendant un moment, mais
pas longtemps. La pression augmentant petit à petit, je finis-
sais par exploser et me retrouver en phase maniaque.

Dans mon second film, *L'Ange gardien*, tourné dans le
sud de la France, je jouais la maîtresse d'un riche homme
d'affaires canadien. Après quelques flirts innocents avec
d'autres hommes, elle découvre que son amant l'a fait suivre
par un détective privé. Le film n'a pas été un succès. Ça ne
prenait pas un génie pour comprendre que j'avais été choisie
non pas pour mon grand talent d'actrice, mais parce que
j'offrais la possibilité d'un coup de publicité du tonnerre.
Imaginez : la femme du premier ministre canadien, au comportement si scandaleux, se promenant à Cassis, sur la côte
méditerranéenne, entourée d'hommes. Les chroniqueurs de
rubriques de potins et les paparazzis sont accourus et m'ont

suivie partout en m'assaillant de questions, certaines nouvelles, d'autres éculées. «Avez-vous quitté votre mari? Avez-
vous abandonné vos enfants? Que pensez-vous des hommes
français?»

J'espérais que la publicité pour le film et ma présence en
France permettraient à Yves Lewis de me retracer. Nous nous
étions perdus de vue et je m'étais toujours demandé ce qu'il
était devenu. J'avais une adresse à Paris où je pensais pouvoir
le contacter et, avant de me rendre dans le sud pour tourner
le film, j'étais allée cogner à la porte. Une belle jeune femme
aux cheveux longs et aux yeux tristes a ouvert. M'adressant à
elle en anglais, je lui ai demandé si Yves Lewis habitait toujours là. «Non», a-t-elle répondu. J'ai dû paraître très triste
et déçue, car elle a posé la main sur moi et m'a dit, en français: «Ma petite fille, l'amour change.» En effet.

On peut dire que j'ai fini par retrouver Yves, en quelque
sorte. J'étais dans la roulotte de maquillage avec Francis Le-
maire, comédien bien connu du cinéma français et un homme
charmant. Sa femme et lui m'ont témoigné beaucoup de
gentillesse. Mais ce jour-là, il paraissait catastrophé et peiné.

«Francis, qu'est-ce qu'il y a? Ça ne va pas, aujourd'hui?»
lui ai-je demandé.

Il m'a expliqué qu'un de ses bons amis venait de perdre
son fils.

«Un garçon vraiment charmant. Je le connaissais depuis
qu'il était tout petit et nous étions très proches. Il a erré dans
les rues de Paris vêtu d'une tunique blanche avant de se pen-
dre.»

Instinctivement, je savais.

«C'est Yves? Yves Lewis?

— Ah, Margaret, c'est vous.»

Une bien triste nouvelle. Plus tard j'ai rencontré le beau-
père d'Yves à Paris, qui considérait Yves comme l'être humain

le plus complet qu'il eût jamais connu – beaucoup plus qu'un esprit dit universel. Engagé dans une quête spirituelle, il avait une âme d'enfant et un esprit hautement discipliné. Avec le recul, je me rends compte qu'on n'oublie jamais son premier amour, surtout s'il vous est enlevé de cette façon. Or je ne regrette aucunement mon choix. Il me suffit de regarder ma famille.

Au début du printemps de 1978, John Marqusee, qui dirigeait avec sa femme, Janet, une petite maison d'édition britannique appelée Paddington Press, m'a appelée pour me suggérer d'écrire mes mémoires. Il m'offrait une avance de soixante mille dollars. Et qui sait, avec les droits d'adaptation pour le cinéma et la télévision, je pouvais envisager d'empocher près de quatre cent mille dollars. Enfin, une véritable chance de devenir financièrement autonome. J'ai pris l'avion pour Londres, signé le contrat et me suis mise au travail.

Peu après mon arrivée, des amis m'ont présentée à Jack Nicholson qui tournait *The Shining*. Sa compagne de longue date, Anjelica Huston, ne l'accompagnait pas. Bientôt, Jack et moi passions nos soirées ensemble dans la maison en rangée qu'il avait louée sur Cheyne Walk, rue historique dans le quartier Chelsea donnant sur la Tamise. Laurence Olivier, Henry James, Dante Gabriel Rossetti de même que Mick Jagger et Keith Richards des Rolling Stones comptent parmi ceux ayant habité dans cette rue.

Jack m'a montré comment me déplacer tranquillement et en toute sécurité dans les rues de Londres – sans alerter une horde de paparazzis. Je savais que notre liaison ne pouvait pas durer : Anjelica menaçait de se pointer à tout moment. Jack avait été très clair, il n'y avait rien de plus qu'une aventure amoureuse entre nous. Ça ne faisait rien, j'ai été heureuse pendant un certain temps. C'était un homme d'une élégance raffinée, d'une grande gentillesse et bourré de talent : je lui dois beaucoup. Je l'adorais ; il était si charmant – non, plus que charmant, drôle, très drôle.

Tout m'attirait chez lui : ses bonnes manières, sa voix douce et posée, l'étincelle dans ses yeux, son sourire. Avec lui, on avait l'impression de succomber à quelque chose de complètement fou simplement en allant au restaurant ou à une soirée. Avant de connaître Jack, jamais je n'avais cru que quelqu'un puisse arriver à la cheville de Pierre. Je me sentais de nouveau jeune et sexy, et j'adorais me promener dans Londres dans sa Daimler conduite par un chauffeur.

Après une journée de tournage du film *The Shining* – l'histoire d'un homme sombrant dans la folie –, Jack a raconté que Stanley Kubrick, le réalisateur, lui avait fait manger trente-quatre sandwichs au fromage grillés jusqu'à ce qu'il réussisse la prise. Il n'avait pas faim ce soir-là.

Jack m'a également montré un mode de vie sans attaches, un mode de vie de liberté et d'indépendance. Je connaissais la théorie, mais saurais-je la mettre en pratique ? Pouvais-je vivre une relation amoureuse sans attendre d'engagement ? Apparemment oui. Avec Jack, j'ai appris à être libre.

Les Marqusee m'avaient installée au Savoy, où j'étais dorlotée. « Comme c'est étrange et merveilleux, ai-je écrit dans mon journal. C'en est peut-être fini de ces années de pessimisme et d'autodestruction. Je me sens bien, vivante. » Sauf que je me sentais toujours bien et vivante quand j'étais amoureuse. Comme la grossesse, l'amour a été, et est toujours, un puissant antidote à la dépression.

Mon journal illustre parfaitement à quel point j'alternais sans cesse entre les phases maniaques et dépressives. Quand les choses allaient bien dans ma vie, mon moral grimpait et je commençais à me sentir invincible, et cela se reflétait dans mon comportement. Mon cerveau s'emballait et je ne pouvais le ralentir. Ma vie était un vrai tourbillon. Je concoctais les projets les plus fous, me pensais irrésistiblement séduisante et désirée par tous les hommes qui croisaient mon chemin, m'élançais dans la nuit pour faire la fête encore et encore. Il n'y avait rien à mon épreuve, me disais-je, aucun homme qui ne me désirait pas. Femme irrésistible et libre, j'étais chaque fois la reine de la soirée. Peu importait combien je dépensais, l'argent rentrerait toujours et, sinon, j'irais en gagner. N'étais-je pas une brillante actrice et une photographe hors pair?

Puis venait la douche froide – un article destructeur, le commentaire moqueur d'un journaliste, un affront de la part d'un amant –, et voilà que je retombais. Rentrant d'une soirée débridée, je sombrais dans un sommeil sans rêves, me réveillant vers midi pour repartir faire la fête et flirter.

La célébrité m'attirait, et en même temps me répugnait. Mon esprit virevoltait dans un tourbillon de culpabilité, de peur et de fantasmes. Pendant un certain temps, je me suis vue comme Jeanne d'Arc, dans une nouvelle version de sa vie qui, cette fois, se terminait par sa réincarnation en un petit garçon.

Un jour, je me suis laissé convaincre d'accorder une entrevue à un tabloïd de droite. En ouvrant le journal le lendemain, j'ai vu l'article qui débutait comme ceci : « Elle a quitté le premier ministre, abandonné ses trois petits garçons, choqué le monde entier en passant un week-end avec les Rolling Stones. » Hippie « avouée », disait l'article, je fumais de la drogue, jurais et ne portais pas de soutien-gorge. J'étais révoltée. Le texte était superficiel, mal ficelé et méchant. La journaliste n'avait rien compris de ce que j'avais essayé de dire. J'ai cru que j'allais mourir de honte.

Au mois d'avril 1978, j'écrivais cette pensée sombre et inquiétante dans mon journal : « Encore une fois, l'idée de la mort (douce libération) m'envahit, ici, maintenant. Ne serait-ce pas la meilleure solution ? »

Je ne pouvais continuer de vivre à Londres et j'ai été chanceuse de pouvoir m'échapper. Le livre était terminé et entre les mains de l'éditeur ; Jack Nicholson est retourné auprès d'Anjelica et je suis rentrée à New York.

Avant mon départ de Chelsea, j'ai rencontré un homme merveilleux, un pilote de formule 1 nommé Jorge Koechlin. Son grand-père paternel avait été officier dans l'armée péruvienne et son grand-père maternel était un descendant de l'empereur autrichien François-Joseph. La famille de Jorge avait quitté l'Autriche pour le Pérou à la fin du dix-neuvième siècle. J'adorais Jorge. Nous avons continué de nous voir à New York et encore aujourd'hui nous restons en contact. Il a été l'un des grands chevaliers de ma vie.

De grands changements s'étaient produits au Canada pendant mon absence. À quatre semaines de la fin de son mandat de cinq ans, Pierre avait déclenché des élections et perdu. La situation ne jouait pas en sa faveur : les Canadiens en avaient assez de leur premier ministre charismatique et de ses manières aristocratiques. Alors que Pierre parcourait le pays en affichant un mépris teinté d'arrogance, Joe Clark et les conservateurs courtisaient l'électorat avec un discours plus simple et terre-à-terre.

Dès le début de la soirée du 22 mai 1979, la défaite ne faisait aucun doute. Elle fut écrasante. Pierre garda son siège, mais quatorze membres de son cabinet perdirent le leur.

Malheureusement pour moi, je n'avais pas envisagé la possibilité que Pierre ne remporte pas les élections. J'étais accablée par sa défaite, défaite humiliante de surcroît. Au téléphone ce soir-là, je lui ai témoigné mon empathie.

« Oui, c'est vrai, m'a-t-il dit, c'est fini pour nous. »

Puis, bien que des amis me l'aient déconseillé, j'ai tenu à aller au Studio 54 – où les journalistes m'ont trouvée. Le lendemain, ils dressaient le portrait d'une femme au cœur de pierre, le nombril à l'air et les cheveux défaits, dansant jusqu'aux petites heures du matin sans égard pour la mort de la vie politique de son mari. Je n'avais jamais eu aussi honte.

Cependant, l'humiliation suprême est survenue à la suite d'un article publié dans *Playgirl*. On m'avait persuadée de faire une entrevue avec une journaliste de ce magazine. Lorsqu'une personne passe de la phase maniaque à la phase de la dépression, elle tombe malade. C'est ce qui m'est arrivé et j'ai appelé la journaliste, avant d'apprendre la défaite de Pierre, pour annuler le rendez-vous.

La jeune femme s'est montrée gentille, compréhensive, offrant de m'apporter du bouillon de poulet. Bêtement, très bêtement, j'ai accepté, touchée que quelqu'un se donne cette peine. Ella a été charmante, a écouté mes doléances, m'a posé quelques questions pleines de sollicitude. Résultat : je lui ai déballé tous mes problèmes. L'atmosphère chaleureuse me donnant un faux sentiment de confiance, je lui ai dévoilé mes plus profonds secrets. Je n'aurais pu imaginer pire article. J'étais tombée dans une disgrâce complète.

Pierre, cependant, s'est fait rassurant. Il n'a jamais essayé d'attribuer sa défaite politique à mon comportement scandaleux. C'était une des formes de sa générosité : il pouvait être pingre quand il s'agissait d'argent, mais il répugnait à rejeter le blâme sur qui que ce soit, même si c'était la voie facile. Jamais non plus il n'a porté de jugement sur ma maladie mentale, cherchant plutôt à faire bouger les choses ; il voulait que j'obtienne de l'aide. Pour une personne dépressive, le soutien de ses proches revêt une grande importance.

Pierre était complexe, plein de contradictions. Cet homme d'une grande gentillesse pouvait se montrer extrêmement méchant ; lui si humble et timide devenait à l'occasion très arrogant. Nous sommes tous ambivalents : à la fois yin et yang, lumière et ténèbres.

Mes frasques à Londres n'étaient pas passées inaperçues. Peu après mon retour à Manhattan, j'ai passé une soirée aux côtés d'un psychiatre bien en vue, le Dr Ron Fieve. Je l'avais déjà rencontré, avec sa femme, et savais qu'il travaillait à l'université Columbia. Il s'est exprimé sans ambages.

« Margaret, j'espère que vous ne m'en voudrez pas, mais je crois sincèrement que vous devriez consulter un professionnel de la santé. À mon avis, vous souffrez de dépression maniacodépressive. Je peux vous aider. » Ses paroles m'ont stupéfaite, mais soulagée aussi. J'ai accepté sa suggestion de me rendre à son cabinet pour une consultation.

Le lendemain, assise devant lui, j'ai vidé mon sac : mes phases d'exaltation, les jours où je me sentais invincible et immortelle, où rien ni personne ne pouvait me résister, et les jours de culpabilité, de manque de confiance et de découragement où je ne voulais même pas sortir du lit, ne pouvant cesser pleurer. Je lui ai parlé des vagues de bonheur et d'euphorie, et des nuits où je ne songeais qu'à la mort. Je ne me souviens pas des détails, mais dès que j'ai commencé à parler, j'ai été incapable de m'arrêter. Je me rendais compte à quel point je voulais trouver la sérénité. Quant au psychiatre, ce n'est pas tant ce que j'ai dit qui l'a frappé, mais ma façon de l'exprimer. Il m'a écoutée, puis a confirmé son diagnostic.

Il m'a fait part d'un nouveau traitement, à base de sel de lithium, qui permettait de stabiliser les gens aux prises, comme moi, avec de violentes sautes d'humeur. L'usage du lithium dans le traitement de la manie, m'a-t-il expliqué, remontait à 1870, après qu'on eut établi un lien entre une teneur élevée en acide urique et divers troubles psychiatriques. Puis on avait délaissé cette forme de traitement, jusqu'à ce qu'un psychiatre australien, John Cade, la redécouvre.

En 1949, le Dr Cade avait décrit ses expériences sur des rats et les résultats obtenus dans des essais cliniques. Le corps médical avait toutefois tardé à adopter le lithium à cause de son effet sur la glande thyroïde et le foie, et d'un autre inconvénient majeur, à savoir qu'une surdose, même minime, pouvait entraîner la mort.

Le lithium avait enfin été autorisé par la Food and Drug Administration en 1970 et avait déjà changé la vie de quantité de gens partout dans le monde. Le Dr Fieve m'a fait deux mises en garde : premièrement, le lithium ne convenait pas à tout le monde ; deuxièmement, en raison de la nature de ce monstre qu'est la maniacodépression, les personnes qui en souffraient cessaient souvent de prendre le médicament dès qu'elles se sentaient mieux. Leur humeur repartait alors dans des montagnes russes, jusqu'à ce qu'on les persuade de recommencer le traitement. Je l'ai écouté, puis j'ai accepté d'essayer le lithium. L'ordonnance en poche, je suis allée à la pharmacie et j'ai avalé ma première dose à l'automne de 1979.

L'effet, presque instantané, a été spectaculaire. En quelques jours, mes sautes d'humeur avaient nettement diminué, je dormais à des heures normales et n'étais plus attirée par la vie tumultueuse. Les plaisirs enivrants et dangereux de New York avaient perdu de leur charme. En regardant autour de moi, je me suis demandé ce que je faisais là.

Pour la première fois en presque deux ans, je me suis sentie normale et j'ai su avec une absolue certitude que je devais rentrer à la maison. En me remémorant mon comportement débridé et chaotique des derniers mois, j'ai été horrifiée. Je n'en revenais pas.

Jorge Koechlin était avec moi à New York et m'a été d'un grand secours. Sachant combien les enfants me manquaient, il m'a fortement encouragée à partir, et je savais qu'il avait raison.

Dans mon journal, j'ai écrit : « Je sens la paix descendre en moi. Je me sens ancrée dans la réalité. » J'ai fait mes valises et suis retournée à Ottawa, non pas comme une pénitente cherchant le pardon, mais comme une mère, une femme revenue à une forme de normalité.

Pierre et moi discutons maintenant de l'avenir d'un ton calme et en nous témoignant de l'affection. Dans un mariage qui s'effrite, la tension entre mari et femme diminue énormément quand le couple n'est pas tenu de cohabiter. Les occasions de critiquer et d'extérioriser sa frustration n'existent pas. Quel soulagement !

Nous avons convenu que je m'installerais dans une maison non loin de Stornoway, la résidence du chef de l'opposition où Pierre s'apprêtait à déménager, et que nous partagerions la garde des enfants. Par un heureux hasard, j'ai vu une affiche À VENDRE devant une petite maison victorienne en brique rouge – à distance de marche de chez Pierre et à proximité de la plus vieille église d'Ottawa, St. Bartholomew. La maison venait juste d'être mise sur le marché et les propriétaires demandaient un acompte de soixante mille dollars.

Ayant entendu des rumeurs de faillite au sujet de Paddington Press, je suis allée à Londres chercher mon avance. Plutôt réticente à me la verser, mais craignant qu'un refus n'alerte ses créanciers, la maison d'édition m'a remis un chèque qui a servi pour l'acompte. Pierre a généreusement accepté de payer l'hypothèque.

Quelques mois plus tard, j'emménageais dans la maison, mon premier véritable chez-moi. Ayant vécu dans une résidence gouvernementale, Pierre et moi avions peu de possessions – à part quelques draps et des casseroles au lac Mousseau, et un magnifique tapis chinois jaune. Je l'avais admiré dans une exposition et Pierre me l'avait acheté. Avec ces articles et quelques autres, j'ai commencé à meubler ma maison, la transformant en un foyer pour Justin, Sacha et Michel pour qui, maintenant, je faisais des achats et cuisinais.

J'ai été enchantée de mon acquisition dès que j'ai emménagé. C'était une jolie et modeste maison, rénovée de fond en comble avec goût, avec un éclairage sur rail et des parquets de pin. J'ai installé de lourdes tentures pour isoler les pièces contre le froid de l'hiver et peint la chambre à coucher principale d'un rose soutenu qui s'harmonisait avec le rose pâle de l'épaisse moquette et les rideaux en tissu fleuri de style japonais. J'ai toujours aimé le rose et son effet apaisant. Les directeurs de prison et d'hôpitaux connaissent bien cet effet et utilisent souvent cette couleur dans leurs établissements.

Pour les garçons, c'était une maison de rêve. Ils avaient des lits superposés et laissaient leurs vélos dans le garage. Ils pouvaient s'amuser et rouler à bicyclette des heures durant, en toute sécurité, dans la ruelle derrière la maison en compagnie des autres enfants du quartier, ou jouer au soccer et au badminton dans la cour.

La première personne à venir sonner à la porte de ma nouvelle demeure a été le livreur d'un magasin d'antiquités, qui m'apportait un billot de boucher comme table de cuisine. J'y ai déposé un pique-nique, inaugurant ainsi ma nouvelle vie. Bien des années plus tard, on a demandé à Justin s'il se souvenait de quelque chose de particulier que sa mère lui disait. Il a répondu : « Elle me disait de m'amuser. » C'est en effet ce que je souhaitais pour mes enfants.

Ma maison me plaisait énormément – j'ai toujours été chanceuse pour ce qui est de l'immobilier. Sur l'étagère au-dessus de l'évier, j'ai mis des violettes africaines. Vue de la rue, la maison semblait petite avec sa véranda entourée de moustiquaires, mais il y avait un grand salon et quatre chambres à coucher. Derrière s'étendait un vaste jardin. Quand Pierre est venu la voir, il a reconnu que j'avais enfin réussi à créer un vrai foyer – ce que nous n'avions jamais eu.

Pierre aussi avait sa propre maison. À l'automne de 1979, il acheta l'ancienne résidence de l'architecte Ernest Cormier, une maison de style Art déco située sur l'avenue des Pins, à Montréal. Pour moi, elle ressemblait à un mausolée austère, sombre et glacial, avec des planchers de marbre. Par contre, il y avait un lit d'eau et les garçons ont crié de joie en le découvrant.

Le 31 décembre 1979, Pierre est venu chez moi à Ottawa et nous avons célébré au champagne la joie d'être propriétaire. Nous avons couché les garçons, puis, au moment où il s'apprêtait à partir, j'ai soulevé la question d'une pension alimentaire, estimant qu'il s'agissait d'une demande légitime. Après tout, Pierre serait en tournée électorale au cours des prochains mois et j'aurais la charge exclusive des garçons.

Lorsqu'il a sorti cinquante dollars de son portefeuille en me demandant si c'était suffisant, je me suis sentie ridiculisée et humiliée. Voyant rouge, je me suis précipitée sur lui et il m'a immobilisée au sol. Mes cris ont réveillé les garçons; ils étaient terrifiés.

C'est Michel, âgé de seulement quatre ans, qui a sauvé la situation en demandant à Pierre de venir à sa chambre. Je n'ai aucune idée des paroles échangées, mais ils ont été absents une demi-heure. Le petit Michel, dirait Pierre plus tard, savait toujours comment le ramener à la raison.

Cet incident nous a profondément ébranlés, Pierre et moi; nous avons consulté un conseiller conjugal, mais rien ne pouvait sauver notre mariage. J'avais vu de la haine dans ses yeux ce soir-là, et lui avait vu de la haine dans les miens.

Pierre n'était pas violent, et je lui ai pardonné. Je me rends compte aujourd'hui que mes frasques avaient blessé sa fierté. Pire, je lui avais brisé le cœur.

Chapitre 8

Un pigeon heureux et dodu

Alors commencèrent les plus belles années de ma vie. Tous mes doutes, ma solitude, ce sentiment d'être sans travail et sans but, disparurent. Je devenais enfin la personne que j'avais toujours voulu être. Le soulagement (le mien et celui de mon entourage) était immense. Il y eut bien quelques ratés au départ, mais je les surmontais – du moins, je pensais les surmonter.

Le Dr Fieve m'avait conseillé de voir un psychiatre dès mon retour à Ottawa, mais je n'avais pas compris toute l'importance de surveiller mes doses de lithium. Je ne prenais pas mes rendez-vous avec toute la rigueur voulue, peut-être parce que, pour la première fois depuis longtemps, j'étais calme – trop calme. J'avais aussi tout le temps faim. Du moment où j'ouvrais les yeux le matin au moment où j'éteignais la lumière le soir, je ne pensais qu'à manger. Au réveil, encore à moitié endormie, je commençais à vouloir manger. La nuit, il m'arrivait de me réveiller en proie à des fringales incontrôlables et je me levais pour me faire du chocolat chaud et du pain grillé. Quand les garçons étaient avec moi, je cuisinais des gâteaux, des biscuits et des tartes comme si le sort du monde en dépendait.

Plus les journées passaient, plus je m'enfonçais dans une douce torpeur. Mes amis qui remarquaient mon état s'inquiétaient, mais je faisais de moins en moins d'efforts pour voir du monde. Je n'arrêtais pas de grossir, en grande partie par ma faute. Tous mes vêtements étaient trop petits. Je ne vivais pas : j'étais plus exactement en hibernation.

Puis le jour est arrivé où j'ai été trop gênée pour sortir. Je m'étais rendu compte que j'avais commencé à trembler. Au début, c'était seulement quand je soulevais quelque chose, et je réussissais généralement à me contrôler. Ensuite les tremblements se produisaient chaque fois que j'utilisais un couteau ou que je voulais boire. J'ai fini par prendre un rendez-vous chez un médecin.

Mes niveaux de lithium ont été vérifiés, jugés trop élevés et diminués. Voilà qui expliquait ma spectaculaire prise de poids : plusieurs psychotropes font engraisser en ralentissant le métabolisme ou en augmentant l'appétit. Beaucoup de gens qui prennent ce genre de médicaments ont l'impression d'être en manque de sucre et de glucides. Or tous les médecins ne préviennent pas leurs patients de surveiller leur régime. Résultat : les patients déprimés grossissent, et la graisse ne fait qu'aggraver leur dépression. Certains patients n'ont pas besoin de prendre ces médicaments pendant des années, mais d'autres oui. Puisque je me plaignais de léthargie, un nouveau psychiatre m'a prescrit un antidépresseur, le Tofranil. Constatant mon embonpoint, il m'a exhortée à me mettre au régime, mais j'ai découvert que j'en étais quasiment incapable. J'avais cessé de trembler grâce à la réduction des doses de lithium. De temps en temps, j'apercevais ma masse corporelle dans le miroir et je m'acharnais à réduire davantage mes doses. Mes idées commençaient à s'éclaircir quelques jours plus tard, mais les symptômes du sevrage apparaissant, je me sentais malade et revenais aux anciennes doses.

En 1979, Noël approchant, je me sentais si comateuse que j'ai dû me rendre à l'évidence : j'étais incapable d'assumer les préparatifs des fêtes. Je ne pouvais imaginer trouver et décorer un sapin, faire les courses et cuisiner un repas. Une de mes amies m'a vivement conseillé d'appeler ma mère à Vancouver.

« Maman, ai-je dit d'une voix faible, je ne crois pas pouvoir m'en sortir sans toi. Peux-tu venir ? » Le lendemain, elle était à mes côtés et se chargeait de me tenir occupée avec la confection de gâteaux, l'achat des cadeaux et la décoration de la maison.

Mis à part l'épisode dramatique de la veille du jour de l'An, Pierre et moi conservions de bonnes relations. Nous avons passé un merveilleux Noël tous ensemble, en famille. J'avais de l'argent à la banque et je recommençais à envisager de retourner vivre avec lui. Nous avions établi notre modèle de garde partagée, et si je dormais la plupart du temps quand les garçons étaient avec lui, je trouvais je ne sais où la force de rester éveillée quand ils étaient avec moi.

Les neuf premiers mois après mon retour à Ottawa, Pierre ne faisait plus partie du gouvernement et vivait à Stornoway, résidence officielle du chef de l'opposition depuis 1950. Située dans le quartier Rockcliffe Park, un secteur d'Ottawa qui accueille de nombreuses ambassades, la maison de deux étages a été construite en 1914 pour un magnat de l'épicerie. Sir Wilfrid Laurier, septième premier ministre du Canada, était le parrain de l'un des fils du propriétaire d'origine et y a apparemment souvent été invité. La maison a été baptisée Stornoway par ses deuxièmes occupants, une famille dont la demeure ancestrale se trouvait dans une municipalité du même nom sur une île des Hébrides extérieures, au large de l'Écosse. La maison était lumineuse et bien aménagée, mais je ne m'y sentais pas chez moi. Comme au 24 Sussex, j'y ai logé au grenier jusqu'à ce que je déménage dans ma nouvelle maison.

Nos affaires avaient été soigneusement empaquetées et entreposées à Stornoway lorsque Pierre avait quitté le 24 Sussex, mais il ne s'était pas donné la peine de déballer ses cartons, car il ne comptait pas rester longtemps dans l'opposition. En revanche, il s'est affolé en constatant la disparition d'une toile célèbre du cubiste français Georges Braque et d'un précieux bocal de truffes noires. Furieux, il a fourragé dans toutes ses boîtes, mais sans résultat.

Peu après avoir déménagé dans ma nouvelle maison, j'ai trouvé la toile et les truffes dans mes caisses. Pierre a été fou de joie. Elles avaient été cachées là exprès par Hildegarde, la femme de chambre principale du 24 Sussex. Désespérée à l'idée de me voir partir pratiquement les mains vides, elle avait glissé deux ou trois articles dans mes affaires. Pierre s'était montré catégorique au moment de notre séparation : je n'avais pas droit à grand-chose.

« Après tout, tu ne peux pas avoir cinquante pour cent du 24 Sussex puisque ce n'est pas à nous. » En fait, sans le dire expressément, il ne voulait pas vraiment que je récupère également cinquante pour cent de nos cadeaux de mariage. Conclusion, j'étais partie sans rien à moi, ou presque.

Pierre avait eu raison de croire que sa traversée du désert serait brève. Le gouvernement progressiste-conservateur de Joe Clark fut renversé sur une motion de censure, et de nouvelles élections eurent lieu. L'exil avait adouci Pierre et l'avait rendu plus humble, l'incitant, comme l'attestèrent les résultats, à mener la meilleure campagne électorale de sa vie, obtenant quarante-quatre pour cent des voix, soit un point de pourcentage de moins par rapport à la période dorée de 1968. Le 3 mars 1980, Pierre et les trente-deux membres du cabinet étaient assermentés à Rideau Hall. Il était redevenu premier ministre.

La campagne avait eu un autre effet. Cet hiver-là, les garçons avaient passé de longues périodes avec moi en raison des absences prolongées de leur père et, puisque cette entente fonctionnait bien et que je me conduisais manifestement comme une mère responsable et aimante, nous avons pu négocier une garde partagée.

Puis lentement, très lentement, le printemps est arrivé, et j'ai commencé à émerger de mon hibernation. Je me sentais même un peu plus en forme, mais je tenais absolument à travailler. Il était question de tourner un film basé sur mon livre, *À cœur ouvert* (publié en 1979), mais je refusais d'envisager de jouer mon propre rôle, sachant pertinemment que je ne voulais pas revivre un passé que j'étais résolue à oublier.

J'ai alors reçu un coup de fil d'une station de télévision locale, CJOH, me demandant de participer à un téléthon pour l'Hôpital d'Ottawa. C'était un travail pour lequel j'avais un certain talent. Puis, lorsque le réalisateur m'a aussi offert une émission spéciale de trente minutes sur la cuisine japonaise, j'ai accepté avec plaisir.

Ce travail bénévole m'a valu une proposition de travail plus sérieuse. Peu auparavant, j'aurais été indignée de participer à une émission d'un calibre inférieur à celui de *Good Morning America*, mais maintenant j'étais très heureuse d'accepter d'animer avec Bill Luxton l'émission quotidienne de CJOH, *Morning Magazine*. J'y voyais un moyen d'entrer dans l'univers de la télévision, de gagner un peu d'argent, d'obtenir un travail régulier et, peut-être, de réaliser d'autres projets. Surtout, j'appréciais ma chance et j'étais profondément heureuse de travailler.

Je ne devais pas commencer avant quelques mois et cette proposition a eu pour effet de m'ouvrir les yeux. Dans le miroir, j'ai vu un petit pigeon tout rond et bien dodu... une image qui n'était sûrement pas celle que voulaient les réalisateurs.

Un beau jour, j'ai décidé de passer à l'action. J'ai arrêté le lithium et jeté tous mes comprimés à la poubelle. Ce fut la chose la plus difficile que j'aie jamais faite. Ne se doutant de rien, Pierre est parti avec les enfants au lac Mousseau. Quant à moi, j'ai fermé ma porte et affronté la tempête.

J'ai transpiré et eu la diarrhée pendant dix jours. J'étais malade, faible, j'avais froid et je frissonnais. Ma tête tournait, je me sentais paranoïaque. J'ai tenu bon, cependant, et un matin je me suis réveillée en meilleure forme, les idées claires. Je n'étais plus malade.

Il me restait à maigrir. J'ai suivi un régime draconien, j'ai couru et nagé tous les jours. Heureusement, je perds rapidement du poids. Six semaines plus tard, j'avais retrouvé ma ligne et ma forme.

C'est à ce moment que j'ai reçu une invitation absolument incroyable. Le propriétaire d'une discothèque japonaise était prêt à me verser la somme astronomique de vingt mille dollars pour inaugurer une nouvelle boîte de nuit à Tokyo. J'étais un peu méfiante – tant d'argent pour si peu? Mais j'avais besoin d'argent, et le Japon était l'un des pays où je me sentais le plus heureuse. Ce promoteur prospère voulait investir dans une boîte de nuit, et il espérait que j'accepterais de faire trois apparitions d'une demi-heure dans sa discothèque, à Tokyo. Pour les Japonais, aurait-il dit, j'étais l'un des porte-parole les plus influents de ma génération. Comment refuser? Il ne m'est pas venu à l'idée que les choses pouvaient ne pas être telles qu'elles paraissaient.

J'ai parlé à Pierre de ce projet et il a semblé heureux de voir que ma situation s'améliorait. Je me rappelle lui avoir dit cette phrase que je trouverais épouvantable plus tard : «La psychiatrie telle que je l'ai expérimentée n'est rien d'autre qu'une illusion monumentale.»

37 À la Maison-Blanche en 1977, où je porte la robe qui a fait « scandale ».
De gauche à droite : Pierre, Jimmy Carter, moi et Rosalynn Carter.

38 Moi photographiant mon photographe préféré, le Canadien Peter Bregg,
à Washington.

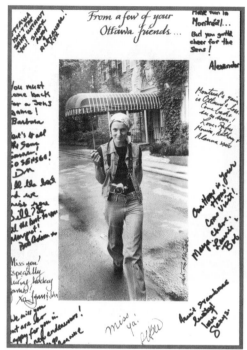

Texte manuscrit sur le cadre de la photo :

From a few of your Ottawa friends ...

Have fun in Montréal... But you gotta cheer for the Sens!

Alexander

You must come back for a Sens game! Barbara

Montreal's going to Ottawa's loss... Come back soon! Love, Peter, Maria, Matthew & Alanna xxoo

You'll tell the Sens owner so SEnSics!

Dan

I'll be sad and we miss you. Bill :)

Our Hope is your Home! Come visit! Marya Francie & Bob

I'll do best for you Nanook! Paul Osborne xo

Miss you! especially during hockey games! Xo Janet John

We'll miss you but are so happy for you in your new endeavours!

miss ya! ✗✗

Henri's Steakhouse Luisetti Laura George

39 Devant le 24 Sussex, juste avant mon départ pour New York en 1977. Des années plus tard, mes amis ont signé et fait encadrer cette photo pour moi.

40 Je pars à la conquête de la gloire et de la fortune.

41 Sur une plage avec Michel près de la maison de ma sœur
à West Vancouver, en 1978.

42 Disant au revoir à mes garçons. Les quitter était toujours extrêmement
difficile.

43 Dansant avec le champion de tennis Vitas Gerulaitis au Studio 54, à New York.

44 Andy Warhol et moi au Studio 54. Nous restions souvent en retrait de la foule à admirer le spectacle.

45 Sophia Loren à Montréal, où elle tournait un film. Lui rendant visite sur le plateau, j'ai pris des photos d'elle toute la journée.

46

46 Sur le plateau de l'émission *The Today Show* à la chaîne NBC, lorsque je ne voulais pas répondre aux questions de Jane Pauley.

47 Mon amie Heather Gillin, qui a été une seconde mère pour mes garçons, avec Sacha et Michel.

47

48 Au mariage de ma sœur Betsy. Sacha n'apparaît pas sur la photo parce qu'il se plaignait que son pantalon de flanelle le piquait.

49 Michel et Sacha un jour d'été.

50 Devant ma nouvelle maison au 95 de la rue Victoria, à Ottawa, en 1980. Une maison à moi, enfin.

51 Dans l'arrière-cour de ma maison à Ottawa. Un peu rebelle, Sacha ne voulait pas porter son chic pull assorti à celui de ses frères.

52 Les garçons s'amusant librement dans l'allée du 24 Sussex.

53 En Jamaïque en 1980, avec mes très bonnes amies Mary-Jean Green et Lady Mary Mitchell.

54 Chez moi, à l'époque où je travaillais à la télévision.

55 En compagnie de Bill Luxton avec qui j'animais l'émission quotidienne *Morning Magazine*. J'aimais tout particulièrement la recherche et la préparation nécessaires avant les entrevues en ondes. J'ai toujours été intéressée par les gens et j'arrivais facilement à établir un contact avec nos invités.

56 Mes débuts dans la comédie à l'émission *Big City Comedy Hour* avec John Candy, un homme merveilleux et très gentil. Un grand Canadien. Le moment fort : John m'entartant au cours de l'introduction.

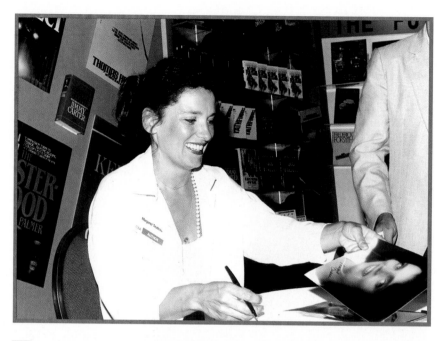

57 À une séance de signature pour mon livre *Consequences*.

58 Avec Fried le jour de notre mariage, le 18 avril 1984. Je portais une robe-manteau bleu marine d'Yves Saint Laurent.

59 À la maison avec bébé Kyle, le premier bébé tout à moi, sans bonne d'enfant.

60 La mère et son enfant, le 27 novembre 1984.

61 Fried a été le meilleur des beaux-pères pour mes garçons.

62 Michel et Kyle à Halloween. Mes trois aînés étaient ravis d'avoir un petit frère.

63 À mon quarantième anniversaire de naissance, en 1988 ; je suis enceinte d'Ally. De gauche à droite : Karina (la nièce de Fried), Sacha, moi, Kyle et Michel.

64 J'avais toujours rêvé d'avoir une fille. Née le 2 février 1989, Ally était un bébé toujours de bonne humeur.

65 Sacha avec sa petite sœur.

66 Avec ma mère.

67 Ally, âgée de trois ans, jouant sur la clôture de Rideau Hall, la résidence du gouverneur général.

68 Le pêcheur Kyle, au lac Newboro.

69 Ma petite princesse. J'adorais coudre, et Ally porte une de mes créations.

70 Justin et moi dans ma cour arrière.

Persuadée d'avoir complètement récupéré, j'ai fait fi de tous les avertissements du Dʳ Fieve. Cette histoire de maniaco-dépression était absurde. J'avais toujours eu raison : je n'étais pas folle, c'est mon ancienne vie qui l'avait été, celle qui avait fait de moi une femme seule et déprimée un jour, active et fébrile le lendemain. Le déni, encore une fois. Je n'avais pas de problème, c'étaient les autres qui en avaient. Ce raisonnement a tenu la route quelque temps.

Le 4 mars 1980 – jour de mon neuvième anniversaire de mariage –, je me suis envolée pour le Japon. Mes hôtes japonais m'avaient envoyé deux billets en première classe (un pour moi, l'autre pour ma sœur Jan qui m'accompagnait) et un chèque de quatre mille dollars, que j'ai utilisé en partie pour renouveler ma garde-robe. À l'aéroport, où des limousines nous attendaient, nous avons été accueillies par deux jeunes et charmantes interprètes et par un jeune et séduisant Japonais qui avait sa propre Mercedes bleu argenté, et dont la mission était de nous escorter pendant notre séjour. Nous étions logées dans la suite présidentielle de l'hôtel New Otani. Les photographes étaient gardés à distance, et tout le monde était courtois, charmant et généreux.

Les quatre journées suivantes ont été aussi agréables que bizarres. J'avais emporté mes appareils photo, car je comptais écrire un livre sur la cuisine japonaise. Mes hôtes veillaient à m'emmener partout où je le voulais. Je devais faire ma première apparition le deuxième soir, mais, contrairement à ce que je m'étais imaginé, il n'y eut ni photographes, ni foule, ni publicité. En revanche, j'ai passé une demi-heure sur le canapé d'une boîte plutôt modeste perchée en haut d'un gratte-ciel à discuter à bâtons rompus avec un petit groupe de dignitaires japonais. La même scène s'est reproduite les deux fois suivantes. J'ai interrogé mes hôtes sur la clientèle, mais ils m'ont répondu qu'ils attendaient toujours leurs permis d'alcool et de musique.

J'avais aussi accepté une entrevue à la télévision, mais je craignais de subir l'hostilité qui avait été celle de la presse britannique et nord-américaine. Toutefois, mon intervieweur n'aurait pas pu être plus charmant. Est-ce que j'aimais la cuisine japonaise ? Combien d'enfants avais-je ? À quoi ressemblerait mon livre sur la cuisine japonaise ? Tout cela était bien déconcertant.

Je passais mon temps à m'amuser, à visiter les marchés de Tokyo et à prendre des photos. J'avais été officieusement invitée à prendre le thé avec l'épouse du premier ministre, Mme Shigeko Ohira, en compagnie du plus grand couturier du Japon, Jun Ashida. Moichi Tanabe, célèbre écrivain japonais propriétaire d'une chaîne de librairies dans son pays, m'a invitée au restaurant, où nous avons dégusté de fines tranches de homard et de délicieux poissons sur un nid de nouilles. À notre dernière rencontre, le promoteur a discrètement glissé dans ma main une enveloppe contenant le solde de mes honoraires.

Tout s'expliqua le dernier jour. L'invitation n'était qu'un paravent. L'éditeur japonais qui avait acheté les droits d'*À cœur ouvert* lançait ce livre, qui avait fait tant de bruit et provoqué un scandale au moment de sa sortie au Canada. Sachant que je n'aurais jamais accepté de participer à une tournée de promotion, les Japonais avaient eu la brillante idée de me proposer quelque chose que je pouvais accepter – l'inauguration d'une boîte de nuit. Mon mécontentement ne dura pas : j'avais passé un séjour merveilleux. Et j'ai ri en examinant toutes les photos prises jour après jour par un homme que je pensais être le photographe du promoteur. Dans toutes les légendes figurait le titre de mon livre.

Je suis rentrée à Ottawa les bras chargés de cadeaux, avec le sentiment d'être riche et aimée. Mes retrouvailles avec les garçons ont été joyeuses. Sans même ouvrir mes valises, laissant mes appareils photo éparpillés dans la pièce et mon manteau de fourrure sur mon lit, je les ai emmenés voir *L'Étalon noir* pour leur faire plaisir. En rentrant à la maison vers neuf heures, j'ai été fâchée de trouver la maison encore plus en désordre que je pensais l'avoir laissée. C'était le chaos total. La maison avait été cambriolée pendant notre absence. Ma première réaction a été d'assurer la sécurité des garçons. Je les ai mis au lit le plus calmement possible pour ne pas les effrayer, j'ai fermé la porte, puis j'ai appelé les agents du service de sécurité des enfants – garés comme d'habitude devant la maison depuis notre retour du cinéma.

Les voleurs avaient été minutieux. Ils avaient emporté tous mes appareils photo, ainsi que les pellicules non développées, tuant dans l'œuf mon projet de livre de cuisine japonaise. La valise contenant tous mes cadeaux avait disparu, de même que la broche en or sertie de diamants du joaillier Andrew Grima, cadeau de la reine lors de sa visite officielle au Canada en 1974, et la précieuse croix en or que Pierre avait spécialement fait faire pour moi une année à Noël. Il manquait également mon manteau de martre d'une valeur de vingt mille dollars.

Quand je lui ai raconté l'histoire, Pierre a eu une réponse très curieuse : «Oui, Margaret, c'était un manteau de rêve, mais tu ne mènes plus une vie de rêve.»

(Les bijoux ont réapparu quelques années plus tard alors que je cherchais du papier d'emballage de Noël au sous-sol. En tirant vers moi un rouleau rangé sur une étagère, j'ai fait tomber un sac à dos, et en l'ouvrant j'ai trouvé tous les bijoux manquants. J'ai un peu honte de l'avouer, mais c'est moi qui les avais mis à cet endroit. Le manteau, lui, n'a jamais été retrouvé.)

La protection policière accordée à Pierre et aux enfants avait pratiquement été suspendue lorsque Pierre avait emménagé à Stornoway. Maintenant qu'il était de retour au pouvoir, il fallait prendre de nouvelles dispositions, surtout à la lumière de ce cambriolage. Autant j'avais détesté et redouté cette surveillance, autant je l'appréciais maintenant. Une voiture de police était toujours garée devant ma porte lorsque les garçons étaient avec moi. Les policiers nous accompagnaient quand nous faisions des courses ou allions au cinéma, et chaque enfant avait son propre garde lorsqu'il était seul.

Justin, qui devenait un skieur accompli, était suivi par un membre de l'équipe de protection de la GRC (baptisée par nous la «brigade des enfants») lorsqu'il partait dévaler les pentes. Pierre, les trois garçons et moi avions chacun un nom de code pour les policiers qui communiquaient par walkie-talkie : Pierre était Érable Un, j'étais Érable Deux et les garçons Érable Trois, Quatre et Cinq.

La surveillance s'est encore resserrée après l'assassinat de John Lennon, à New York, beaucoup craignant que d'autres fanatiques n'imitent le meurtrier. Je ne voulais pas transformer ma maison en Fort Knox, avec barrières et grilles de fer, mais j'ai accepté de faire poser des serrures plus sécuritaires et renforcer les portes, et j'ai vite apprécié le fait de ne pas avoir à garer ma propre voiture certaines journées glaciales, avec trois jeunes garçons impatients et frigorifiés à bord.

Avec la protection, je me sentais beaucoup plus en sécurité. Un jour, je bavardais tranquillement chez moi avec une amie, Gro Southam, quand on a sonné à la porte. C'était une journée d'hiver extrêmement froide et il neigeait. En ouvrant, je me suis trouvée face à un homme débraillé et pieds nus. Parlant à peine trois mots d'anglais, il a réussi à m'expliquer qu'il avait vu une photo de moi dans les journaux et que je lui avais paru très sympathique. Il avait mis son pied dans la porte et commençait à forcer le passage. À ce moment, Gro, une personne énergique, s'est précipitée vers nous, l'a obligé à reculer et a claqué la porte. Nous avons ensuite utilisé le nouveau téléphone noir relié directement au poste de police. Quelques minutes plus tard, les voitures de police descendaient la rue à toute allure. L'homme, un immigrant polonais ayant des problèmes psychiatriques, a été retrouvé non loin, errant nu-pieds dans la neige. Cet incident m'a fait comprendre à quel point nos précautions étaient justifiées.

Le moment était venu de parler aux garçons de notre situation. Âgés respectivement de huit, six et quatre ans, ils se comportaient comme le font des frères. Justin était un enfant doué, à l'esprit vif, très intelligent et affectueux, mais il avait tendance à entraîner les deux autres sur la mauvaise pente. Sacha était discipliné et sérieux, comme Pierre, et Michel était toujours enjoué et plein d'entrain. Jusqu'à maintenant, Pierre et moi nous en étions tirés sans avoir à donner d'explication, car l'un ou l'autre pouvait être parti « travailler ».

Avant ce moment, j'avais à l'occasion et avec une certaine nostalgie envisagé de retourner auprès de Pierre. Dernièrement, j'ai trouvé une lettre écrite à l'été de 1982, mais non postée : « Je suis heureuse. Ce n'est ni le désespoir ni la solitude qui me font me tourner vers toi, mais un sentiment, un besoin d'amour. [...] Pierre, penses-tu qu'une réconciliation serait possible ? Je ferais n'importe quoi pour que nous soyons réunis, pour que nous formions de nouveau une famille. Je ne suis pas trop vieille, on pourrait même agrandir la famille –, mais je suis peut-être une grande rêveuse. » Il n'y aurait pas de réconciliation.

Maintenant bien installés dans une routine, Pierre et moi étions d'accord qu'il était préférable de mettre les garçons au courant de la situation. Quelques séances avec un conseiller familial nous ont permis d'y voir plus clair et de comprendre à quel point nous étions différents. Nous avons expliqué aux enfants que maman et papa resteraient toujours amis, mais préféraient vivre séparément. La nouvelle a bouleversé Sacha, et ça m'a brisé le cœur de devoir la lui annoncer. Cependant, comme l'avait exprimé le conseiller, Pierre et moi étions semblables à deux trains roulant dans la même direction, mais sur des voies parallèles, sans possibilité de convergence.

Entre-temps, Pierre était demeuré discret. Aux journalistes qui l'interrogeaient sur son mariage, il leur retournait la question en leur demandant de parler du leur. Au sujet de sa femme bambocheuse, il a simplement dit : « C'est une bonne personne », et a reconnu sa part de responsabilité. Il était dans la cinquantaine, a-t-il expliqué dans ses *Mémoires politiques*, quand il avait dû se familiariser en même temps avec le mariage, la paternité et la politique, ajoutant : « Le défi me dépassait peut-être et je ne peux pas hélas! me vanter d'une réussite exceptionnelle. »

En 1980, j'ai pris mon courage à deux mains et suis allée voir la pièce *Maggie and Pierre*, écrite par Linda Griffiths, qui interprétait aussi les deux rôles. Expliquant qu'elle nous percevait comme des personnages « épiques » en ce sens que tous les éléments de la nature humaine se trouvaient réunis en nous, et amplifiés, la dramaturge-comédienne justifiait son œuvre en disant que notre histoire était connue de tous les Canadiens, et d'une bonne partie de la planète, en fait. À mon avis, l'auteure avait bien cerné le côté distant de Pierre et son égocentrisme.

La pièce débute à Tahiti alors que je dis à Pierre que je n'ai pas besoin de lire le passage sur les rituels bachiques dans l'œuvre classique d'Edward Gibbon, *Histoire du déclin et de la chute de l'Empire romain*, parce que j'étais déjà « passée par là ». Le dialogue se poursuit à peu près de la façon suivante.

PIERRE : Ça me semble un long voyage. Jusqu'où avez-vous l'intention d'aller ?

MAGGIE : Jusqu'au bout. Et vous ? […] Je veux être une célébrité mondiale, façonner le destin, connaître le bonheur suprême. Je veux tout, quoi.

PIERRE : Je veux être une célébrité mondiale, façonner le destin, connaître le bonheur suprême. Je veux tout, quoi.

Griffiths avait raison : je voulais tout. Un autre passage, quand Maggie s'apprête à quitter Pierre, touchait un nerf sensible. Elle le supplie de venir avec elle ; ne voulant pas abandonner sa carrière politique, il refuse. Pierre s'adresse ensuite à un journaliste appelé Henry (ici, l'auteure s'écarte de la réalité, car Pierre ne se serait jamais confié à un journaliste) : « Vous savez quoi, Henry ? Au cours de nos horribles disputes, ma femme était à mes pieds et elle pleurait, criait, se lamentait, se frappait littéralement la tête contre le mur, et je restais là, figé, dans une attitude typiquement masculine, ne sachant pas si je devais la réconforter, ou quitter les lieux parce que la situation était trop personnelle et pénible à regarder, ou encore la frapper. Je ne savais pas quoi faire. Avant tout, j'étais jaloux […] qu'elle puisse être si libre. »

J'ai aimé la pièce, ainsi que nombre de critiques. Selon Ray Conlogue, du *Globe and Mail*, la difficulté pour un critique était de savoir où commencer pour exprimer son admiration. Pour lui, l'œuvre dépassait les attentes grâce à la compassion qui s'en dégageait, car Griffiths explorait « ce couple autrefois célèbre sans jamais porter de coups bas ». Enfin, on avait écrit sur nous sans nous déprécier.

Justin, Sacha et Michel ont bien accepté notre séparation et se sont trouvés dans la même situation que plusieurs de leurs amis à l'école publique de Rockcliffe Park (que j'avais moi-même fréquentée en première et en deuxième année), avec des adresses et des numéros de téléphone différents pour les parents. Nos divergences dans la façon d'élever les garçons – j'étais plus indulgente côté télévision et grignotage, mais plus exigeante sur la tenue vestimentaire – se réglaient calmement entre Pierre et moi.

Père attentif qui adorait ses enfants, Pierre s'est mis à emmener un des garçons quand il se rendait à l'étranger en visite officielle. Ainsi, Justin est allé en Russie, Sacha au Moyen-Orient et Michel à Washington.

Au cours d'un de ces voyages, au Caire, Pierre discutait avec Anouar al-Sadate dans le palais présidentiel. Étaient également présents Léopold Senghor, président du Sénégal, et Boutros Boutros-Ghali, futur secrétaire général de l'ONU, qui agissait comme interprète égyptien. Pierre présenta Sacha, âgé de sept ans, aux deux chefs d'État. Revenant du zoo, Sacha annonça fièrement qu'il avait vu quatre girafes et trois éléphants, et que maintenant il rencontrait deux présidents. Senghor, qui comprenait l'anglais, éclata de rire.

Les vêtements portés par les garçons pendant ces voyages étaient un sujet de discorde entre Pierre et moi. Il ne voyait pas d'inconvénient à ce que les enfants portent les jeans et les t-shirts qu'ils recevaient en cadeau de la part du public. Moi, j'insistais pour qu'ils soient correctement vêtus, comme marque de respect envers leurs hôtes. Je leur ai donc acheté des polos, des pantalons kaki et des blazers, et pour le temps plus froid, et la cérémonie du jour du Souvenir à laquelle ils accompagnaient toujours Pierre, des trenchs. Dorénavant, ils seraient toujours bien mis.

Nous avons convenu que pour l'instant ils resteraient à l'école de Rockcliffe Park, l'une des plus vieilles d'Ottawa, à la réputation bien établie. Elle accueillait les enfants d'hommes politiques et d'ambassadeurs depuis 1922, et son programme d'immersion française était excellent. Je tenais absolument à ce que les garçons fassent partie de la communauté environnante ; je ne les voulais pas isolés, dans une école privée.

Cependant, je devais accepter l'idée de les voir fréquenter, à partir de dix ou onze ans, une institution scolaire francophone, où ils recevraient l'éducation stricte tant prisée par Pierre. Ni Pierre ni moi n'aimions beaucoup les sports d'équipe, il n'était donc pas question que les garçons jouent au hockey – trop violent et brutal à mon avis –, mais nous les avons laissés jouer au soccer pour qu'ils fassent l'expérience de la dynamique de groupe. En revanche, ils étaient libres de s'adonner à des activités tels le ski, le canotage, la randonnée et la natation.

Nos arrangements concernant les garçons fonctionnaient à merveille. Ils bénéficiaient du meilleur de nos deux mondes, et de notre attention individuelle lorsque nous étions avec eux. Comme les garçons insistaient pour voyager à bord de l'autobus scolaire avec leurs amis, nous avons demandé à l'escorte policière de suivre l'autobus. Je m'ennuyais terriblement de nos séjours au lac Mousseau, où j'avais été le plus heureuse. Pierre ne m'autorisait plus à y aller : c'était sa petite vengeance.

Pierre me manquait, mais je savais que nous avions pris la bonne décision. Nous étions différents de par notre âge, mais aussi de par notre personnalité, n'ayant pratiquement pas d'affinités ou goûts en commun. Pierre était un père dévoué et un homme exceptionnel. Je me rendais cependant compte que sur le plan émotionnel je m'étais toujours sentie intimidée, écrasée par lui, situation que j'acceptais, car, au fond de moi-même, je me croyais bonne à rien et pensais mériter un tel traitement.

Au printemps de 1980, j'ai commencé à sortir avec d'autres hommes et durant environ un an j'ai entretenu une relation suivie avec Jimmy Johnson, un avocat et homme d'affaires père de deux enfants. Dans notre jeunesse, lui et moi avions habité la même rue à Ottawa, mais ne nous fréquentions pas. Canado-Irlandais, Jimmy était un gars épatant, un excellent skieur et un bon modèle pour les garçons. Il me semblait que nous partagions les mêmes croyances. Nous détestions tous les deux les cocktails et les soirées mondaines, et adorions la spontanéité. Je tournais à Nassau une émission spéciale pour le poste de télévision d'Ottawa quand j'ai réalisé que je ne pouvais retourner auprès de Jimmy. Dans l'ensemble, je vivais une vie plutôt calme dans une ville très ennuyeuse ; je rencontrais peu de gens. Certains hommes trouvaient intimidant le fait que j'aie été la femme du premier ministre.

De retour à la maison, je suis partie avec les garçons et des amis skier au mont Tremblant, dans les Laurentides, où quelque chose de merveilleux s'est produit. Nous nous étions arrêtés dans une brasserie pour le dîner et au bar j'ai rencontré un bel Allemand du nom de Fried Kemper. Il nous a invités à dîner à son chalet le lendemain soir. Nous avons joué aux charades et la soirée, avec tous les enfants réunis, a été très amusante. Comme cela a été le cas pour tous les hommes importants de ma vie, il a suffi d'un regard pour que je sache. Et lui a ressenti la même chose. Nous avons skié ensemble, nous avons parlé et nous sommes tombés amoureux.

Les parents de Fried, John (Joachim) et Mary Kemper, avaient fui l'Allemagne de l'Est à la fin de la Seconde Guerre mondiale. Ils ont raconté comment ils se cachaient dans les fossés et les bois, terrifiés lorsqu'ils entendaient les soldats russes défiler non loin. Les Allemands avaient envahi la Russie pendant la guerre ; les Russes leur rendaient maintenant la pareille. L'Armée rouge a fait d'horribles ravages en Allemagne, violant et tuant d'innombrables civils, et beaucoup d'Allemands ont préféré se suicider plutôt que de se faire prendre.

Les Kemper ont fait une demande de visa au consulat canadien à Berlin et on leur avait promis une ferme dans leur pays d'adoption. Or la ferme n'existait pas et ils n'avaient droit qu'à un appartement. John s'était trouvé du travail comme vendeur d'aspirateurs et avait réussi à donner à Fried, de même qu'à son frère et à sa sœur, une bonne éducation et une enfance heureuse. Avec le temps, John avait monté une entreprise prospère dans le domaine de l'immobilier. Au moment où j'ai rencontré Fried, il était l'associé de son père.

Je trouvais que nous étions faits l'un pour l'autre. J'avais trente-quatre ans et Fried trente-trois. Il ne s'était jamais marié, mais adorait les enfants. Si ses centres d'intérêt différaient des miens – il était un entrepreneur et un sportif, n'avait pas terminé ses études universitaires, lisait rarement –, il était bon, franc, honnête et simple. Comme moi, il aimait cuisiner et c'est avec lui que j'ai commencé à faire un plat italien appelé osso bucco, qui deviendrait ma spécialité. De plus, Fried me faisait rire. Il avait un vif sens de l'humour et il savait taquiner sans blesser.

Ayant vécu avec Pierre qui de nature était très sérieux, n'aimant qu'une seule sorte d'humour, la comédie bouffonne (il raffolait de Charlie Chaplin), j'avais oublié combien le rire était important pour moi. Fried avait un sens de l'humour assez cru, mais il était hilarant et me faisait rire tout le temps.

Fried est bientôt devenu comme un grand frère pour les garçons, participant à leurs sports, les éveillant à la nature et leur montrant comment construire un quai, une remise, une maison d'été… Il était très habile de ses mains. Quelque temps après notre rencontre, il vendait sa maison et emménageait avec nous. Il voulait m'épouser, mais Pierre, en raison de sa foi catholique, refusait de divorcer.

J'animais maintenant ma propre émission de télévision. Au cours de l'hiver de 1984, j'ai eu comme invité un médecin spécialiste de la fertilité. En approfondissant le sujet pour pouvoir lui poser des questions pertinentes, j'avais découvert qu'après trente-six ans les chances de devenir enceinte diminuaient considérablement. Cette information m'avait donné un choc, car même si j'avais déjà trois garçons, j'avais toujours cru au fond de moi que j'aurais des enfants avec Fried. J'ai donc consulté le spécialiste après l'émission, lui précisant que j'utilisais le stérilet comme moyen de contraception et lui demandant ce qu'il me conseillait. Il m'a proposé de venir le voir à sa clinique ; vingt-quatre heures plus tard, il retirait le stérilet.

La veille, Fried et moi nous étions prélassés dans un bain à remous sur la terrasse, sous la neige qui tombait en abondance, en buvant du champagne. Ce fut une soirée romantique. Or cette soirée a été marquante tant pour moi que pour Pierre, qui l'avait passée à marcher dans la tempête en réfléchissant à son avenir politique, se demandant s'il devait se retirer. Quant à moi, j'étais en train de concevoir un enfant.

Pierre avait arrêté sa décision : sa carrière politique était terminée. Âgé maintenant de soixante-quatre ans, il avait consacré presque toute sa vie à la politique ; au total, il avait été premier ministre durant quinze des seize dernières années. Il voulait dorénavant du temps pour lire, voir ses amis, écouter de la musique. Il décida non seulement de quitter la politique, mais de déménager à Montréal, de retrouver les lieux de son enfance et de vivre dans un milieu francophone. Lorsqu'il m'a annoncé sa décision, nous avons tous deux convenu qu'il n'y a rien de plus triste qu'un ancien politicien vieillissant qui traîne dans les coulisses de la scène politique.

Quelques semaines plus tard, j'enregistrais des entrevues à New York pour mon émission. Une personne m'a offert un verre de vin rouge. Buvant une gorgée, je lui ai trouvé un drôle de goût. La même chose s'étant produite avec les trois autres enfants – une seule gorgée de vin me donnait la nausée –, je savais que j'étais enceinte.

Fried était ravi. J'ai immédiatement annoncé la nouvelle à Pierre et nous avons pleuré tous les deux. Nous nous étions aimés, mais la vie – sa sagesse, mon côté fantasque – nous avait séparés. Ne voulant pas que l'enfant porte son nom, Pierre accepta alors de divorcer. Comme il l'a dit à des amis, il était le seul premier ministre – même s'il ne lui restait que quelques semaines à ce poste – devenu père d'une famille monoparentale à la suite d'un divorce.

Fried et moi nous sommes mariés peu après. Le jour du mariage, le chauffeur de Pierre nous a fait signe de nous arrêter alors que nous étions en route vers le bureau de l'état civil. Il m'a remis un énorme bouquet de roses, avec les vœux de bonheur de la part de Pierre.

Le 7 février 1984, pendant que Fried et moi étions en vacances en Jamaïque, mon père est décédé. Il était cardiaque et avait été opéré, mais il n'avait que soixante-seize ans. J'ai été triste, bien sûr, mais je crois que je n'ai pas suffisamment pleuré sa perte à l'époque. À la réception après le mariage, qui réunissait seulement la famille et une amie proche à titre de dame d'honneur, j'ai été très touchée par la façon dont John Kemper m'a accueillie au sein de sa famille : puisque mes garçons venaient de perdre leur grand-père, il voulait leur demander s'il pouvait être leur nouveau grand-père.

Kyle est né le 17 novembre 1984 : un gros bébé de plus de trois kilos et demi, avec beaucoup de cheveux noirs frisottés – le plus beau bébé du monde.

J'avais décidé d'accoucher dans une chambre de naissance, et quelques minutes après la venue au monde de Kyle, Justin, Sacha et Michel sont entrés voir leur nouveau petit frère. Âgés respectivement de treize, onze et neuf ans, ils étaient excités par l'arrivée de ce bébé. Pour eux, c'était même mieux qu'un chiot! L'obstétricien m'avait donné du Demerol après l'accouchement et je me rappelle m'être sentie comme un oiseau perché tout en haut de la pièce, regardant cette scène touchante où Michel, avec ses petites lunettes rondes et son vieux jean, tient Kyle dans ses bras.

Incapables de nous entendre sur un nom, nous avions feuilleté un livre alors à la mode et intitulé *Never Name Your Baby Bill*, et à la lettre K nous avions trouvé Kyle.

Pour ses autres prénoms, nous lui avons donné ceux de nos pères, James et Joachim. La veille, ma sœur Jan avait eu une petite fille prénommée Jamie; il y avait donc maintenant deux cousins d'âge presque identique. J'avais démissionné de mon émission, ayant présumé qu'une femme enceinte ne pouvait pas apparaître à la télévision; de toute façon, j'avais l'intention de m'occuper moi-même de Kyle. Il n'était pas question de revivre le temps où des bonnes s'étaient occupées de mes enfants en raison de mon horaire chargé de femme de premier ministre.

On m'offrait une deuxième chance de connaître le bonheur, d'être le genre de personne que je voulais être – et avec Fried, je pouvais être cette personne. Nous avons été très heureux au cours des premières années. J'étais follement amoureuse de mon mari et de ce bébé qui comblait tous mes désirs: il était si beau, et il était à moi. Fini l'obligation d'assister à des soirées chics et fini les différends avec des bonnes d'enfants; heureusement, car Kyle ne supportait pas d'être gardé par quelqu'un d'autre. Nous l'aimions à la folie. Fried jouait et s'amusait avec lui; Fried et moi construisions ensemble notre maison de rêve à la campagne ; nous avions de bons amis. La vie était belle.

La famille étendue de Fried était très grande et chaleureuse, et je me suis rendu compte à quel point l'effervescence et l'affection de la vie de famille me manquaient. Nous avons utilisé l'argent de la vente de la maison de Fried pour rénover la cuisine, la salle familiale, la chambre principale et la salle de bains. En 1971, John Kemper avait acheté une propriété de cent quarante et un hectares au lac Newboro, avec huit kilomètres en bordure du lac. Au dix-neuvième siècle, on avait creusé le canal Rideau et construit des écluses, permettant ainsi à des bateaux d'accéder à de nombreux lacs et rivières. Le lac Newboro constituait une ligne de partage : au nord, les eaux s'écoulaient vers Ottawa, et au sud vers Kingston. John avait vendu presque tous les terrains donnant sur le lac, conservant seulement deux anses contiguës, et avait autorisé chacun de ses enfants à y construire une maison ; il demeurait cependant propriétaire des terrains, au cas où il y aurait des ruptures dans la famille. C'est à cet endroit, sur une île non loin de la rive, que Fried et moi avons construit une maison.

Elle correspondait exactement à ce dont j'avais toujours rêvé : un nid douillet, ceinturé d'une terrasse avec bain à remous. J'ai fait installer une cuisine-témoin achetée à moitié prix. Partout, le bois était à l'honneur : du cèdre à l'extérieur et du pin à l'intérieur. Pour la décoration, j'ai utilisé certaines de mes couleurs préférées, le blanc, le jaune et le bleu. Il y avait une chambre pour les enfants avec des lits superposés, une chambre d'amis et un grenier où nous pouvions mettre des futons pour d'autres enfants. Fried possédait déjà un chalet au mont Tremblant, une station de ski des Laurentides devenue à la mode à la fin des années 1930. Voilà mon idée du bonheur absolu : du ski en famille, jour après jour.

Le samedi soir, peu importe où nous étions, nous jouions aux cartes et à des jeux de société, ou assemblions des stations spatiales avec des pièces de Lego. Les samedis matin – petite gâterie –, les garçons étaient autorisés à préparer leur propre petit-déjeuner pendant que Fried et moi dormions. C'était le seul jour où ils avaient le droit de manger autant de céréales sucrées qu'ils le voulaient, qu'ils mangeaient, assis côte à côte, en regardant des dessins animés à la télévision : Spider-Man, Bugs Bunny, Road Runner.

J'aime à penser qu'avec Pierre et moi comme parents Justin, Sacha et Michel ont eu le meilleur de deux mondes – et je crois qu'ils seraient d'accord. Ils ont eu un merveilleux père traditionnel et strict : pas de télévision dans la maison. Pierre leur faisait lire les œuvres classiques, dont ils discutaient le soir à table. Ils devaient également mettre un cent dans un pot chaque fois qu'ils commettaient une erreur en parlant français. Pierre était très généreux envers eux, leur consacrant beaucoup de temps et leur témoignant beaucoup d'amour. De plus, ils ont connu une merveilleuse vie de plein air au chalet de Pierre à Morin-Heights, au nord de Montréal.

Et je les avais les week-ends. Les garçons n'auraient pu demander meilleur beau-père que Fried. Pendant l'année scolaire, ils venaient nous rejoindre en train. Pierre avait de grandes attentes à leur sujet – leur éducation, estimait-il, relevait de sa responsabilité ; moi, j'étais la mère empathique, compréhensive, cherchant à m'assurer qu'ils grandissaient en santé.

Pierre et moi nous parlions régulièrement au téléphone. Justin avait-il bien réussi à tel examen ? Sacha mangeait-il bien ? Michel s'était-il débarrassé de son rhume ? Il n'y avait pas de remarques désobligeantes entre nous, pas de désir de vengeance. Ce temps était révolu. Nous avions eu notre part d'horribles disputes ; je grimace en songeant à l'agressivité entre nous, dans nos mots et nos émotions, mais cette violence avait disparu. Enfin, la paix régnait entre nous. Nous avions peut-être échoué comme mari et femme, mais comme père et mère nous avions du succès.

Je restais au lac avec les enfants du printemps à l'automne. À l'occasion, nous y allions aussi en hiver, et je me rappelle ces jours magiques où sous un ciel d'un bleu éclatant nous allions patiner et faire du toboggan. C'était une vie parfaite. Avant la neige du mois de janvier, on pouvait facilement voir les galets dans le fond du lac tellement la glace était claire.

Les garçons allaient maintenant à l'école française à Montréal et demeuraient chez Pierre. Les week-ends, un policier les conduisait au lac.

«Quand ils arrivent, mes frères?» demandait Kyle dès qu'il a su parler.

À cette époque, encore jeune adolescent, Sacha avait inventé un jeu appelé «le survivant» auquel nous jouions au lac Newboro. Tout le monde participait, enfants, adultes et invités. Toutefois, ces derniers se montraient parfois décevants. Je me souviens d'un enfant qui s'était plaint: «Elle, elle est trop peureuse. Je ne la veux pas dans mon équipe!»

Le jeu fonctionnait comme ceci. À l'encre indélébile, Sacha écrivait les mots *eau* ou *nourriture* sur de petites plaques qu'il allait déposer dans les bois dans un quadrilatère de huit mille mètres carrés qui définissait notre terrain de jeu à l'intérieur de cette vaste propriété. Quand une personne trouvait une plaque, elle prenait un jeton pour prouver qu'elle était passée à cet endroit. Mais d'abord, tous les participants tiraient un jeton d'un chapeau pour établir s'ils étaient herbivores ou carnivores. Gare à vous si vous étiez un lapin, car il y avait beaucoup de prédateurs à votre recherche. Les herbivores se cachaient, mais si un carnivore les découvrait, ils lui remettaient leurs jetons. Pour gagner, les herbivores devaient trouver les plaques *eau* ou *nourriture* sans être vus des carnivores. C'était un jeu épatant et les joueurs prenaient leur rôle très à cœur : je me souviens d'une petite fille timide qui avait tiré le jeton de l'ours – quelle transformation !

La première fois que j'ai rencontré la mère de Fried, Mary, j'ai réalisé que je ne valais rien comme maîtresse de maison. Elle m'a appris à tenir maison, à m'organiser. Les Kemper excellaient dans la préparation de fêtes et ne rataient aucune occasion de célébrer. Mary prenait grand plaisir à trouver les cadeaux parfaits et à les accompagner de cartes de souhaits confectionnées avec des fleurs séchées. Les vendredis soir, les hommes arrivaient de la ville avec de la bière et des steaks qu'ils faisaient cuire au barbecue, et préparaient des feux de joie. Le père de Fried avait un accordéon et chaque membre de la famille jouait d'un instrument différent ; dans la soirée, ils sortaient leurs instruments et nous chantions. Nous faisions des pique-niques, du kayak et du canotage. Déjà à deux ans, Kyle était un excellent nageur.

Puis les hommes repartaient le lundi matin et les garçons retournaient chez Pierre, s'ils avaient de l'école. Les femmes et les jeunes enfants restaient au lac, et les cousins et cousines s'amusaient à courir dans les sentiers entre les maisons. Emportant un pique-nique, nous partions parfois pour la journée en Bayliner sur les lacs, passant de l'un à l'autre par les écluses. Nous jetions l'ancre au pied de falaises d'où les enfants sautaient dans l'eau claire et profonde. Fried se plaignait que je touchais toujours les hauts-fonds. Le kayak en plastique me convenait mieux.

Adepte du jardinage, je suis devenue forte en plantant des légumes et des fleurs, et en déplaçant de grosses pierres. Le père de Fried ne cessait de me complimenter, impressionné, disait-il, par l'énergie et le soin que je mettais à mener une tâche à bien. Je me délectais de ses compliments. Personne auparavant ne m'avait félicitée pour du travail bien fait.

En hiver, quand il y avait de la neige, nous passions les week-ends au chalet et les garçons venaient nous y rejoindre. Pierre les accompagnait parfois et nous skiions tous ensemble ; j'avais été meilleure qu'eux à une certaine époque, mais maintenant je peinais à les suivre. Pierre et Fried s'entendaient bien, et Pierre, extrêmement généreux, nous laissait souvent avoir les garçons et s'arrangeait pour nous faciliter la tâche.

Quand Kyle a eu deux ans, Fried lui a enseigné à skier en faisant du chasse-neige, en le tenant par une laisse. À l'occasion, nous emmenions tous les enfants dans un endroit chaud pour les vacances. L'entreprise de Fried était florissante et nous semblions avoir suffisamment d'argent pour tout. Nous formions une petite équipe : Fried, moi et les quatre garçons. La vie me donnait une seconde chance et je voulais en profiter pleinement. Les phases maniaques avaient disparu, et je ne prenais plus de médicaments. J'avais trouvé un équilibre de façon naturelle, sans l'aide de drogues. Ma vie avec Fried était merveilleuse ; je mangeais bien, vivais bien, m'amusais bien, et ma vie amoureuse me comblait.

J'arrivais même à traverser des situations potentiellement désastreuses sans trop de difficulté. Un jour, j'étais seule au lac avec les garçons et ma nièce Jamie, alors âgée de deux ans, comme Kyle. Nous nous baignions nus dans l'eau, quand soudain j'ai vu qu'un arbre à proximité de la maison avait pris feu. J'ai mis les bébés en sécurité et, toujours nue, j'ai couru jusqu'à la maison.

Par un heureux hasard, j'avais insisté pour faire installer un tuyau d'arrosage sur la terrasse quand nous avions bâti la maison – pas pour éteindre des incendies, mais pour arroser mes plantes. La maison n'avait pas le téléphone, je ne pouvais donc pas appeler les pompiers. Voici ce qui était arrivé : un ami qui avait passé la nuit à la maison avait jeté un mégot de cigarette sur le sol archisec, constitué d'aiguilles de pin, de feuilles et de brindilles en décomposition. Continuant de brûler, le mégot avait mis le feu à la tourbe, qui s'était propagé par les racines jusqu'à du bois sec. J'ai braqué le tuyau sur les flammes pour les éteindre, me rendant ensuite compte que je devais aussi arroser la tourbe, car le feu couvait en dessous ; je voyais des flammes surgir çà et là. L'expérience a été terrifiante et ç'a été un vrai miracle que la maison ne prenne pas feu. Heureusement, les dommages étaient minimes.

Le 2 février 1989, jour de la marmotte, j'ai donné naissance à une petite fille. Quel bonheur ! J'avais toujours voulu une fille, et à la naissance de chacun de mes garçons j'avais éprouvé un petit pincement au cœur. Nous l'avons prénommée Alicia après avoir été informés par les garçons que le nom que nous avions d'abord choisi – Mary Rose – était déjà pris. Ayant étudié l'histoire de l'Angleterre, ils avaient appris que le navire de guerre préféré d'Henri VIII s'appelait le *Mary Rose*.

Je gardais Alicia presque constamment dans mes bras, terrifiée qu'elle puisse être victime du syndrome de la mort subite du nourrisson et que je la perde. Un bébé tranquille, elle ne me donnait aucun problème, ne pleurait jamais. Je voyais en elle des traits de caractère de son père et de son grand-père ; c'était une enfant ordonnée, bien organisée, qui ne tarderait pas à nager et à skier avec ses frères. Elle était aussi intrépide qu'eux et je devais la surveiller, car elle avait tendance à s'élancer sur les pistes de ski d'une façon téméraire et casse-cou.

Au cours des mois chauds d'été, mes cinq enfants vivaient sur ou dans le lac, passant leurs journées à faire du ski nautique, du canotage, de la planche nautique. Fried était un merveilleux cuisinier et chaque matin l'odeur du bacon grésillant sur le gril me réveillait. Sa sœur Tini et Lynda, la femme de son frère Michael, sont devenues comme des sœurs pour moi. Le 1er juillet, jour de la fête du Canada, nous allumions des feux d'artifice et faisions rôtir un cochon à la broche. Les abords du lac étant plutôt vaseux, nous avions fait livrer des tonnes de sable pour aménager une plage. Et c'est là que, été après été, nous vivions. J'arrivais à peine à croire à mon bonheur.

CHAPITRE 9

Dérapage

Un livre que j'aime particulièrement s'intitule *The Mourner's Dance: What We Do When People Die*, de Katherine Ashenburg, publié en 2004. Il s'agit d'un ouvrage érudit sur les coutumes liées au deuil à travers les âges, écrit par une auteure qui avait une raison personnelle de chercher à comprendre le processus : après le décès du fiancé de sa fille, tous les proches du jeune homme, y compris Katherine, ont dû lutter pour faire face à la situation.

Ce qu'Ashenburg a découvert, c'est que nous nous sommes détachés de la mort, contrairement à nos ancêtres qui l'acceptaient pleinement. Auparavant, la famille demeurait avec le mort du moment du décès jusqu'à l'enterrement, on photographiait le défunt avec les vivants, et la famille se chargeait de préparer le corps pour les funérailles, de le laver et de le vêtir.

Lorsque j'étais au début de la quarantaine, plusieurs décès et autres malheurs ont ébranlé mon monde, et le peu d'équilibre que je croyais posséder a rapidement disparu. Quiconque a déjà eu et aimé des chiens sait ce que l'on ressent à la mort d'un animal domestique ; c'est comme perdre un membre de la famille. J'ai eu six chiens dans ma vie et ne connais que trop bien le chagrin éprouvé. Mais en 1991, la mort de notre chien m'a semblé comme une sombre métaphore d'une vie en chute libre.

En 1990, nous avions acheté un jeune labrador femelle de quatorze mois pour les enfants, que nous avions nommée Raven. Nous étions tous fous de cette adorable chienne au pelage noir comme l'ébène et au tempérament doux.

Il a fait très chaud, cet été-là. Un jour en août, alors que le temps était particulièrement humide et chaud, nous étions au lac et je revenais de faire des courses avec les enfants. J'ai commencé à sortir les sacs du véhicule, un Ford Explorer, par l'arrière. Raven, qui était bien sûr venue avec nous, est sortie du véhicule en même temps que nous.

Après avoir tout rentré dans la maison, je l'ai appelée. Étant donné qu'elle n'est pas accourue, j'ai présumé que, comme elle le faisait souvent dans les périodes de grandes chaleurs, elle s'était faufilée sous la partie surélevée de la maison, où il faisait toujours frais. J'ai fermé la voiture, puis Justin et moi avons emmené les plus jeunes enfants en bateau pour aller nager.

Quand nous sommes revenus environ une heure plus tard, nous avons été étonnés que Raven ne vienne pas nous accueillir. Nous l'avons appelée, cherchée. Puis je me suis approchée de l'auto. Elle était là, couchée sur le siège arrière, morte, ayant suffoqué à cause de la terrible chaleur. Sans que je m'en rende compte, pendant que je rentrais l'épicerie et que le hayon était ouvert, Raven s'était glissée sous le siège, attirée par la fraîcheur qu'avait procurée l'air conditionné, et s'était endormie.

J'adorais tellement ce chien ; et Kyle, alors âgé de six ans, a eu le cœur brisé. Mon chagrin à la suite de cette mort a été disproportionné. J'ai pleuré, pleuré. Il s'agissait d'une perte de plus à une époque de ma vie qui semblait définie et encadrée par de terribles, insupportables pertes. J'avais souffert de dépression post-partum après la naissance d'Ally (comme j'appelais Alicia), mais les chiens noirs du désespoir venaient seulement de commencer à s'acharner contre moi.

Peu de temps après la naissance d'Ally, en 1989, Fried a commencé à avoir des problèmes financiers. L'entreprise que son père avait fondée s'était développée rapidement et avait connu des années très profitables, mais maintenant, avec la récession qui frappait l'Amérique du Nord en ce début des années 1990, tout ce qui avait un rapport avec les domaines de la construction et de l'habitation s'en ressentait. Voulant faire prendre de l'expansion à son affaire, Fried avait procédé trop vite, et il avait fait quelques mauvais investissements.

Au début, il en parlait peu, voulant me protéger. Et comme j'étais tout absorbée dans la vie de famille et occupée à élever les deux jeunes enfants, je ne me suis pas vraiment rendu compte de ce qui se passait. J'avais l'impression que nous communiquions de moins en moins, mais je ne le pressais pas de questions. Tout ce qu'il répondait lorsque je lui en parlais, c'était qu'il y avait moins d'argent, mais qu'il pouvait toujours subvenir à nos besoins comme avant.

Quand la récession s'est accentuée, Fried m'a annoncé que nous n'avions plus le choix, il fallait réduire nos dépenses. Nous avons commencé par renoncer au chalet à Mont-Tremblant. Puis aux voyages de vacances. Bien sûr, nous n'étions pas les seuls dans cette situation; autour de nous, des amis s'efforçaient de faire des économies de ce genre. Et nous avions toujours ma maison de la rue Victoria, à Ottawa, et la maison de campagne au lac Newboro. Mais les marchés continuaient de dégringoler, et Fried a été forcé de vendre son entreprise principale. Puis il a déclaré faillite.

J'avais commencé à fumer de la marijuana dans les années 1960, et ç'avait toujours eu un effet merveilleux sur moi. Le cannabis me relaxait, m'empêchait de m'inquiéter et semblait aussi m'aider à mieux me concentrer. Dans mes périodes de surexcitation, seul un joint parvenait à calmer quelque peu mon esprit exalté.

Chez certains de mes amis, la marijuana avait un effet soporifique. Ils pouvaient rester assis des heures durant à fixer le mur, alors que dans mon cas la drogue m'avait toujours insufflé de l'énergie. Grâce à elle, tout un monde s'ouvrait à moi, et j'adorais ce qu'elle me faisait découvrir, ce qu'elle me faisait voir, entendre et sentir, des choses dont je n'avais jamais soupçonné l'existence. La marijuana semblait m'amener précisément là où je voulais être : en un lieu sûr où j'étais bien, heureuse, où j'oubliais le passé et où le futur s'annonçait prometteur.

Je ne fumais pas pour fuir, mais pour le plaisir. Et même si j'éprouvais un certain sentiment de perte quand ma réserve diminuait, je ne me considérais pas comme dépendante de la drogue. Je me disais qu'elle ne m'avait jamais empêchée de fonctionner, qu'au contraire elle m'aidait à être plus résolue, à vivre dans le moment présent, en percevant les bonnes choses et en oubliant les mauvaises. Mais bien sûr, c'était ça le hic. J'oubliais non seulement les mauvaises choses, mais beaucoup d'autres : les tâches, les factures à payer, les repas à préparer... Plus tard, quand les enfants grandissaient, je leur disais : « Vous pouvez fumer du pot pour le plaisir, mais il ne vous aidera jamais à progresser. Toute ambition disparaîtra. »

Quand j'étais mariée avec Pierre, j'avais peu d'occasions de me procurer de la marijuana. Je n'avais que quelques rares fois fumé un joint ou fait des expériences avec des champignons. La cocaïne que j'avais essayée quand je faisais la fête à New York m'avait convaincue que ce n'était pas une drogue pour moi ; j'avais vu trop de mes amis détruits par elle. La cocaïne est une infâme voleuse : elle vous vole tout, y compris votre vie. Mais avec la marijuana, que je fumais maintenant quand je voulais, malgré la désapprobation de Fried, je me sentais en sécurité, je me disais qu'il n'y avait aucun danger. Il s'est avéré que c'était une fausse impression.

Un matin, alors que je m'apprêtais à conduire Kyle à la maternelle, le facteur est passé et m'a dit qu'un colis était arrivé pour moi, et qu'on semblait faire un tas d'histoires à son sujet au bureau de poste. Ma mère m'avait probablement envoyé quelque chose de Vancouver, me suis-je dit. Mais quand le facteur m'a livré le paquet le lendemain matin, j'ai vu qu'il n'y avait ni adresse ni nom d'expéditeur. Je l'ai ouvert et à l'intérieur j'ai découvert la plus merveilleuse marijuana.

Ravie, j'ai caché ce beau cadeau dans un placard à l'étage, puis j'ai jeté l'emballage aux poubelles. Cet après-midi-là, après être allée chercher Kyle à la maternelle, j'ai trouvé deux voitures de police devant la maison. Quand j'ai mis la clé dans la serrure, plusieurs policiers se sont approchés. J'étais en état d'arrestation, m'ont-ils dit, pour possession de drogue. Je serrais Kyle dans mes bras et j'étais si terrifiée que j'ai fait pipi dans ma culotte.

Un ami d'un ami m'avait envoyé la marijuana anonymement. Or cette autre personne avait laissé échapper dans un endroit public des détails de la livraison et la GRC, qui en avait eu vent, avait contacté la police locale. Les chiens renifleurs avaient ensuite repéré le paquet en détectant l'odeur caractéristique de la marijuana.

Quand j'avais défait l'emballage, j'avais remarqué de curieuses marques – laissées par des dents de chien, comme je m'en rendais compte maintenant. À ma grande honte, on m'a informée que j'allais devoir comparaître en cour. On a prélevé mes empreintes digitales et on m'a photographiée.

Nous avons retenu les services d'un excellent avocat et je m'en suis tirée avec un sursis, l'avocat ayant présenté une défense de provocation policière. Si jamais on m'arrêtait de nouveau, j'aurais de sérieux ennuis, m'a-t-on avertie. Malgré tout, la presse, qui n'avait rien eu de scandaleux à rapporter à mon sujet depuis plusieurs années, s'en est donné à cœur joie. J'ai tout de même réussi à traiter l'incident à la légère, me disant que tout le monde se fait pincer un jour ou l'autre ; je suis allée au chalet d'amis à qui j'en ai parlé et qui m'ont remonté le moral.

Everybody must get stoned, avait écrit Bob Dylan. Par conséquent, me suis-je dit, tout le monde doit, à un moment ou à un autre, se faire pincer. Toute cette affaire me paraissait plus absurde qu'inquiétante.

À peu près à cette époque, une amie très proche, Mary-Jean Green, a appris qu'elle avait le cancer du sein. Sa mère, Mary Mitchell, une Écossaise excentrique, intelligente et talentueuse, avait été une merveilleuse amie pour moi et un mentor. Le père de Mary-Jean, Sir Harold Mitchell, avait fait partie du cabinet de guerre de Winston Churchill et avait épousé Mary pendant qu'elle était dans le Women's Army Corps.

Mary Mitchell et moi nous étions rencontrées lorsque Pierre et moi avions emmené Justin, alors un bébé, en vacances en Jamaïque. Deux jours avant notre départ, le haut-commissaire de la Jamaïque était passé au 24 Sussex pour demander si quelque chose pouvait être préparé pour nous. J'ai répondu que ce serait merveilleux si on pouvait trouver une jeune fille pour s'occuper de Justin pendant que nous irions dîner.

Le haut-commissaire semblait consterné. « Vous emmenez le bébé ? » demanda-t-il. Le Jamaica Inn, où nous devions loger, n'acceptait pas les bébés. Cependant, ses bons amis les Mitchell avaient une maison pour les invités sur la plage, un vieux fort qu'ils avaient décoré et rendu charmant, et qu'ils nous offraient. J'ai adoré Mary dès l'instant où je l'ai rencontrée et suis restée proche d'elle jusqu'à sa mort, des années plus tard.

Mary-Jean, sa fille unique, avait appris le japonais pour pouvoir communiquer avec les gens d'affaires nippons, et après la mort de son père elle avait dirigé une multinationale du charbon valant plusieurs millions de dollars. Elle et moi avions eu nos enfants au même moment et avions passé beaucoup de temps ensemble à les élever. Mary-Jean et son mari, Peter, comptaient parmi nos plus proches amis. Généreuse et attentionnée, elle ne parlait jamais de ses problèmes.

Mary-Jean avait trente-huit ans lorsqu'elle a reçu le diagnostic de cancer, et elle l'a combattu avec tout ce que permettaient sa force de caractère et sa fortune. Elle avait toujours été soucieuse de sa santé, et je me sentais constamment coupable, à côté d'elle, avec mes habitudes alimentaires et mon style de vie.

Elle a essayé tout nouveau traitement, a visité toutes les cliniques, n'hésitait pas à se rendre à des endroits où, avait-elle entendu dire, on offrait de nouvelles cures. Une chose qui me dérangeait beaucoup, c'était de ne pas pouvoir l'accompagner à cause de nos problèmes financiers.

Le seul réconfort que j'ai pu lui procurer était le suivant : quelques années auparavant, je l'avais convaincue de ne pas envoyer ses garçons, Alexander et Andrew, alors âgés de cinq et six ans, à l'école en Angleterre, mais de les garder près d'elle, aux Bermudes, où ils allèrent à l'école sur une île voisine. Ses fils étaient donc avec elle au cours des deux dernières années de sa vie. Mary-Jean était plus jeune que moi, mais c'était une amie très proche qui avait eu une grande influence sur ma vie. Maintenant, elle n'était plus là.

Deux ans plus tard, c'était au tour de Mary. Elle avait acheté une maison à Boston pour se rapprocher de ses petits-enfants, et Fried et moi allions souvent lui rendre visite. Un jour, elle m'a dit : « J'ai un petit problème dans la poitrine. » Elle toussait beaucoup. Le mot « poitrine » voulait apparemment dire « sein ». Elle est morte peu après. J'ai amèrement pleuré la perte de cette très chère amie. C'était une femme cosmopolite, très libérée et débordante d'énergie et de détermination.

Les décès dans mon entourage se multipliaient. Peu avant la mort de Mary-Jean, j'étais à la maison avec Ally quand Heather Gillin, une autre amie proche, est venue me voir à bicyclette. Elle avait une terrible nouvelle à m'apprendre : elle aussi était atteinte de cancer et était en train de mourir. Lorsqu'elle est partie, j'étais si perturbée et en colère que j'ai donné un coup de pied dans un arbre. Je pensais m'être cassé les orteils.

Comme Heather ne voulait aucun visiteur, je ne l'ai plus revue, mais nous parlions régulièrement au téléphone. Un jour, quand j'étais à la maison de campagne, je suis allée en ville acheter le journal, dans lequel j'ai vu l'avis de décès de Heather. Les funérailles avaient lieu le jour même, et il était trop tard pour que j'y assiste. Je commençais à trouver que je n'étais jamais là au bon moment pour les gens que j'aimais.

Fried craignait toujours que je tombe enceinte. J'étais au début de la quarantaine, mais je n'avais jamais eu de difficulté à concevoir. Étant donné nos problèmes financiers, et comme nous avions déjà deux enfants à nous, Fried était catégorique : il ne fallait pas qu'on en ait d'autres. Il a pensé à la vasectomie, mais quelque chose en lui regimbait à cette perspective. Je résistais moi aussi à l'idée de prendre des mesures pour éliminer toute possibilité de conception. Je n'envisageais pas sérieusement d'avoir un autre enfant, mais l'idée de rendre cela impossible m'horrifiait. La maternité avait été l'essence de mon être, la meilleure partie de moi, la plus accomplie, celle où j'avais été le plus épanouie, peut-être parce que j'avais un tel sentiment d'insatisfaction par rapport à tout le reste. C'est quand j'étais enceinte que j'avais été le plus heureuse.

Puis le destin est intervenu – deux fois – pour prendre la décision à ma place. Un jour je me suis retrouvée enceinte, et j'étais au comble du bonheur. Mais quand j'ai pris rendez-vous avec le médecin, il m'a informée que le placenta – l'organe qui relie le fœtus à la paroi de l'utérus – ne s'était pas fixé correctement. Le lendemain, j'ai dû subir un curetage. Ce même après-midi, le téléphone sonnait comme je rentrais à la maison. C'était Justin qui appelait pour me dire que Mary-Jean était morte.

J'étais atterrée : je n'avais même pas été à ses côtés, et je ne lui avais offert ni soutien ni amitié à la fin. Je ne pouvais m'empêcher de penser que, pendant que sa vie s'éteignait, disparaissait aussi toute idée d'une nouvelle vie se développant en moi. Deux terribles événements avaient eu lieu en même temps, et quelque chose de bizarre était en train de se produire dans mon cerveau. Un sombre abattement commençait à me consumer, comme si les années de bonheur étaient chose du passé et que nous ne formions plus une famille heureuse. J'ai commencé à déraper.

À mesure que les jours passaient, et que Fried et moi reprenions une vie conjugale où nous étions de plus en plus distants, lentement mais sûrement je sombrais. Parce que j'avais été heureuse pendant si longtemps sans le moindre symptôme, je n'ai tout simplement pas compris. J'avais oublié, comme, souvent, les gens oublient la douleur. Tout ce que je savais, c'est que chaque jour mon humeur s'assombrissait et que chaque jour je m'éloignais un peu plus de mon mari et de mes enfants. Je continuais à faire à manger pour les enfants, à les aider avec leurs devoirs et à jouer avec eux – ces joies et obligations m'aidaient à fonctionner –, mais je me demandais pendant combien de temps je pourrais le faire.

La lumière autour de moi s'est mise à faiblir, les jours ensoleillés à disparaître; mon environnement et tout le monde qui en faisait partie ont pris une teinte de gris. Notre situation financière ne cessait d'empirer et la culpabilité d'avoir contribué si peu au ménage s'est installée en moi. Je me sentais triste, épuisée. Et j'ai commencé à faire ce que, comme je le sais maintenant, j'avais toujours fait sous une forme ou une autre : j'ai cherché à qui faire porter la responsabilité de ma tristesse, et je rêvais de fuite.

Je n'étais pas responsable de mes idées noires, c'était la faute de quelqu'un d'autre, en l'occurrence Fried. Dans mon journal rouge, j'avais écrit : « Je ne veux plus être mariée. Je ne veux pas dépendre d'un homme. J'ai ma propre route à suivre et je dois la parcourir seule. »

J'étais dans cet état de sombre désespoir quand Raven, notre jeune chienne, est morte. La mort de Mary-Jean, ma fausse couche, la désunion qui s'accentuait dans mon couple : les tragédies – c'est comme ça que je les percevais – s'accumulaient.

Et alors la dégringolade s'est accélérée. Au début, ma mélancolie me paraissait une façon de fuir le monde menaçant. J'avais trouvé dans mon esprit un endroit sûr, sombre, où me réfugier, une caverne dans laquelle la lumière diminuait au-delà de l'entrée et où je pouvais battre en retraite dans la noirceur.

C'est seulement bien plus tard, quand j'ai entendu les mots de Leonard Cohen dans sa chanson *Anthem – there's a crack in everything / that's how the light gets in* («il y a une fissure dans toute chose / c'est comme ça qu'entre la lumière») – que j'ai compris que, pour une personne déprimée, la lumière peut être une minuscule flamme. Dernièrement, une amie m'a demandé si je pouvais écrire une lettre à sa fille qui combattait une dépression grave. Voici ce que je lui ai dit : aux heures les plus sombres, tu verras un tout petit trait de lumière sous la forme de l'amour et de la compassion des autres. Je lui ai recommandé vivement de tendre la main vers cette lumière. Je sais maintenant que c'est ce qu'il faut faire ; je l'ignorais à l'époque.

Ma caverne n'était pas du tout un endroit sûr, mais plutôt un trou sans fond, dans lequel je m'enfonçais de plus en plus. Je n'avais pas d'énergie, pas de projet. Je me glissais d'une journée à l'autre, aimant les enfants, m'efforçant de m'en occuper et faisant tout ce que je pouvais pour empêcher qui que ce soit de remarquer ce qui m'arrivait. Pendant un moment, j'ai pensé que je me sentirais mieux si je trouvais du travail, mais quel travail ? J'étais trop vieille pour avoir un poste en télévision, et malgré l'énorme quantité de photos que j'avais accumulées, je n'avais aucune idée quoi en faire.

Certains jours, j'avais l'impression d'être en deuil. Je m'assoyais sur le plancher et faisais des collages en découpant des photos de mon passé, à la recherche d'un sens dans ces images. J'ai passé des heures dans la remise au fond du jardin au lac Newboro, à peindre l'intérieur en blanc et rouge, y restant de plus en plus longtemps chaque jour. C'était ma sortie de secours, ma façon de m'accrocher, d'éviter d'avoir à faire face à la dépression qui, chaque jour, m'enveloppait de plus en plus solidement dans sa sombre lumière grise. Mais pour ma famille, le prix à payer était énorme.

Nous avons continué tant bien que mal. Puis à l'été 1995, quand nous étions de retour au lac Newboro, je me suis réveillée un matin avec une douleur insupportable dans le cou. Comme la douleur ne s'atténuait pas, j'ai craint qu'il s'agisse d'un début d'arthrite.

Un soir, j'ai constaté que je ne pouvais plus lever une casserole ni ouvrir une boîte de conserve sans ressentir une intense douleur. Je suis allée voir un omnipraticien et lui ai décrit mes symptômes. Après m'avoir écoutée, il m'a dit de me lever, puis a posé délicatement ses doigts, un par un, sur diverses parties de mon corps. Comme j'avais poussé un petit cri de douleur quand il avait touché seize des dix-huit points de pression, il a dit que je souffrais probablement de fibromyalgie.

Ma première réaction en a été une de soulagement. Voilà un problème médical évident, quelque chose que l'on pouvait traiter rapidement. Je me trompais à ce sujet. La fibromyalgie, m'a informée le médecin, était une maladie qui venait de l'esprit, pas du corps. Je souffrais de douleur rapportée, qui se manifestait en se déplaçant dans différentes parties de mon corps.

Le cerveau, a expliqué le médecin, a une image claire des différentes parties du corps, mais pas de l'anxiété, ni de la tristesse, ni d'une faible estime de soi ou du sentiment de perte. Et comme le cerveau ne sait pas où envoyer le signal, il envoie de la douleur là où il peut. Ce n'était pas la douleur elle-même qu'il fallait traiter, mais ce qui était sous-jacent. Et ça, a dit le médecin, c'était très certainement la dépression. Tout cela me paraissait horriblement logique. En repensant aux quelques années qui venaient de s'écouler, je me rendais maintenant compte que ce dont j'avais souffert ne ressemblait que trop à mes précédents épisodes de dépression. Pourquoi ne l'avais-je pas réalisé avant?

Sauf pendant une certaine période au début des années 1980, où j'étais aussi sous lithium, je n'avais jamais pris d'antidépresseurs. Dans les années 1990, le Prozac était reconnu comme un médicament remarquablement efficace, avec très peu d'effets secondaires pour la plupart des gens. Le médecin m'en a prescrit. Après être passée par la pharmacie, je suis rentrée à la maison soulagée.

Quelques jours plus tard, les effets se faisaient sentir: j'avais l'impression que le printemps était revenu. Le monde avait retrouvé sa couleur, la grisaille s'était dissipée et l'énergie circulait de nouveau dans mes veines. Je me suis remise à cuisiner, à jardiner; j'ai recommencé à rire. Le monde, qui semblait s'être vidé de toute joie, était de nouveau gai, drôle, plein de rires.

Le médecin m'avait prescrit une assez forte dose de Prozac, et j'ai continué à prendre ce médicament durant plusieurs années, toujours à forte dose. Ce que j'apprendrais seulement plus tard, c'est que, dans le cas de la maladie bipolaire, le Prozac peut agir comme déclencheur de manie. Pour moi, à ce moment-là, cette pilule me paraissait une drogue miracle, alors j'ai continué de la prendre, toujours à forte dose. En faisant un peu de recherche sur le cerveau, j'ai découvert que, selon l'opinion générale de la communauté médicale, lorsqu'on souffre de dépression le taux de sérotonine dans le cerveau baisse et que les antidépresseurs, quand ils fonctionnent bien, augmentent la production de sérotonine.

Et quand, de temps en temps, j'avais de petites flambées de manie, j'étais soulagée, pas effrayée, les percevant comme un aperçu d'un plus grand bonheur et de plus d'énergie encore. Ça, c'était au début. Puis les accès de manie sont devenus plus fréquents et les intervalles entre eux plus courts, et à mesure que leur intensité augmentait, je me suis de plus en plus alarmée.

Pendant toute cette période, Fried et moi nous sommes éloignés l'un de l'autre toujours un peu plus. En partie parce qu'il aimait le golf, mais aussi parce que c'était une bonne façon de rencontrer le type de personnes qu'il devait côtoyer pour ses affaires, Fried s'était mis à pratiquer ce sport régulièrement et était devenu membre d'un des clubs les plus sélects d'Ottawa. Mais les frais d'adhésion étaient élevés et nous n'avions pas les moyens pour que je m'inscrive aussi. De toute façon, je consacrais encore beaucoup de mon temps à Kyle et à Ally, ainsi qu'aux trois garçons, lorsqu'ils étaient avec nous. Cependant, ces derniers étant maintenant plus âgés, ils étaient souvent ailleurs, vaquant à leurs propres affaires.

À cause du Prozac, j'avais de nouveau pris du poids, et quand je me regardais dans le miroir, je ne me reconnaissais pas – d'aucune façon. J'étais devenue fade et ennuyeuse pour les autres, mais à mes yeux aussi. Alors j'ai pris la voie que j'avais toujours suivie : j'ai cherché quelqu'un sur qui en rejeter la responsabilité. Et tout comme j'avais tenu Pierre responsable de tout ce qui n'allait pas dans ma vie au 24 Sussex, maintenant c'était à Fried que je voulais faire porter la responsabilité pour mon agitation et ma perpétuelle insatisfaction ainsi que pour mon insupportable sentiment d'échec. Même la récession, c'était de sa faute, et la perte de notre argent.

Je lui reprochais sa maîtrise de soi et le peu d'affection qu'il avait démontrée quand j'avais perdu le bébé, et la facilité avec laquelle il pouvait oublier les problèmes et passer à autre chose. Je lui reprochais de ne pas lire plus de livres. Et si j'étais grosse et peu attrayante, et qu'il ne m'aimait plus beaucoup, ça aussi c'était de sa faute.

Les reproches et les récriminations ont commencé à remplir mes journées. Fried et moi ne communiquions presque plus et j'ai abandonné notre chambre à coucher pour m'installer dans une autre pièce. Puis ma ménopause a commencé ; et tout comme les hormones actives pendant la grossesse et après l'accouchement avaient dans le passé déclenché en moi de violentes sautes d'humeur, c'est aussi ce que firent les changements hormonaux liés à la ménopause.

Quand je suis allée voir un médecin pour lui dire que le va-et-vient entre mes états d'âme était devenu incontrôlable – en quelques heures seulement je pouvais passer du désespoir à l'exaltation –, il m'a tapoté le bras pour me rassurer.

«Ça passera, a-t-il dit. Il faut juste attendre.» Puis il a ajouté quelque chose qui aujourd'hui me semble assez bizarre: «Vous êtes en train de rapetisser très bien.»

Il faisait allusion, bien sûr, à ma masse osseuse qui diminuait, comme d'ailleurs toutes les parties de mon corps sauf mon nez – un des changements provoqués par la ménopause. À ce moment-là, la seule chose à laquelle je pouvais penser c'était: qui veut rapetisser?

Tout, maintenant, semblait conspirer à me rendre vulnérable – toute remarque anodine, toute perturbation, tout événement fâcheux. J'engraissais toujours et le Prozac n'agissait plus. Encore une fois, mon énergie était tombée pratiquement à zéro. Et alors j'ai pris un virage fatal. J'ai appelé l'omnipraticien, qui m'a dit d'arrêter de prendre le Prozac et de commencer autre chose. C'était une erreur. Le médicament était nouveau et les médecins essayaient peut-être encore de comprendre son fonctionnement.

J'ai mis fin au Prozac d'un coup, sans réduire progressivement la dose, en choisissant d'ignorer l'avertissement du Dr Fieve quant au danger de cesser la prise d'un médicament trop soudainement.

Ayant décidé que j'avais besoin d'une pause, j'ai laissé les enfants avec Fried et suis allée voir ma mère à Vancouver. J'étais à peine arrivée que débutait une phase maniaque. Je me suis trouvée impliquée dans une de ces ridicules et dangereuses combines de vente pyramidale. Les principaux responsables allaient plus tard faire de la prison. Au cours d'un dîner, j'avais entendu une femme vanter les profits faramineux qu'elle réalisait grâce à des figurines de porcelaine qui se vendaient presque toutes seules. J'ai mordu à l'hameçon.

La dopamine, une substance chimique qui se trouve naturellement dans le cerveau, donne de l'énergie et favorise la créativité dans des circonstances normales. Mais ce que j'éprouvais, c'étaient des montées de dopamine, des vagues si puissantes que je pouvais sentir l'énergie me sortir par le bout des doigts. Les pensées se bousculaient dans ma tête, la plupart décousues. C'est ce qu'on appelle le « déficit de perception » : vous pensez tout savoir, mais c'est tout le contraire. Vous ne pouvez pas manger, pas dormir, pas fonctionner. Vous pensez avoir atteint le paradis, mais c'est loin d'être le cas.

Je me souviens que j'étais tout excitée quand j'ai dit à ma mère et à mes sœurs que ces figurines allaient faire notre fortune. Je ne cessais d'exhorter ma famille à se joindre à moi, à acheter des centaines de figurines qu'on entreposerait dans notre garage. J'étais bien consciente, alors, que j'étais en train de perdre le contrôle. Ma mère et mes sœurs aussi s'en rendaient compte, à cause de ma grande agitation et de mon débit rapide.

L'une d'elles a insisté pour que j'appelle le médecin qui m'avait prescrit le Prozac. Quand il m'a rappelée, il s'est inquiété de ce que j'avais peut-être arrêté de prendre le médicament trop rapidement. Je lui ai décrit comment je me sentais. Il était consterné et m'a dit d'aller immédiatement à l'hôpital et de demander qu'on me regarde les yeux. Sa crainte, c'était que je sois en pleine crise de manie.

Quand j'ai eu raccroché, j'ai répété à ma mère les paroles du médecin. Sa réaction a été la même que des années plus tôt. J'avais besoin d'une tasse de thé et d'une bonne nuit de sommeil. De toute façon, à l'hôpital, tout ce qu'on ferait c'est m'envoyer voir un psychiatre, qui jetterait le blâme sur elle parce qu'elle aurait été une mauvaise mère. Ce que ma mère ne comprenait pas, c'est que je n'étais pas fatiguée, mais surexcitée. Elle avait raison sur un point : j'avais en effet besoin d'une bonne nuit de sommeil, ou d'au moins un peu de sommeil. Depuis des semaines, j'avais à peine fermé les yeux parce que mon esprit exalté ne m'accordait aucun répit. Je débordais d'idées, de confiance, d'exubérance. S'il n'y avait rien à mon épreuve, pourquoi ne pas vendre des figurines de porcelaine ?

Le lendemain matin, je suis allée skier avec un ami de longue date, Ross MacDonald. Mon énergie et mon courage étaient sans bornes. Je sautais par-dessus les brusques dénivellations comme si j'avais été une fillette de onze ans. Mon ami ne cessait de me dire de ralentir. Les choses bizarres que je disais le laissaient perplexe, aussi. Je lui ai annoncé que j'avais décidé de faire des changements dans ma vie, que j'allais quitter Fried et acheter une maison à Vancouver.

Lorsque je suis rentrée à la maison, ce soir-là, je me sentais pénétrée des sentiments de toute-puissance et de perspicacité. J'étais persuadée que quoi que je décide de faire, je le ferais brillamment. Mes gribouillages étaient des œuvres d'art, mes tournures de phrases étaient géniales et rempliraient des livres couronnés de prix. Mon esprit était en ébullition, s'emballait, sautait d'une pensée à une autre, d'un plan à un autre, d'une idée à une autre. J'avais l'impression qu'un courant de mille volts me traversait la tête. Quant aux gens autour de moi, ils se traînaient les pieds, étaient ennuyeux, peu aventureux. J'éprouvais aussi l'irrépressible envie de rire, de chanter à tue-tête, de danser dans la maison. J'étais convaincue que tous les hommes autour de moi me trouvaient irrésistible. J'avais déjà connu ça.

Mais personne ne peut vivre longtemps dans un tel état de surexcitation fébrile. Le lendemain matin, on m'emmenait à l'hôpital St. Paul, où je fus admise dans le service de psychiatrie.

CHAPITRE 10

Vol au-dessus d'un nid de coucou

Je n'avais pas été dans un hôpital psychiatrique depuis mon bref séjour en 1974, près de vingt-quatre ans auparavant. Dans l'intervalle, il y avait eu de bons et de mauvais moments, des périodes de bonheur et d'autres de grande détresse, et de courtes périodes où j'avais pris du lithium et du Prozac. Mais ce qui m'arrivait était différent et particulièrement effrayant.

Au cours de ma folle journée sur les pentes de ski, j'étais tombée et m'étais blessée au genou. Pour réussir à me faire voir un médecin au sujet de mes épisodes maniaques et de mes terrifiantes sautes d'humeur, ma famille, folle d'inquiétude, m'a dit qu'il fallait faire examiner mon genou. Quand je me suis rendu compte qu'on avait utilisé une ruse pour me faire mettre en observation pendant soixante-douze heures à l'hôpital St. Paul, j'étais furieuse et remplie de peur paranoïaque – terrifiée. Pire, je me sentais trahie. Pour ma mère, qui est malgré tout venue me voir, le fait que sa fille se trouvait dans un service de psychiatrie était consternant. Elle avait peur de la maladie mentale et n'avait jamais vraiment accepté ce que j'avais subi. Bien sûr, devait-elle se dire, il y a des hauts et des bas dans la vie, et tout le monde se sent triste à un moment ou à un autre, non?

(Beaucoup plus tard, au cours de l'été 2008, j'ai donné une conférence dans le cadre de la série Unique Lives and

Experiences. Jane Fonda, Lily Tomlin et Diane Keaton étaient aussi au programme cet été-là. J'ai parlé devant un vaste auditoire à l'Orpheum Theatre, à Vancouver, et dans la première rangée était assise ma mère. Elle a alors entendu, pour la première fois en fin de compte, les affreux détails de ce que j'avais vécu. Ce que je retiens de cette soirée-là, c'est la grande tendresse qu'elle m'a témoignée après la conférence. Cela lui avait ouvert les yeux.)

Mes sœurs, nerveusement, me rendaient visite de temps en temps à l'hôpital. Justin, qui enseignait à Vancouver, venait tous les jours.

La première chose que les médecins ont faite quand j'ai été hospitalisée, c'est me mettre sous tranquillisants pour me sortir de la crise maniaque. On m'a donné de l'Epival (acide valproïque), qui contient du divalproex de sodium – un anticonvulsivant utilisé principalement pour traiter l'épilepsie en stabilisant l'activité électrique dans le cerveau, mais parfois aussi comme stabilisateur de l'humeur et pour traiter des épisodes de trouble maniaque. J'ai lutté contre mes soignants tout le temps. Je suis même devenue si violente qu'on m'a mis une camisole de force et enfermée dans une cellule capitonnée. Dans cette pièce, j'ai chanté *Michael Row the Boat Ashore* sans arrêt durant deux heures, jusqu'à ce qu'on accepte de me laisser sortir. Je n'ai aucune idée pourquoi j'ai choisi cette chanson. Tout ce que je sais, c'est que ce fut le moment le plus humiliant de ma vie ; comme j'ai toujours eu la peur d'être emprisonnée, jamais je n'oublierai cette expérience. Mon sentiment le plus fort en était un d'échec et de solitude : jamais, ni avant ni depuis, je ne me suis sentie aussi seule et abandonnée de tous.

J'étais sous constante surveillance. Quelqu'un était posté à ma porte et me surveillait jour et nuit, même quand je dormais. C'était perturbant, mais je l'acceptais. J'avais été la femme d'un premier ministre et avais l'habitude des gardes du corps.

L'aile psychiatrique était plutôt agréable. J'avais une chambre individuelle, et la salle commune était accueillante et bien éclairée. Mais les patients n'avaient rien à faire, et il nous était fortement déconseillé de discuter de nos problèmes entre nous. De toute façon, la plupart des patients étaient trop drogués pour parler, et j'ai toujours détesté la vie communautaire. Mes séjours dans des communautés hippies au Maroc et l'enfance que j'avais passée entourée de cousins avaient fait naître en moi un grand désir d'intimité. Quand je me sentais assez forte, j'errais dans le service en traînant les pieds, en essayant de ne pas buter contre d'autres patients qui traînaient eux aussi les pieds en suivant leur propre voie désespérée. À mesure que les médicaments faisaient effet, j'avais l'esprit de plus en plus confus et manquais totalement d'énergie. Un matin, on m'a dit que je pouvais aller me promener dehors, si je voulais. J'ai fait un petit tour en me traînant les pieds, puis suis revenue. J'aurais pu m'échapper, mais j'étais si léthargique que je n'aurais probablement pas pu me rendre bien loin.

Mon sentiment d'abandon s'accompagnait de la conviction d'être devenue une prisonnière – sans aucun droit, sans amis, condamnée à une peine de durée indéterminée. La période d'observation initiale de soixante-douze heures avait été prolongée indéfiniment, à la différence que j'étais maintenant une patiente «volontaire»: j'aurais pu partir n'importe quand, sauf que je n'avais ni la volonté ni le courage de le faire. Je pensais constamment à mes enfants, avec qui j'aurais tant voulu être. Fried était à Ottawa avec Ally et Kyle, et n'est pas venu me voir; les enfants non plus ne sont pas venus, car il estimait qu'un service psychiatrique n'était pas un endroit où une enfant de neuf ans devrait voir sa mère.

Au plus fort de ma phase maniaque, j'avais écrit d'horribles lettres injurieuses à Fried, l'accusant d'être responsable de tout. Michel, en revanche, dès qu'il avait été informé de mon hospitalisation, avait sauté dans son auto et fait le trajet de huit heures depuis Rossland, dans l'intérieur de la Colombie-Britannique, où il habitait alors, pour venir me voir. Il m'a apporté un calepin dans lequel il avait écrit : « Ta famille t'aime profondément. »

La nourriture servie à l'hôpital était insipide et ne semblait pas contenir le moindre élément nutritif. Il n'y avait aucune intimité : quelqu'un venait vérifier comment on allait toutes les deux ou trois heures, même la nuit, et les cabines de douche n'avaient pas de porte. J'étais découragée, écœurée d'être si malade.

Dès le début, ça n'a pas fonctionné entre moi et la jeune médecin à qui j'avais été confiée : nous ne nous faisions pas confiance et ne nous aimions pas beaucoup. Je la trouvais peu compatissante, presque cruelle ; et elle, manifestement, me trouvait impossible. Je me rebellais contre tout ce qu'elle disait ou suggérait. Quand mes sœurs me rendaient visite, je la suppliais de les laisser m'emmener à la maison. Je lui disais qu'elles se chargeraient de moi et me ramèneraient à Ottawa en avion.

Elle était inflexible : je ne quitterais pas l'hôpital avant qu'elle le décide. C'est seulement plus tard que j'ai compris l'importance d'aimer son psychiatre et d'avoir confiance en lui ou elle, d'avoir l'impression que cette personne est de votre côté. Les psychiatres ne sont pas tous brillants et n'aiment pas nécessairement chacun de leurs patients, mais entre nous deux le courant ne passait pas. Des semaines ont passé. J'errais dans les corridors comme un zombie, devenant de plus en plus amorphe sous l'effet des sédatifs, de plus en plus indifférente.

Je mangeais de moins en moins et passais le plus de temps possible au lit. J'ai cessé de supplier qu'on me laisse partir : je me désintéressais de ce qui pouvait m'arriver, maintenant.

Puis, constatant ma nouvelle tranquillité, la jeune médecin a jugé que je pouvais rentrer chez moi. J'étais restée à l'hôpital durant deux mois et demi ; on était maintenant au mois de mai 1998. J'aurais pu partir avant, mais quitter l'hôpital contre l'avis du médecin aurait eu un effet négatif à la fois sur ma thérapie et sur ma relation avec ma famille.

Une de mes sœurs, Jan, est venue me chercher et m'a accompagnée à Ottawa en avion. Je me sentais abattue, vaincue, mais les retrouvailles avec Kyle et Ally m'ont remplie de joie. Pour ces enfants âgés respectivement de treize et neuf ans, mon absence avait été incompréhensible ; dorénavant, ma priorité serait d'essayer de les rassurer. Les trois plus vieux garçons, bien qu'inquiets, avaient leur propre vie. Justin étudiait à l'Université de la Colombie-Britannique en vue d'obtenir un baccalauréat en éducation, Sacha voyageait en Afrique et Michel était à Rossland. Quand Fried m'a vue, il a été plutôt froid avec moi ; il avait été vexé – et ça se comprend – par mes lettres vindicatives et accusatrices.

Pour pouvoir sortir de l'hôpital, j'avais dû m'engager à recevoir des soins en consultation externe dans un hôpital local. J'ai eu beaucoup de chance d'aller au Queensway-Carleton, qui était tout ce qu'un hôpital psychiatrique devrait être, mais aussi de me retrouver avec la psychiatre chargée de mon cas. La différence avec l'hôpital St. Paul à Vancouver était énorme. Mais quelque chose avait changé, aussi : j'acceptais plus volontiers l'idée d'être traitée, j'étais plus consentante.

Le Dr Mary Brown était non seulement un excellent médecin, mais aussi une femme très gentille. Le premier matin, alors que je répondais à ses questions dans son bureau, elle

s'est levée soudainement et s'est approchée de moi. « Venez
par ici, Margaret, où il y a plus de lumière, pour que je vous
voie mieux. » Je l'ai suivie jusqu'à la fenêtre. Elle a regardé ma
peau et soulevé mes paupières, qui étaient jaunes. J'avais développé une jaunisse parce que l'Epival qu'on m'avait donné,
en remplacement du lithium, avait été mal dosé.

Je réagis très fortement aux médicaments et, souvent, il
ne me faut qu'une fraction de ce qu'on prescrit normalement
aux autres. Malheureusement, je suis une de ces personnes
dont le fonctionnement du foie est affecté par l'Epival (acide
valproïque), et aucun des tests habituels – sur les cellules san-
guines, le foie et la coagulation – n'avait été fait. On a donc
rapidement effectué ces tests. Résultat : mon foie ne fonctionnait plus qu'à vingt pour cent de sa capacité et j'allais
devoir être hospitalisée pour au moins trois semaines dans
l'espoir qu'il fonctionne de nouveau correctement. Les médecins à l'hôpital de Vancouver devaient savoir que l'Epival
peut nuire gravement au fonctionnement du foie, mais les
tests appropriés n'avaient pas été faits. J'étais furieuse quand
je l'ai appris, et quelques mois plus tard j'ai essayé de voir la
jeune psychiatre, qui a refusé de me parler.

Constatant à quel point j'étais fragile, le Dr Brown m'a
vivement conseillé d'accepter une chambre dans le service de
psychiatrie plutôt que de me trouver parmi les gens qui souffraient de maladies du foie, dont plusieurs étaient mourants.
C'était la bonne décision à prendre. L'aile psychiatrique était
baignée de lumière et donnait sur un jardin avec des tables de
pique-nique sous les arbres. Les patients étaient incités à sortir se promener autour de l'hôpital. Dans la salle commune,
contrairement à celle de l'hôpital St. Paul, on pouvait s'adonner à toutes sortes d'activités et de passe-temps. J'aurais presque pu penser que c'était un endroit où les gens se sentaient
bien, mais j'ai rapidement été ramenée sur terre. Peu après

mon hospitalisation, un ami m'a fait livrer vingt-quatre roses dans un vase Lalique, le maître verrier français. Voulant les partager avec les autres patients, je les ai placées dans la salle commune. Pas longtemps après, une jeune fille a réussi à briser le vase et à s'ouvrir les veines avant d'être secourue par le personnel soignant.

Un des pires aspects de ma jaunisse était les insupportables démangeaisons. Toute ma peau n'était qu'élancement et fourmillement. On me préparait des bains aux flocons d'avoine, où je passais une bonne partie de mes journées. Pour m'empêcher de me gratter la nuit, on m'a donné des gants. Graduellement, mon foie a recommencé à fonctionner normalement. On m'a prescrit une diète sévère, comprenant beaucoup d'eau et de légumes frais. J'ai eu énormément de chance : je me suis remise rapidement, sans séquelles permanentes.

Pendant que se poursuivaient les traitements, le Dr Brown m'a parlé de mon état mental. Elle a essayé différents médicaments jusqu'à ce qu'elle soit convaincue d'avoir trouvé celui qui me convenait. L'alternance des épisodes maniaques et dépressifs indiquait clairement, m'a-t-elle informée, que je souffrais de trouble bipolaire. Elle m'a assuré que de telles sautes d'humeur étaient normales chez les patients bipolaires, et que cette maladie était soignable. Mais, a-t-elle ajouté fermement, je devais coopérer. J'étais on ne peut plus prête à collaborer.

De plus, pendant mon séjour à l'hôpital, le Dr Brown a tout fait pour rendre ma vie supportable. Elle m'a prescrit du Wellbutrin, un antidépresseur qui non seulement me convenait bien, mais qui avait l'avantage de ne pas me faire prendre du poids. Elle m'a aussi autorisée à aller acheter du tissu et s'est arrangée pour qu'on m'apporte ma machine à coudre. J'ai alors recommencé à coudre des vêtements.

Comme c'est toujours le cas dans un service de psychiatrie, c'est surtout le personnel infirmier qui nous prodiguait
des soins, des hommes et des femmes attentionnés et compétents qui avaient vu cette maladie des milliers de fois. Comme
me l'a expliqué le Dr Brown, elle pouvait m'aider avec des
médicaments et me montrer comment surveiller mes humeurs moi-même, mais c'étaient les infirmiers et infirmières
qui suivraient l'évolution de ma maladie et traceraient la voie
vers mon rétablissement.

Enfin j'avais un diagnostic clair, sans équivoque, auquel
je pouvais m'accrocher comme jamais auparavant. Je souffrais de trouble bipolaire, ce qui expliquait les hauts et les
bas, ces fluctuations irrégulières et destructrices que j'avais
subies dans ma vie. On me l'avait déjà dit, mais jamais de
façon aussi claire et catégorique. Pour une raison ou pour
une autre, je n'avais pas réellement assimilé le diagnostic –
jusqu'à maintenant. De ce point de vue, le Dr Brown avait
été excellente, ne laissant plus aucune place au doute.

Cependant, il y avait deux éléments clés de mon rétablissement dont personne ne m'a parlé. J'allais devoir les découvrir par moi-même au fil des ans. La première leçon que j'ai
dû apprendre, c'est que le remède ne pouvait pas uniquement
venir de l'extérieur, sous forme d'une simple pilule. Le
chemin de la guérison était beaucoup plus compliqué. Il me
faudrait contribuer à mon rétablissement, décider d'aller
mieux, explorer puis mettre en pratique tous les aspects du
processus de guérison – le régime alimentaire, l'exercice, la
thérapie, des activités productives et valorisantes. L'autre information vitale qui me manquait, c'est qu'il existe un lien
étroit entre le trouble bipolaire et la marijuana.

Peu après mon retour à la maison, Michel a eu un accident
d'auto sur la Transcanadienne près de Portage la Prairie, au

Manitoba; il avait son chien avec lui, Makwa (mot ojibwé signifiant *ours*). Un jeune homme qui conduisait distraitement a tourné à gauche sans regarder et sa camionnette a percuté la voiture de Michel. À part quelques coupures et contusions, Michel n'était pas blessé; son auto, cependant, était une perte totale et Makwa, son fidèle compagnon, avait disparu.

Lorsqu'il m'a appelée pour m'informer de l'accident, il a ajouté vouloir fouiller les environs, une vaste plaine avec des champs de blé à perte de vue et où plus de dix kilomètres séparaient une ferme d'une autre. Il espérait que le chien avait fui le lieu de l'accident et pansait ses blessures pas trop loin de là, parce qu'il était presque certain qu'au moment de l'impact le chien avait été blessé.

Un pharmacien du coin lui a prêté une auto et pendant les cinq jours suivants Michel a ratissé le secteur en sifflant et en appelant Makwa. Il a posé des affiches dans les villages environnants. Très peiné que ses recherches n'aient donné aucun résultat, il s'apprêtait à abandonner quand il a reçu un appel d'un terrain de camping de la région. Une jeune femme était arrivée ce soir-là et avait vu l'affiche à propos de Makwa. Lorsque, assise près du feu de camp, elle avait vu la première étoile apparaître dans le ciel, elle avait fait un vœu, souhaitant que le garçon retrouve son chien. Un peu plus tard, un chien est sorti du sous-bois et la femme a senti un museau humide et une langue qui léchait sa main. Elle a reconnu le chien qui figurait sur l'affiche. Il avait été blessé mais se remettrait, et les retrouvailles entre Michel et Makwa ont, bien sûr, été joyeuses.

Cet été-là, en 1998, Michel et moi avons pris soin l'un de l'autre au lac Newboro. Ses coupures et ses contusions ont mis du temps à guérir, et j'étais moi aussi fragile. Je nous préparais de la soupe de poulet; il m'emmenait en canot sur le lac. Fried, un homme d'une grande générosité, m'avait pardonné, mais je m'en voulais encore et il demeurait distant. Il avait du mal à comprendre ce qui avait bien pu m'arriver pour que je le traite d'une manière si épouvantable. Ce qui me rendait le plus malheureuse, c'était la ruse employée pour m'hospitaliser, et j'étais hantée par le souvenir du service de psychiatrie et des gens gris qui s'y traînaient les pieds. Ma famille était intervenue, et je lui en suis reconnaissante, mais ce que je ressentais surtout, à ce moment-là, c'était un sentiment de trahison.

Michel ne cessait de me répéter que j'avais beaucoup de chance d'avoir tout ça : le lac, les enfants, Fried, mais je n'arrivais pas à en prendre réellement conscience. Un soir, alors que nous revenions d'une sortie en canot, Michel m'a dit : « Regarde tout ça. Tu as la plus belle vie et les plus merveilleux enfants, qui t'aiment énormément. Pourquoi es-tu si triste ? Pourquoi ne peux-tu pas tout simplement aimer ta vie ? » C'était ça le problème, je ne pouvais pas. Je préparais les repas, je nageais, je faisais du canotage, mais il y avait un vide à l'intérieur de moi.

Au cours de l'été, grâce à des amis, j'ai de temps en temps pu obtenir de la marijuana. C'est seulement quand j'en avais fumé que j'avais l'impression d'aller mieux, de pouvoir mieux fonctionner. Et peu à peu j'ai en effet commencé à me sentir plus équilibrée. Les enfants ont cessé de me surveiller d'un œil inquiet, des amis sont venus passer du temps au lac. La crise semblait terminée ; les choses revenaient à la normale. J'étais ébranlée, mais j'allais être bien. En tout cas, mon masque tenait bon.

CHAPITRE II

Non, non, non, non !

Quand est arrivé le mois de septembre 1998, nous sommes revenus à Ottawa, car Kyle et Ally devaient retourner à l'école. Cet été-là avait été une période de rétablissement, et ça me rendait toujours heureuse de voir à quel point Michel et Fried étaient proches. Dès le début de ma relation avec Fried, ils avaient eu beaucoup de plaisir à travailler ensemble; ni l'un ni l'autre n'était un intellectuel comme Pierre, et tous deux aimaient faire des choses de leurs mains.

Je les regardais dans le jardin avec leurs bleus de travail à manches longues, abattant des arbres avec leurs tronçonneuses avant d'aller pêcher dans le lac. Fried était un beau-père généreux et affectueux, et Michel, ayant lui-même été le plus jeune dans une famille de garçons, s'était toujours montré particulièrement gentil avec Kyle.

Michel venait tout juste de terminer ses études en biologie marine à l'Université Dalhousie, à Halifax, et pendant qu'il était avec moi au lac, il avait passé une partie de l'été à compléter des travaux d'anglais. Il était particulièrement fier parce qu'un de ses professeurs avait écrit, au bas d'un essai sur Emily Carr : « Michel, tu n'as peut-être pas choisi la bonne discipline. Tu es un écrivain-né. »

Il avait maintenant le projet d'écrire pour le magazine de ski *Powder*. Le ski demeurait sa passion et il avait décidé de déménager dans l'Ouest. Il était impatient d'être libre et de faire son chemin dans la vie. Même si les trois garçons avaient reçu un héritage du père de Pierre, Michel aimait vivre comme les mordus du ski – travaillant dans une aciérie en été et comme préposé de remontée mécanique en hiver. Il était le seul de la famille à posséder une carte syndicale.

Des trois plus vieux garçons, Michel était celui qui me ressemblait le plus; il n'était pas rationnel et réfléchi comme son père, mais libre d'esprit et trop intrépide pour son propre bien. Dès son jeune âge, il n'avait pas été intimidé par Pierre, et il était le seul qui lui tenait tête. Michel était d'un tempérament foncièrement honnête et franc. Ce n'est donc pas surprenant que Pierre et lui aient eu de nombreux affrontements, en particulier au sujet du catholicisme, mais ils s'aimaient et se respectaient. Michel était probablement celui qui comprenait le mieux mes différences avec Pierre, parce qu'il les partageait. Comme moi, sa devise était: *La passion avant la raison.*

Je me souviens d'un été où, quand il avait dix-sept ans, il travaillait comme moniteur dans un camp de vacances au parc Algonquin. Pierre et Sacha, eux, avaient quitté Montréal dans la Volvo, en route vers le Texas pour assister à un concert rock – que Pierre, cependant, persistait à appeler «concert de jazz». Sacha venait tout juste de rentrer d'Afrique, où il avait contracté la malaria, et il avait déjà eu trois accès de vingt-quatre heures de la maladie. Avant de rentrer à Montréal, Pierre a laissé Sacha à Los Angeles, qui s'est ensuite rendu à l'île Saltspring, en Colombie-Britannique, où il est resté quelque temps chez ma sœur Heather – et il a eu une autre attaque de malaria.

Ma sœur a emmené Sacha à l'hôpital, où on s'est rendu compte qu'il n'avait pas sa carte d'assurance-maladie. C'était apparemment Michel qui l'avait. J'ai appelé au camp, où on ne semblait connaître aucun employé du nom de Michel, jusqu'à ce que mon interlocuteur s'exclame : « Oh, vous voulez dire Mike ? » Michel est venu au téléphone, puis la carte d'assurance-maladie a été renvoyée à son frère par la poste.

Pierre m'a appelée un peu plus tard.

« Pourquoi est-ce que Miche avait la carte de Sacha ?

— Pour avoir une pièce d'identité, ai-je répondu.

— Qu'est-ce que tu veux dire ?

— Pour que Miche puisse se faire servir dans les bars. Il n'a pas l'âge légal, évidemment.

— Michel boit dans les bars ? »

Pierre était catastrophé.

J'adore cette histoire. C'est une histoire sur la naïveté d'un père et sur un fils qui fait ce que font invariablement les fils – surtout ceux qui sont des esprits libres.

Par une belle journée du début de l'automne, très bleue et paisible, Michel m'a dit au revoir devant ma maison de la rue Victoria à Ottawa. Il emmenait Makwa, évidemment, et il m'a demandé s'il pouvait emprunter le porte-vélo pour son auto. Nous sommes restés à parler un certain temps sur le trottoir, au soleil. Il débordait d'enthousiasme, avait plein de projets. Après quelques minutes, il est monté dans son auto et est parti, mais quand il est arrivé au bout de la rue, il a soudainement arrêté, est sorti et est revenu vers moi en courant, m'a serrée dans ses bras et m'a dit combien il m'aimait.

Dans la deuxième semaine de novembre, une amie et moi avons décidé d'aller passer la nuit à Montréal pour faire des achats en vue des fêtes. Nous sommes descendues au Ritz-Carlton, rue Sherbrooke. Sacha est venu nous rejoindre pour le dîner au Café de Paris, l'un des restaurants de l'hôtel, et nous avons ri parce que, vêtu de façon très décontractée, il a eu de la difficulté à se faire accepter par le maître d'hôtel (sur son site Web, le restaurant précise « tenue chic et décontractée recommandée »). Sacha partait bientôt en voyage, lui aussi, dans l'Arctique. Nous avons pris du caviar et un potage. Il semblait bien, commençais-je à penser, que la vie allait de nouveau être bonne.

À sept heures et demie le lendemain matin, le vendredi 13 novembre, on a frappé à la porte de ma chambre. C'étaient deux agents de la Gendarmerie royale.

« Je suis désolé, mais nous avons de mauvaises nouvelles », a dit l'un d'eux. J'ai immédiatement pensé à Sacha. « Non, ont-ils dit, ce n'est pas Sacha. Mais Michel a disparu. Il y a eu un accident. » Je ne savais même pas que Michel et trois de ses amis étaient allés skier dans le parc provincial du glacier Kokanee, dans le sud-est de la Colombie-Britannique. Les policiers m'ont expliqué que Michel skiait sur le bord du glacier et avait probablement été emporté par une petite avalanche et précipité dans le lac. Je me souviens que je me suis écroulée au sol en criant : « Non, non, non, non ! »

Je me suis habillée, puis les policiers m'ont conduite chez Pierre. Pierre et moi avons allumé une chandelle, puis nous avons attendu des nouvelles. Les amis de Michel avaient été repérés et transportés hors du parc par un hélicoptère des parcs nationaux, et Sacha est allé là-bas pour participer aux recherches. Andrew, le meilleur ami de Michel, avait eu de la chance : il était resté pris dans la neige fondue et les autres garçons avaient pu le tirer de là, et l'avaient gardé en vie toute la nuit pendant que soufflait un violent blizzard, cramponnés les uns aux autres, en profitant du peu d'abri qu'offraient des toilettes extérieures. C'est dû à un hasard miraculeux si les garçons ont pu être secourus, car ils n'avaient dit à personne où ils allaient et n'avaient pas de téléphone cellulaire : il y avait un autre groupe de skieurs dans les parages et ils avaient pu sonner l'alarme.

La neige continuait de tomber et d'autres avalanches risquaient de se produire, mais, le 17 novembre, des plongeurs de la GRC ont réussi à atteindre le lac. Celui-ci étant déjà partiellement recouvert de glace, leur bateau gonflable a dû être tiré par hélicoptère jusqu'à une section non gelée. Le corps de Michel n'a jamais été trouvé. L'eau était glaciale et personne n'aurait pu y survivre longtemps. Avec ses lourdes bottes et son sac à dos, Michel n'avait eu aucune chance. Sacha est revenu seul à la maison, sans son frère.

Et tout comme Michel avait cherché Makwa dans la prairie durant cinq jours après l'accident d'auto, Makwa et le chien d'Andrew, un chien à moitié husky nommé Yukon, ont fait le tour du lac durant cinq jours à la recherche de Michel. Les deux chiens avaient refusé de monter dans l'hélicoptère de l'équipe de secours, alors on leur avait laissé de la nourriture. Les chiens se sont creusé une grotte dans la neige et ont continué leurs vaines recherches.

Quand il est devenu clair qu'il n'y avait plus d'espoir, la vie s'est éteinte en moi. J'avais l'impression d'être morte, moi aussi, dans l'avalanche. Et si je n'étais pas encore morte, la mort est tout ce que je souhaitais. Lorsque je suis rentrée à Ottawa, Ally m'attendait. Blotties dans les bras l'une de l'autre, nous avons pleuré et pleuré encore, jusqu'à ce qu'elle arrête enfin, disant: «Je ne peux plus jamais pleurer comme ça. Ça me fait trop mal à la tête.»

Âgée de neuf ans, elle était bien trop jeune pour devoir faire face à quelque chose d'aussi pénible. Un peu plus tard, elle a dit qu'elle me ferait du thé. J'étais incapable de me relever du plancher, alors elle a déposé la tasse par terre à côté de moi et nous sommes restées assises là, sur le sol dur, à boire notre thé.

Ce que je regrette le plus, maintenant, c'est de ne pas avoir assez pensé à la douleur des autres. Justin, Sacha, Kyle et Ally avaient perdu un frère qu'ils adoraient, Fried un beau-fils, Pierre un fils. Après des années passées à combattre les différentes phases de la maladie bipolaire, j'étais si centrée sur moi-même que je n'étais d'à peu près aucune utilité pour qui que ce soit. Je ressentais ma douleur comme des coups de poignard ; jamais je n'avais imaginé qu'on pouvait souffrir autant. J'ai supplié mon médecin de me plonger dans le coma pour faire disparaître la souffrance.

« Je pourrais faire ça, Margaret, m'a-t-il répondu, mais tôt ou tard il faudrait que vous vous réveilliez et fassiez face à la réalité. Michel n'est plus là. »

Je me rappelle à peine les funérailles célébrées à l'église Saint-Viateur, à Outremont. C'est dans cette église que Pierre allait à la messe quand il était un jeune homme – et priait pour avoir des enfants un jour. Et il en avait eu. Mais maintenant nous subissions tous les deux le supplice de la perte d'un fils adoré.

Justin, qui était devenu notre porte-parole, a récité une prière mohawk, Sacha a prononcé l'oraison funèbre en français et Fried a lu des versets du Livre de Job. Prononçant seulement quelques mots, Pierre a dit : « S'il n'y a pas de résurrection, pas de paradis, alors rien de ce que j'ai fait dans ma vie n'a de sens. » Moi, je n'ai rien dit. Quelqu'un m'avait donné un livre sur le deuil – *The Healing Journey Through Grief* – qui m'a beaucoup aidée. Mais sur les pages, je gribouillais des phrases comme : « Comment puis-je survivre sans mon Miche ? Miche est mort… Il est mort et maintenant je suis seule. Reviens, Miche chéri… »

J'étais tout simplement incapable d'accepter la mort de Michel et je cherchais toutes sortes de façons de faire face à mon deuil. C'est probablement au centre de santé autochtone Wabano, à Ottawa, que j'ai fait le travail le plus important. Une aînée autochtone du nom de sœur Irène m'a aidée – grâce à la méditation, à des chants, à la visualisation et à la communion spirituelle – à libérer l'esprit de mon fils. Pendant très longtemps je n'ai pas pu affronter la réalité de sa mort, mais, finalement, j'ai atteint un certain degré de clarté et d'acceptation. Je pouvais voir l'esprit de Michel comme un oiseau qui s'envolait et je n'avais plus besoin de m'inquiéter au sujet de son corps matériel.

Les frères de Michel ont été mus par une impulsion semblable. Après l'office célébré à sa mémoire, ils ont construit une hutte de sudation au chalet de Pierre à Morin-Heights, dans les Laurentides. La tribu s'y est réunie. Lorsqu'elle est bien menée, une cérémonie de purification dans une hutte de sudation fait beaucoup de bien à l'âme. Nous cherchions à atténuer notre peine et nous avions tous le même sentiment, à savoir que les cérémonies pratiquées depuis si longtemps par ceux qui habitaient cette terre avant nous avaient encore un sens aujourd'hui.

Il fut décidé que Makwa irait rejoindre Andrew et son chien ; c'était logique, d'une certaine façon, mais je me demandais si Andrew réussirait jamais à voir Makwa sans voir aussi Michel.

Accablée de chagrin, je me suis peu préoccupée de Fried, de qui je ne cessais de m'éloigner. Je ne pouvais plus cuisiner, ni faire les courses, ni même, certains jours, respirer. Et je ne savais pas comment faire face à sa tristesse. La confiance que j'avais eue en lui, le sentiment qu'il serait toujours là pour me protéger, avait disparu. Il avait été le roc sur lequel j'avais toujours pensé pouvoir m'appuyer, mais ce roc était maintenant devenu poussière, et c'est moi qui l'avais broyé. Si quelqu'un avait été là pour constater ce qui était en train de m'arriver, voir comment la mort de Michel avait provoqué une dépression que seule la médecine pouvait traiter, Fried et moi aurions peut-être tenu bon. Mais nous étions incapables de nous réconforter l'un l'autre. Mon chagrin était normal ; ma façon d'y réagir l'était de moins en moins. De nombreux mariages ne survivent pas à la mort d'un enfant.

La personne dont je me sentais proche, alors, était Pierre. Celui-ci, maintenant âgé de soixante-dix-neuf ans, était profondément dévoué à ses fils. Après la mort de Michel, il a semblé se replier complètement sur lui-même. Il avait toujours poussé ses fils à faire montre de courage, à affronter des défis physiques de plus en plus grands, et maintenant il était rongé de remords. Sans ses encouragements, Michel aurait-il été aussi téméraire ? Si Pierre avait enseigné aux garçons à être plus prudents, à se montrer moins audacieux, l'accident se serait-il produit ? Selon Sacha, qui habitait avec son père, Pierre ne prenait même plus la peine d'allumer les lumières, le soir ; il restait assis dans l'obscurité. Il sembla à la fois prendre un coup de vieux et rapetisser.

Pierre avait toujours soigné son apparence. Maintenant, il se désintéressait complètement de ce qu'il portait ou de quoi il avait l'air ; il ne mangeait presque plus et s'est détourné de ses amis. Chaque fois que je le voyais, il semblait se renfermer davantage en lui-même. J'aurais dû le remarquer, prêter un peu plus attention à lui, mais j'étais trop consumée par mon propre chagrin.

La première année après la mort de Michel a été enveloppée dans un nuage de chagrin. Je m'accrochais à Pierre alors que nous essayions tous deux d'accepter cette effroyable perte. Entre-temps, Fried et moi avions de la difficulté à nous retrouver. Pour marquer le premier anniversaire de la mort de Michel, un service commémoratif a eu lieu à l'église anglicane St. Bartholomew, en face de chez moi. Pierre est venu.

Adolescent, Michel avait passé une partie de ses étés au camp du parc Algonquin, puis, plus vieux, y était souvent retourné à titre de moniteur. Je ne m'attendais pas à voir tant de monde dans l'église. Des dizaines d'amis qu'il s'était faits au camp d'été ont assisté au service, et en voyant leurs jeunes visages lumineux et si pleins d'espoir, j'ai été infiniment triste que celui de Michel ne soit pas parmi eux. Dans mon journal, j'ai écrit : « Depuis la mort de mon fils, je me sens horrifiée, ébranlée, impuissante, abandonnée, détachée de la réalité, paralysée par un incommensurable chagrin. » Je me suis obligée à parler au service commémoratif, et plus tard j'ai lu mon éloge funèbre à la radio.

L'endroit où Michel est mort est devenu pour moi le site d'un pèlerinage annuel. À partir de la route la plus proche, je montais à pied durant trois heures, puis m'assoyais sur le bord du lac Kokanee. Pour moi, ce lac dans la chaîne des Selkirk, l'un des trente du parc, est sa tombe, et c'est un si joli endroit. C'est un lac alpin profond et froid, entouré de falaises abruptes.

Le lac Kokanee est aussi un lieu qui m'a donné des signes extrêmement réconfortants. Quand Michel était petit, nous avions fait un voyage en famille jusqu'à l'archipel Haida Gwaii – les îles de la Reine-Charlotte au large de la Colombie-Britannique. Pierre avait été nommé Chef Aigle et les garçons les Enfants du Corbeau. Puisqu'un Chef Aigle ne peut être marié avec quelqu'un n'appartenant pas à la tribu, j'ai eu le grand honneur d'être une Sœur du Corbeau.

Le lac Kokanee est un endroit où s'assemblent les aigles et les corbeaux. Plus d'une fois, au cours de mes visites au lac, des aigles sont descendus en piqué et semblaient m'indiquer une direction. Une fois, quand j'étais accompagnée de mon neveu Rob, je lui ai dit que j'aimerais avoir une sorte de signe avant de partir. Très sceptique, il m'a demandé ce que je considérerais comme un signe. «N'importe quoi», ai-je répondu.

Alors que nous avancions sur le sentier, j'ai entendu un cri rauque et perçant. Levant la tête, à ma grande joie j'ai vu un aigle géant piquer vers le lac, ses ailes touchant presque les eaux où Michel était mort. Depuis ce jour, la vue de ces immenses oiseaux me laisse avec le sentiment que les esprits de ceux que nous avons aimés et qui sont morts planent dans le ciel.

De la mort de Michel est venu un puissant sentiment de renouveau et de renaissance. Tous les étés, quand je monte au lac Kokanee, j'en rapporte de l'eau. Lorsque naît un petit-enfant, j'utilise cette eau pour le baptême afin que l'esprit de Michel touche l'enfant. Michel est celui de mes cinq enfants dont je n'ai pas besoin de m'inquiéter quotidiennement, maintenant. C'est la même chose avec Pierre. Une paix s'installe lorsque vous donnez leur place à vos êtres chers. On les garde vivants en racontant de belles histoires à leur sujet.

Comme famille, nous avons cherché un certain réconfort en collaborant avec la Fondation canadienne des avalanches pour amasser des fonds en vue de la construction d'un chalet pour les skieurs et les randonneurs d'arrière-pays, avec tout l'équipement nécessaire pour fournir des bulletins météo, des avertissements de risques d'avalanche et de l'information concernant le niveau de danger. Nous voulions faire tout ce qui était en notre pouvoir pour éviter que d'autres parents aient à subir à une telle perte. Les Canadiens ont été très généreux : une somme d'environ un million et demi a été recueillie. Chaque bout de bois, chaque fenêtre, chaque clou a dû être apporté au site de construction par hélicoptère. Le projet de sept millions de dollars était une merveille.

Le Kokanee Glacier Cabin a été inauguré le 12 juillet 2003. C'est un superbe chalet de trois étages, une construction à poutres et à poteaux, sur la rive du lac Kaslo, juste au nord de Nelson dans les Kootenays Ouest de la chaîne des Selkirk. Le chalet, qui peut accueillir vingt personnes en été, constitue un point de départ pour les randonneurs qui veulent explorer ce bijou de parc.

Le chalet rend hommage à Michel et à seize autres personnes mortes dans des avalanches dans ce secteur. Les familles de toutes ces victimes – qui sont venues des quatre coins de l'Amérique du Nord – étaient présentes à la cérémonie d'inauguration, alors dix-sept paires de ciseaux ont coupé en même temps le long ruban rouge. Et à ce moment précis, des corbeaux ont plongé vers nous. C'étaient des messagers. Les générateurs ne sont jamais débranchés au chalet, et une lumière brille toujours, comme un phare. Cela m'apporte un certain réconfort.

Un jour, ma sœur Betsy a trouvé un jeune plant de rosier dans son jardin. De couleur pourpre foncé, c'était un *Rosa rugosa* épineux, mais elle n'a pas réussi à l'identifier dans aucun ouvrage de botanique. Finalement, elle l'a nommé le rosier Michel Trudeau et le produit de la vente de ce rosier est versé à la Fondation canadienne des avalanches. Mon beau-frère Robin affirme que c'est le rosier le plus vigoureux qu'il connaisse et qu'il peut pousser n'importe où. J'aimerais le voir fleurir partout au Canada.

Peu après le décès de Michel, j'ai encaissé deux terribles coups l'un après l'autre. Nancy Pitfield, une très chère amie, a finalement succombé au cancer du sein après avoir combattu la maladie avec toute l'énergie dont elle était capable. Cette perte m'a laissée muette de douleur.

Puis Pierre a reçu un diagnostic de cancer de la prostate. Au début, il ne m'a rien dit. Plus tard, j'ai appris que sa première réaction en recevant la nouvelle a été de dire : « Très bien, maintenant je peux mourir moi aussi. Je peux être avec Michel.» Même si le cancer avait été détecté tôt, il a refusé tout traitement. Après avoir quitté la politique, Pierre avait repris sa carrière d'avocat et se rendait chaque matin à pied à son bureau qui donnait sur le fleuve Saint-Laurent et les montagnes au loin.

Maintenant il ne sortait presque plus. C'est seulement quand je l'ai vu le 21 juin 2000 que j'ai compris à quel point il était malade. C'était à l'occasion de la fête annuelle organisée par Sacha pour marquer le solstice d'été – le jour le plus long de l'année. Je n'avais pas vu Pierre depuis un moment et ma première pensée a été qu'il était en train de mourir. Il avait perdu beaucoup de poids et avait les traits tirés. Nous nous sommes assis près du feu de camp et j'ai pris sa main. Même dans la chaleur de l'été, Pierre a rapidement eu froid et voulait être près des flammes; lorsqu'il s'est levé pour partir, il a eu besoin d'aide pour marcher jusqu'à l'auto.

Cet été-là, très fragile moi-même, j'ai accepté l'invitation de Jane Faulkner d'aller la voir en Suisse. M'arrêtant à Montréal sur le chemin du retour, j'ai appelé les garçons pour leur demander des nouvelles de Pierre. Sacha a répondu, et sa voix trahissait son inquiétude. «Dieu merci, tu es de retour. Tu dois venir le plus rapidement possible. Papa est mourant.» Pierre avait annoncé qu'il voulait mourir à la maison et il fut décidé que des proches seraient à ses côtés tout le temps, qu'on se relaierait afin qu'il ne soit jamais seul. J'étais contente de pouvoir apporter mon aide et je voulais aussi être là pour soutenir Justin et Sacha. Nous savions tous que Pierre n'en avait pas pour longtemps.

Le premier soir où j'ai été avec lui, Pierre s'est senti assez bien pour monter à la salle à manger à l'étage. On se serait presque cru revenu dans le passé. Mon rôle était d'être de nouveau une mère, de faire à manger et de m'assurer que les garçons étaient bien. Nous avons ri et j'ai parlé à Pierre de l'exposition Van Gogh que je venais de voir en Europe.

Mais bientôt, il a été trop malade pour finir son repas ou même monter l'escalier, et nous prenions notre repas sur une petite table près de son lit. Puis nous avons converti une chambre à coucher du rez-de-chaussée en salle à manger pour qu'il n'ait pas à affronter ces marches. Il faiblissait de plus en plus chaque jour. Quand c'était mon tour de veiller sur lui, parfois il voulait parler, mais la plupart du temps il préférait le silence. Un après-midi, je me suis couchée à côté de lui sur le lit et il voulait que je le serre dans mes bras. Lorsqu'il est devenu si frêle que le simple fait de le toucher lui faisait mal, je m'assoyais à côté de lui et lui tenais la main.

Pierre n'avait pas peur de la mort. Pendant un certain temps, après le décès de Michel, il avait remis sa foi en question, mais maintenant celle-ci semblait s'être raffermie et il parlait d'aller rejoindre Michel. Nous avons beaucoup parlé de Michel. Quand j'étais avec Pierre, je portais souvent le collier de perles que sa mère m'avait offert avant notre mariage. Cela semblait lui faire plaisir. La seule chose que les vivants peuvent faire pour un mourant, c'est lui rappeler tous les événements heureux de sa vie. Pierre et moi partagions les merveilleux souvenirs de nos belles années à élever nos enfants.

En y repensant, je réalise que nous trouvions du réconfort dans le fait de nous être aimés autrefois, profondément aimés. Il était gentil et attentionné, et m'avait offert son cœur. Mais je n'avais pas su l'accepter ; c'est vrai ce qu'a dit George Bernard Shaw au sujet de la jeunesse qui est gaspillée sur les jeunes.

Quelques années après le décès de Pierre, le journaliste Peter C. Newman a raconté une anecdote à propos de lui dans son livre *Here Be Dragons : Telling Tales of People, Passion*

and Power. À l'hiver de 1974, Stuart Hodgson, alors com-
missaire des Territoires du Nord-Ouest, survolait le pôle
Nord. Lorsque l'avion passa au-dessus du pôle, Pierre en prit
les commandes et appela au 24 Sussex, où une femme de
chambre répondit. Il voulait peut-être partager l'excitation
du moment. Il demanda à me parler, mais j'aurais apparemment refusé de venir à l'appareil (ce que je trouve difficile à
croire). D'après ce que Hodgson a raconté à Newman, Pierre
se mit alors à «sangloter».

      «Pourquoi l'avez-vous épousée? lui demanda Hodgson,
avec compassion j'imagine.

      — Parce que je l'aime, répondit Pierre. Je l'aime vrai-
ment.»

Pierre s'est éteint un après-midi de l'automne 2000, le 28 septembre; il n'avait pas prononcé un mot depuis presque une
semaine. De bien des façons, Sacha était le fils dont Pierre se
sentait le plus proche. Il avait toujours habité avec son père
et ils se ressemblaient beaucoup: disciplinés, loyaux, un peu
bourrus, refusant de perdre leur temps avec des banalités. En
dernier, Pierre était inconscient, et Sacha et Justin sont restés
à ses côtés, veillant sur lui jusqu'à la fin. Ils l'ont laissé partir
paisiblement avec tout leur amour pour cet excellent père. Je
me suis alors enfoncée dans un profond chagrin.

      Dès qu'il avait été su que Pierre était mourant, la popula-
tion avait démontré énormément de sollicitude et de soutien.
Des journalistes s'étaient installés autour de la maison et, à
notre grande horreur, une antenne parabolique était apparue
sur un poteau de téléphone, parfaitement visible de la chambre où Pierre passait ses journées. La vue de cette antenne
était pénible pour lui et Sacha l'avait fait enlever.

      Pour de nombreux Canadiens, Pierre était le politicien
qui avait façonné le Canada moderne, l'homme qui avait fait

fonctionner le multiculturalisme. Maintenant qu'il approchait de la fin, ils voulaient lui rendre hommage. L'annonce de sa mort a suscité quantité de témoignages de sympathie. Le corps de Pierre a été exposé en chapelle ardente durant quatre jours dans le Hall d'honneur du Parlement, à Ottawa, et un nombre impressionnant de Canadiens ont fait la queue pour se recueillir devant sa dépouille.

Le 2 octobre, quatre jours après le décès de Pierre, je me suis rendue sur la colline du Parlement avec mes sœurs. Un reporter de la télévision, fin journaliste politique très respecté, m'a aperçue. Brandissant son micro devant moi, il m'a lancé : « Comment vous sentez-vous, madame Trudeau ? Vous êtes-vous souvenue que c'est aujourd'hui l'anniversaire de Michel ? » Interloquée, ébranlée, je me suis effondrée sur le sol. Plus tard, l'organe de presse qui employait ce journaliste s'est confondu en excuses.

Le comportement de ce reporter avait été on ne peut plus déplacé et indélicat. Jamais, nulle part, n'ai-je été traitée aussi durement en public que ce jour-là. L'attitude de tels journalistes qui osent juger les gens, osent pontifier, me révolte.

Recouvert du drapeau canadien, le cercueil contenant la dépouille de Pierre a été transporté par train à Montréal, où les funérailles devaient avoir lieu dans la basilique Notre-Dame. Sacha et Justin, qui à vingt-huit ans se révélait le pilier de la famille, l'accompagnaient. Massés le long de la voie ferrée, des gens, plusieurs en pleurs, exprimaient leur sympathie en saluant de la main. Je crois que Pierre, qui ne sortait jamais sans une rose à la boutonnière, et que la presse avait toujours décrit comme un homme pour qui la raison l'emportait sur la passion, aurait été touché par les piles de roses et les cinquante mille Canadiens qui ont défilé devant son cercueil.

Je m'étais rendue à Montréal la veille. Le matin des funérailles, j'ai eu un bref entretien avec Fidel Castro, l'un des porteurs, à son hôtel. À part une visite en Russie, c'était la première fois qu'il quittait Cuba. Je ne l'avais pas vu depuis des années, bien que nous soyons restés amis depuis ma première visite à Cuba en 1974. Sa gentillesse et sa compassion m'ont grandement réconfortée. Des quatre coins du monde, des chefs d'État, des dignitaires politiques et d'anciens chefs de gouvernement sont venus assister aux obsèques. Justin a prononcé l'éloge funèbre avec éloquence et passion. Il a remercié son père de « les avoir tant aimés », puis a ajouté :

« La conviction fondamentale de mon père n'est jamais venue d'un manuel. Elle émanait de son amour profond pour tous les Canadiens, et de sa confiance en eux. Au cours des derniers jours, avec chaque carte, chaque rose, chaque larme, chaque salut de la main et chaque pirouette, vous avez répondu à son amour. Cela nous touche énormément, Sacha et moi. Merci.

« Nous nous sommes rassemblés du nord au sud, d'est en ouest, d'un océan à l'autre, unis dans notre peine, pour dire au revoir. Mais ce n'est pas la fin. Il a quitté la politique en 1984. Mais il est revenu pour Meech. Il est revenu pour Charlottetown. Il est revenu pour nous rappeler qui nous sommes et ce que nous sommes tous capables de faire. Mais il ne reviendra plus. C'est à nous, à nous tous, à présent, d'agir. »

Justin a terminé son éloge avec des vers d'un poème de Robert Frost, *Stopping by Woods on a Snowy Evening*, que Pierre avait souvent récité aux garçons lorsqu'ils étaient petits. Pour l'occasion, cependant, Justin les a légèrement modifiés. Selon une traduction de l'écrivain français Jean Prévost, la strophe se lit ainsi : « Ce bois me plaît ; il est profond et sombre / Mais j'ai promis, il faut tenir / Avant d'aller dormir, ma route est longue / Bien longue avant d'aller dormir*.» Justin l'a adaptée comme ceci : «Ce bois lui plaît, profond et sombre. Il a tenu ses promesses, il peut aller dormir. Je t'aime, papa.»

Soudain, je me suis sentie glisser, comme il m'arrive souvent dans des moments d'intense émotion, une sorte d'effondrement incontrôlable. Immédiatement, j'ai senti une main sur mon épaule. C'était Jimmy Carter, qui m'a murmuré à l'oreille des mots d'encouragement. Puis, voyant Justin si triste et bouleversé, et qui semblait presque s'être écroulé sur le cercueil de son père, j'ai voulu me lever pour aller le réconforter. J'ai aussitôt senti une autre main me retenir à ma place, celle de Fidel Castro.

«C'est un homme, Margaret. Un homme», m'a soufflé Fidel. En d'autres mots, il me disait de ne pas intervenir. Justin devait se relever seul.

Leonard Cohen était présent, à titre de porteur honoraire, comme l'était l'Aga Khan. Le soutien fut extraordinaire, si extraordinaire.

Après les funérailles de leur père, Justin et Sacha ont repris leur vie ; Justin était maintenant enseignant et Sacha cinéaste. L'hiver approchait et, à Ottawa, le temps peut être assez maussade. Les jours raccourcissaient et, la plupart du temps, étaient sombres et gris. J'ai toujours détesté les longues journées sombres, mais cette fois il s'agissait d'une grisaille d'un autre ordre.

Mon mariage avec Fried n'a pas survécu à la mort de Michel. Quelqu'un m'a déjà demandé pourquoi je ne m'étais pas battue plus fort pour tenter de le sauver. En fait, nous avions fait d'énormes efforts, mais ça n'avait pas été suffisant.

* Robert Frost, *Choix de textes, bibliographie, portraits, fac-similés*, Paris, Seghers, 1964, p. 117-118. (NDT)

Fried achetait des roses qu'il déposait sur mon oreiller, il préparait de délicieux repas. De mon côté, j'essayais de compatir à ses problèmes financiers. De temps en temps, nous semblions nous rapprocher et j'avais l'impression que tout s'arrangerait ; il y avait cependant trop de fissures entre nous, trop d'amertume. Quoi qu'il en soit, tout me poussait à vouloir m'en aller, me retrouver seule, pour pouvoir me concentrer sur ma peine. Je ne voulais personne autour de moi, pas même les enfants. Je les aimais toujours, mais confusément, comme si j'avais été enveloppée dans une brume. Lorsque je pensais à eux, une espèce de terreur s'emparait de moi, comme si quelque chose pouvait leur arriver à eux aussi.

Des paroles qui n'auraient jamais dû être prononcées ont été dites et, finalement, Fried est parti.

Au début de nos années de prospérité, j'avais acheté un appartement à Ottawa avec le produit de la vente d'un lot adjacent à ma propriété. Comme il était loué, Fried a déménagé temporairement chez ses parents, qui pleuraient eux aussi Michel et que notre séparation avait laissé perplexes et profondément peinés. Lorsque l'appartement s'est libéré, Fried y a emménagé.

Pendant quelque temps, Kyle et Ally sont demeurés avec moi. Je les accompagnais à l'école, faisais les courses, accomplissais machinalement les gestes de la vie quotidienne, alors que je vivais dans un brouillard froid et gris qui ne se dissipait jamais. En l'an 2000, j'ai vendu la maison de la rue Victoria et me suis installée dans une plus petite, non loin d'où habitait Fried. J'avais surtout besoin de beaucoup de lumière, avais-je dit à Fried, qui a trouvé la maison pour moi, et la première fois que je l'avais visitée, en hiver, la lumière entrait effectivement à flots. Puis, avec l'arrivée du printemps, et ensuite de l'été, les arbres tout autour se sont couverts de

feuilles et la maison ne semblait jamais suffisamment éclairée. J'ai commencé à me sentir prisonnière.

Peu après la mort de Michel, j'ai croisé un de nos jeunes
amis, un homme qui avait connu Michel depuis l'enfance.
J'envisageais de m'acheter un vélo et nous avons engagé la
conversation. Il m'a invitée pour un barbecue chez lui où, au
cours de la soirée, j'ai fumé un peu de marijuana. Je n'en
avais pas fumé depuis un certain temps, mais, comme je le
savais très bien, j'avais une dépendance à cette drogue.

Si j'en avais, je ne me contentais pas d'un ou deux joints,
je voulais tout le sac. Je voulais commencer la journée avec
un joint et la finir avec un joint, avec peu de pauses entre les
deux. Une des raisons pour lesquelles je n'avais pas fumé davantage, c'est parce que Fried désapprouvait. Maintenant, je
m'en fichais.

La marijuana me permettait d'oublier. Quand je pouvais
à peine respirer tellement je me sentais mal, je prenais un
autre joint. J'ai réussi à m'assurer un approvisionnement régulier et j'ai continué de fumer. Je n'étais pas une vraie dro-
guée, me disais-je, puisque je ne vomissais pas, ne tremblais
pas lorsque ma réserve était épuisée. Avec le recul, je me rends
très bien compte que le profond sentiment de détresse et de
perte que j'éprouvais sans la marijuana constituait un signe
évident de ma dépendance psychologique. Certaines personnes utilisent la nourriture ou l'alcool comme forme d'automédication. Moi, j'avais recours à la marijuana. Cela faisait
partie du déni, de mon illusion de pouvoir me guérir avec
des solutions maison.

Je ne sais trop pourquoi, à l'époque, mes proches n'ont pas
compris que mon état mental se détériorait rapidement. Vu
mes antécédents, pourquoi personne n'a-t-il détecté la dépression dans laquelle j'étais plongée? Peut-être a-t-on confondu

dépression et chagrin, trouvant normal que je sois triste. Ou peut-être avais-je appris, dans les cours d'art dramatique suivis à New York à la fin de la vingtaine, à me dissimuler derrière un masque impénétrable. Je devenais de plus en plus habile à feindre que tout allait bien.

J'ai fait l'effort de planter des bulbes. J'ai assisté à une réunion d'un groupe de parents endeuillés, mais, après les avoir écoutés décrire leur souffrance, je suis rentrée à la maison encore plus triste. J'ai vu un bon psychiatre, le Dr Selwyn Smith, mais quand il a quitté Ottawa peu après, il m'a recommandée à une jeune femme, mère d'un bambin et enceinte d'un deuxième enfant. Je savais que je ne pourrais pas lui parler. Je voulais nous protéger, aussi bien elle que moi. Comment aurais-je pu parler de la mort d'un enfant à une mère? Alors j'ai cessé d'aller la voir. Les gens me disaient ne pas pouvoir imaginer ma douleur. Ils avaient raison, et je ne voulais même pas qu'ils essaient.

Puis un jour, mon fragile équilibre s'est rompu. Justin était venu passer du temps chez moi. Un samedi matin, je me suis péniblement extirpée du lit pour préparer le petit-déjeuner. Kyle, Ally et Justin voulaient des œufs, des pommes de terre rissolées, du bacon et du jus fraîchement pressé. Lorsque tout a été prêt, je les ai appelés, mais ils jouaient à des jeux vidéo et n'ont pas réagi. Je les appelés une seconde fois: rien.

J'ai alors explosé, de la façon la plus terrible et humiliante. J'ai crié, hurlé que je ne pouvais plus endurer ça, que je n'étais pas leur servante. Je leur ai dit de sortir de la maison. Pendant que je vociférais, je pouvais voir la peur et la tristesse dans les yeux de Kyle. J'avais tenu le coup beaucoup trop longtemps derrière mon masque; comme dans un autocuiseur, la pression avait monté jusqu'à atteindre sa limite, puis la soupape de sécurité avait sauté avec une terrifiante intensité.

Pour moi, ce moment représentait la pire défaite. Jusqu'alors, même dans mes phases dépressives ou maniaques les plus aiguës, j'avais toujours été capable de m'occuper de mes enfants. Maintenant, je n'avais même plus cette capacité.

Après cet épisode, il fut décidé que Kyle et Ally iraient vivre chez leur père. Quelle mère abandonne ses enfants de son plein gré? J'avais échoué dans mon rôle de mère puisque je ne pouvais pas apporter à mes enfants la sécurité affective dont ils avaient besoin. De ce point de vue, renoncer à eux me paraissait une preuve d'amour maternel. Pendant quelque temps, Ally a fait la navette entre le domicile de Fried et le mien, puis a passé l'été dans un camp de vacances axé sur l'équitation et avec ses cousins à la maison de campagne.

Je ne suis pas retournée à la maison sur le lac Newboro où j'avais été si heureuse. Fried a rassemblé mes affaires dans des sacs-poubelles et me les a apportées.

Je ne cessais de me dire qu'Ally ne méritait pas un tel sort. Ses efforts pour me remonter le moral m'allaient droit au cœur. Elle me suggérait de me procurer un chien, pour pouvoir aller faire des promenades. Elle m'encourageait à sortir, à voir mes amis. Tant de maturité chez une enfant si jeune encore…

À partir de ce moment, j'ai lentement perdu tous mes moyens. Je fumais de l'herbe et buvais du scotch. La combinaison des deux atténuait la douleur, et elle m'est devenue essentielle quand la marijuana seule n'a plus été efficace. Je ne mangeais presque rien.

Ally avait décidé qu'elle ne pouvait plus vivre à deux endroits à la fois et avait opté pour l'appartement de Fried, s'y installant avec ses vêtements, sa musique, ses photos. Chez moi, elle s'était sentie trop seule, aussi. Les enfants me rendaient visite de temps en temps et je faisais de mon mieux pour répondre à leurs besoins, leur préparant des repas et les conduisant à l'école.

Ces moments passés avec eux – quand je les conduisais à l'école ou allais les rechercher, quand ils me racontaient leur vie ou que nous discutions de leurs problèmes – représentaient le meilleur de mes journées. Mais quelle vie triste pour eux. Fried a mis fin aux dîners en famille après un incident dans un restaurant : en réaction à un commentaire quelconque, j'avais éclaté en sanglots sans pouvoir m'arrêter. Les enfants m'avaient regardée sans comprendre, malheureux de me voir ainsi. Noël a été triste, cette année-là. J'ai servi aux enfants une dinde congelée pré-farcie que j'ai seulement eu à réchauffer.

Pour moi, plus grand-chose n'avait de sens. Je passais mon temps à m'adresser des reproches ou à tenir les autres responsables de ma situation. Je me sentais très seule. Après notre séparation, Fried ne m'a pas incluse dans les fêtes qu'aimait tant organiser sa famille nombreuse. Il avait été blessé et dans son désarroi m'a dit que les membres de sa famille ne voulaient pas me voir et, à eux, que c'est moi qui ne voulais pas les voir. Sa sœur, qui était devenue une de mes meilleures amies, m'évitait. Les enfants me décrivaient tout le plaisir qu'ils avaient eu à la maison de campagne ou au cours d'une journée de ski. Mon isolement avait été mon choix ; malgré tout, j'éprouvais une douloureuse impression de rater de bons moments.

De temps en temps, je ne sais trop pourquoi, j'avais un épisode maniaque. Je me sentais soudain plus forte, plus optimiste, mais ensuite trop forte, trop optimiste, totalement invincible. Débordante d'énergie et poussée par des envies, j'allais magasiner, remplissant mes sacs de vêtements et de produits dont je n'avais aucunement besoin, des pulls chers, du parfum, du maquillage, des sacs à main, achetant toutes sortes de choses avec un enthousiasme extatique.

Lorsque je revenais à la maison et regardais mes paquets, la phase maniaque cessait et je me demandais ce que j'avais fait. Sans les déballer, je laissais les paquets s'empiler dans l'entrée avant de les apporter à un refuge pour femmes afin de libérer de la place pour d'autres.

Et puis revenait la dépression : je me sentais m'enfoncer dans un abîme où la lumière devenait de plus en plus faible. J'étais persuadée que plus jamais je ne rirais. J'avais commencé à sortir avec un avocat, qui s'inquiétait pour moi et se montrait prévenant. Cependant, il était aussi très occupé. Quand j'étais avec lui et qu'il partait travailler, je passais la journée à faire les cent pas dans son superbe appartement – qui ressemblait plus à un musée qu'à un endroit où vivre. Je regardais ses magnifiques œuvres d'art ou, par l'une des fenêtres, le paysage enneigé tout autour. Je préférais être seule à la maison, où personne ne pouvait me voir.

J'avais déjà perdu plus de treize kilos et avais beaucoup de difficulté à manger. Je ne voulais parler à personne que je connaissais, alors je ne sortais plus. Je gardais les stores fermés. Lorsque Justin, Sacha ou ma mère appelait, je leur disais que j'allais bien, que je ne pouvais leur parler longtemps parce que j'étais en train de faire des biscuits et que j'allais au théâtre ce soir-là. Souvent, je ne répondais pas au téléphone, et mes amis ont fini par cesser d'appeler.

Parfois, je me sentais si seule dans la maison que je sortais faire le tour de la ville en auto, m'arrêtant, s'il faisait beau, pour marcher le long de la rivière. Je ne rendais visite à personne, car il n'y avait personne avec qui je voulais partager ma douleur. Me traînant de rue en rue, je jetais un coup d'œil par les fenêtres éclairées des maisons, envieuse des visages heureux à l'intérieur. Parmi ces gens, qui auraient pu comprendre mon malheur ?

J'étais en train de perdre complètement le contrôle. J'étais un train lancé à toute vapeur sur la mauvaise voie et qui allait dérailler d'un instant à l'autre. Rien ne pouvait plus me sauver. Je me suis récemment rendu compte qu'à l'époque j'avais gribouillé des mots incohérents dans les marges d'un livre et par-dessus le texte : « Comment puis-je survivre sans Miche ? » Et aussi : « J'ai un cœur brisé, une âme meurtrie, un chagrin inconsolable. »

Dans des phrases qui reviennent encore et encore, j'exprimais à quel point je me sentais coupable et je répétais mon envie de mourir. Du matin au soir, je vivais dans des limbes désespérants où le temps s'était arrêté et où toute joie avait disparu. Ce qui autrefois avait été lumineux et plein de couleurs me paraissait maintenant terne et gris. À mes yeux, j'étais morte, apathique, impuissante, inutile.

Le 5 décembre 2000, j'ai fait un énorme effort et suis allée à un concert rock à Cranbrook, en Colombie-Britannique, généreusement organisé par Bryan Adams afin de recueillir des fonds pour la Fondation canadienne des avalanches. On ne m'avait jamais vue aussi joyeuse et pleine de vie. J'avais toujours été capable, ne serait-ce que brièvement, de jouer la comédie, et j'étais sincèrement reconnaissante des cinquante mille dollars amassés. Après cela, je me suis enfermée chez moi, cessant de manger et ne sortant pas du lit.

J'avais une amie, cependant, qui ne se laissait pas arrêter par un non. Michelle Bégin continuait de m'appeler, et si je ne répondais pas, elle rappelait encore et encore, jusqu'à ce que je réponde enfin. Le 14 décembre, n'ayant pas eu de réponse depuis plusieurs jours, Michelle est venue frapper à ma porte. Je ne lui ai pas ouvert. Elle a continué de frapper à la porte, puis a téléphoné. Finalement, à contrecœur, j'ai ouvert la porte. Elle a trouvé la maison dans un désordre indescriptible ; je tenais des propos confus, incohérents, mes pensées se bousculant dans ma tête. Ne réussissant pas à tirer de moi des paroles sensées, Michelle a appelé le bureau du premier ministre Jean Chrétien (qui avait dirigé trois ministères dans le gouvernement de Pierre) et a expliqué qu'elle devait joindre Sacha Trudeau de toute urgence. Quelque chose dans son ton a dû impressionner la personne à l'autre bout du fil, car on a trouvé le numéro de Sacha et on le lui a donné. Sacha m'a appelée et m'a dit de ne pas bouger jusqu'à ce qu'il puisse venir.

Lorsqu'il est arrivé le lendemain matin, j'étais en train de quitter la maison pour me rendre à une réunion dans une école que fréquentait la fille d'un ami. J'avais promis de l'aider dans un projet. Confusément, sans réellement savoir ce que je faisais, je m'étais dit que je ne pouvais pas me dérober à cette obligation. Constatant mon état, Sacha m'a ramenée à l'intérieur, en disant que je ne ferais qu'effrayer les enfants, et m'a mise au lit.

Un médecin est venu, le Dr Colin Cameron, et il m'a parlé très calmement, expliquant que les épisodes de dépression et de manie se succédaient à un rythme alarmant et qu'il fallait absolument ralentir mon esprit. Il n'y avait pas d'autre solution que d'aller à l'hôpital. À cette idée, j'ai été remplie de terreur. Mes souvenirs des services de psychiatrie n'étaient que trop frais. Encore une fois, me disais-je, j'allais être punie et emprisonnée. Le médecin et Sacha ont insisté. Je ne cessais de répéter que j'étais très bien, que je n'avais aucun problème, qu'ils faisaient erreur.

Dans mon esprit embrouillé, j'en suis venue à la conclusion que je devais m'échapper. J'ai dit à Sacha et au Dr Cameron que j'avais besoin de vêtements qui se trouvaient dans la salle de lavage, où je me souvenais qu'était accrochée une combinaison de ski. Je suis descendue au sous-sol, j'ai enfilé la combinaison, puis je suis sortie silencieusement par la porte arrière. Et je me suis mise à courir.

Après un certain temps, je me suis retrouvée devant mon ancienne maison de la rue Victoria, où j'avais été si heureuse. Il neigeait et le froid était mordant. Malgré la combinaison de ski, je n'arrivais pas à me réchauffer. J'ai attendu un moment, puis je suis allée sonner chez mon ancienne voisine et j'ai demandé à sa jeune fille si je pouvais entrer me réchauffer. Je tremblais de tous mes membres et ne devais pas paraître très sensée. En me voyant dans cet état, la pauvre fille a eu un air si effarouché que je suis partie et suis allée chez une bonne amie, Pauline Bogue.

Pauline m'a finalement ramenée à la maison et a contacté Sacha et la police – qui me cherchaient désespérément dans les rues. La police est arrivée peu après, suivie d'une ambulance. Tout le monde est monté à l'étage et on m'a placée sur un brancard, puis transportée en bas avant de m'attacher sur une civière. Je n'ai pas cessé de me débattre. Un des officiers de police, une femme à l'air dur visiblement exaspérée par mon comportement, m'a pris le pouce sous le drap et l'a tiré par en arrière d'un coup sec. La douleur était atroce. Elle m'avait disloqué le pouce ; je n'ai jamais su si elle l'avait fait exprès ou non. Elle pensait sûrement que j'étais soûle.

Quand nous sommes arrivés à l'Hôpital Royal Ottawa, j'ai supplié qu'on examine mon pouce, qui m'élançait. Personne ne m'a écoutée, mais on m'a donné des sédatifs. J'appelais à l'aide. Ce qui me terrifiait le plus, c'était d'être enfermée, et j'implorais le personnel hospitalier de ne pas le faire. Finalement, un infirmier psychiatrique a eu pitié de moi. Il est allé chercher un oreiller et m'a emmenée jusqu'à la salle commune. J'étais complètement épuisée et les médicaments commençaient à faire effet ; je n'avais plus d'énergie pour me battre. J'ai pris l'oreiller, me suis enveloppée dans mon manteau et me suis traînée jusqu'à un coin de la pièce, où je me suis endormie sur le plancher. J'avais touché le fond. Je ne pouvais pas descendre plus bas.

CHAPITRE 12

Choisir la santé mentale

Les psychiatres reconnaissent depuis longtemps que le processus d'acceptation d'une maladie mentale grave comporte, comme dans le cas de l'acceptation de la mort, cinq étapes distinctes. La première en est une de déni, le refus d'accepter que l'on a quelque chose à voir avec ce qui se produit : c'est la vie que l'on mène qui est responsable, ce sont les autres, ce sont les circonstances, c'est de la pure malchance.

On commence ensuite à négocier : «Tout finira peut-être par s'arranger si je prends soin de moi un peu mieux, si je me trouve un passe-temps, si je pratique le yoga, si je fais plus d'exercices, si j'achète un animal domestique, si je me lève plus tôt le matin... »

Puis viennent la dépression et l'apitoiement sur soi : « Pourquoi moi ? Qu'ai-je fait pour mériter ça ? Pourquoi ça n'arrive pas aux autres ? »

Suit la colère, contre soi-même et contre les autres : « Mais qu'est-ce qu'ils ont, tous ? »

Et enfin, mais seulement après ces étapes, la colère cède la place à l'acceptation : « Oui, je suis comme ça, ceci est ma vie, je suis malade, j'ai besoin d'aide et je vais contribuer à ma guérison. Je ne suis pas une innocente victime ; je suis le personnage principal de cette histoire. »

Pendant trente ans j'avais périodiquement eu recours aux services psychiatriques du Canada, mais sans effets bénéfiques durables. J'avais vécu les quatre premières étapes encore et encore pendant presque toute ma vie adulte. J'étais tombée malade, avais été soignée, m'étais rétablie, mais jamais n'avais-je voulu admettre ce qui n'allait pas avec moi, pas au plus profond de moi. Il était temps de passer à la cinquième étape : l'acceptation. Et j'avais de la chance en ce sens qu'à ce moment-là la perception de la maladie mentale était enfin en train de changer, grâce notamment à de nouvelles recherches sur le cerveau et les phénomènes neurochimiques liés aux humeurs et aux troubles psychiques. Bientôt, les préjugés liés à la maladie mentale disparaîtraient – lorsqu'on prendrait conscience de l'incroyable nombre de personnes touchées.

Construit en 1910 dans ce qui était alors la campagne, l'Hôpital Royal Ottawa était à l'origine un sanatorium. La dernière aile pour tuberculeux avait été fermée dans les années 1960, l'hôpital fournissant maintenant des soins pour toutes sortes de problèmes de santé, y compris les troubles émotionnels et psychiatriques. C'était un endroit gris, sombre, lugubre, et j'étais terrorisée. On m'y a amenée par une journée glaciale d'un long et rude hiver. Pour faciliter les déplacements entre les différentes parties de l'hôpital, on avait construit des tunnels – de longs corridors souterrains bordés de conduits d'aération et de tuyaux. J'en viendrais à bien connaître ces tunnels.

J'avais été admise à l'hôpital en vertu d'un mandat de dépôt de soixante-douze heures ; cela signifie que je n'étais pas une patiente volontaire, mais que les services sociaux m'avaient fait hospitaliser parce que je représentais un danger pour moi-même ou autrui. Bien que la probabilité que je blesse quiconque – y compris moi-même, à ce stade – fût en fait quasiment nulle, le règlement voulait qu'on me surveille en tout temps. Lorsque je me déplaçais, quelqu'un m'accompagnait ; lorsque j'étais dans mon lit, on m'observait. Pour moi, cela faisait partie de l'horreur de ma situation.

Le premier matin, je me suis réveillée en me sentant un peu plus apaisée. Les médicaments administrés la veille m'avaient calmée. Mais en même temps, quelque chose en moi avait été brisé par le traumatisme de ma fuite dans la neige et la façon dont la policière m'avait traitée. J'avais été vaincue. Il ne me restait plus rien.

Quand je regardais dans le miroir, je voyais une vieille femme laide, avec mes cheveux sales et ébouriffés, ma peau grise, ma chair flasque après des mois sans presque rien manger. Alors que normalement mon poids se situe autour de soixante-six kilos, je n'en pesais plus que cinquante-trois. Regarder des photos de moi à cette époque a de quoi faire réfléchir.

Les dernières paroles de Sacha, le soir précédent, me hantaient : quand on essayait de me maîtriser, il m'avait dit que j'étais possédée. Il avait raison, j'étais bel et bien possédée : j'étais sous l'emprise de la peur et du chagrin, mais surtout de la peur. Les lettres que j'écrivais à ma mère à cette époque démontraient clairement à quel point j'avais le cerveau dérangé ; elles étaient si insensées que ma mère les a toutes déchirées.

Une des premières choses que l'on a faites à l'hôpital, c'est m'informer de mes droits. Un ombudsman est venu me parler, et je lui ai raconté ce qu'avait fait la policière. Mon pouce était maintenant terriblement enflé et bleu. J'envisageais de porter plainte, car même dans mon état mental affaibli j'estimais inacceptable un tel comportement.

Mais je cherchais seulement à gagner du temps. Je tergiversais, niais la réalité, blâmais les autres, n'importe quoi pour éviter d'admettre la vérité. Cependant, la visite de notre médecin de famille, le Dr Rick Martin, qui avait maintes fois

essayé de m'aider à différents stades de ma maladie, m'a apporté un certain réconfort. Il est venu me dire que j'étais en
de bonnes mains, que cet hôpital était le meilleur endroit
pour moi et qu'il était convaincu que ma santé allait réellement s'améliorer.

Puis il m'est arrivé quelque chose de vraiment bien : le
Dʳ Cameron, celui qui était venu à la maison, s'est chargé de
mon cas. Enfin, enfin quelqu'un de la profession médicale
qui comprenait ce que j'avais vécu, savait combien j'avais
souffert, et qui était prêt à m'aider à recouvrer la santé! Il
savait que j'avais l'âme brisée et savait aussi quoi faire pour la
réparer. Il a dit que le processus de guérison serait long – et il
avait tout à fait raison –, mais m'a également assuré qu'un
jour je verrais le bout du tunnel. En d'autres mots, il m'a
donné espoir.

Le Dʳ Cameron était jeune, avec un air d'adolescent avec
ses lunettes rondes et ses cheveux retenus en queue de cheval.
Il avait une attitude décontractée, comme tous ceux qui sont
bien dans leur peau.

C'était un psychiatre poursuivant une spécialisation dans
les troubles de l'humeur et – ce qui se révélerait crucial dans
mon cas – la névrose post-traumatique. De plus, il me communiquait sa ferme détermination à me remettre sur pied.
J'avais confiance en lui, alors je le croyais. De toute façon, je
n'avais pas le choix. Je n'avais plus envie de lutter. Quelque
chose dans son attitude et sa compassion m'incitait à l'écouter et, cette fois, à retenir, à assimiler ce qu'on me disait.
Enfin était arrivé le jour où j'étais capable de demander : « S'il
vous plaît, aidez-moi. Je veux apprendre à vivre avec mon
problème, à le gérer. »

Le Dʳ Cameron a commencé par me parler de la maladie
bipolaire – terme moderne pour *maniacodépression* –, expliquant
que, de l'avis général, elle était causée par un déséquilibre

chimique dans le cerveau. J'avais à peine entendu les mots sérotonine et dopamine, mais le Dr Cameron m'a donné de l'information sur ces deux substances. Apparemment, un manque de sérotonine empêche la transmission de signaux positifs au cortex préfrontal, siège des émotions, entraînant ainsi la dépression. La sérotonine est une substance chimique gélatineuse présente dans le cerveau ; c'est un neurotransmetteur qui rend possible la communication entre les neurones et nous permet ainsi d'éprouver de la joie dans notre vie quotidienne. La dopamine, autre neurotransmetteur, est liée à l'hyperactivité des phases maniaques.

La dépression commence lentement, et une baisse de sérotonine affecte d'abord le sommeil. Ou bien on a de la difficulté à dormir – parce que les pensées n'arrêtent pas de se bousculer dans notre cerveau et qu'on n'a pas le temps de dormir –, ou bien on dort beaucoup trop. On cesse de s'alimenter correctement et, quand on se rend compte qu'on commence à sombrer, on se bourre de glucides, de chocolat, de sucre pour essayer de se sentir mieux. On pense que les aliments réconfort font du bien et on se met à engraisser. On néglige son apparence et on refuse les invitations parce qu'on n'est pas en super forme et que nos vêtements ne nous vont plus bien. On s'isole de plus en plus, et la dépression s'installe. On ne va plus au gym ni faire de promenade. On ne mange pas bien, on ne dort pas bien et on ne s'amuse plus, des activités qui contribuent pourtant à maintenir un taux normal de sérotonine. Voilà comment on produit de la sérotonine : en menant une vie active. Sans renforcement positif pour nous rappeler que la vie peut être belle, on coule à pic. Nos proches essaient de nous aider en nous encourageant à avoir un passe-temps, alors on commence à les repousser, puis soudain on se retrouve seul. Ils ne cherchent pas à nous éviter, on a tout simplement arrêté de répondre à leurs appels, et on est de plus en plus seul. Parfois on a recours à l'automédication, prenant de l'alcool ou des drogues de l'armoire à pharmacie ou obtenues dans la rue.

Et puis finalement on obtient de l'aide. On va voir un médecin qui, en constatant notre profonde tristesse, comprend qu'on est déprimé. Il nous prescrit donc un médicament pour augmenter notre taux de sérotonine et on va le voir une fois par mois pour faire ajuster la dose. Bien des gens pensent que le traitement est alors terminé, mais non, il nous a seulement permis de reprendre pied sur la terre ferme, où l'on peut de nouveau éprouver de la joie. Mais si on mène une existence dénuée de sens, qu'on porte des masques en faisant semblant d'être qui l'on n'est pas, et que l'on ne réalise donc pas nos propres rêves, eh bien, rien n'a vraiment changé.

Mon médecin de famille, qui approche de la retraite, me dit qu'au moins la moitié des patients qui viennent le consulter ont des problèmes – souvent physiologiques – dont la cause fondamentale est émotionnelle. La douleur rapportée qu'ils ressentent se situe souvent dans le bas du dos ou dans le cou, mais elle a son origine dans le cerveau.

Un jour, cet homme très compatissant m'a demandé: «Margaret, qu'est-ce qui vous fait mal, exactement?» Il savait que ma douleur avait une source, et j'ai pleuré de me rendre compte qu'il savait.

En l'an 2000, on bénéficiait d'importantes découvertes de la science concernant le cerveau. Le terme *bipolaire* ne faisait pas encore l'unanimité (certaines personnes le trouvaient choquant parce qu'à leur avis il rabaissait la maladie, mais le Dr Cameron le préférait à *maniacodépression*, car les personnes atteintes subissent à la fois des épisodes de manie et des épisodes de dépression. Par ailleurs, *bipolaire* semblait faire référence à deux catégories bien nettes aux deux extrémités du spectre. Je savais très bien que la maladie n'était pas «nette», qu'au contraire elle était constituée de fluctuations erratiques entre des hauts et des bas. Aujourd'hui, le terme communément utilisé est *bipolaire*.

Le Dr Cameron paraissait savoir précisément ce que j'avais enduré et combien j'avais souffert. Personne, disait-il, ne doit commettre l'erreur de croire que le trouble bipolaire n'est pas une maladie débilitante et destructrice : elle se manifeste par des émotions compliquées et contradictoires, par de terrifiants et sombres bas, un sentiment de désespoir et de terreur qui semaine après semaine alterne avec d'euphoriques hauts remplis de fabuleux moments de folle exubérance, entrecoupés de toutes sortes de comportements embarrassants, de violents emportements et d'envies autodestructrices. Je ne savais que trop bien à quel point avaient été séduisantes mes phases de manie déchaînées, avec leurs explosions d'odeurs, de sons et de couleurs, et comment elles étaient bienvenues lorsque je devais faire face à la prudence et à la raison de Pierre.

En principe, le lithium aurait été le médicament à m'administrer, mais, comme mes précédentes hospitalisations me l'avaient appris, le lithium ne me convenait pas. Aussi petite soit la dose, je ne pouvais le supporter. Le Dr Cameron m'a cependant expliqué que toute une nouvelle génération de stabilisateurs de l'humeur était apparue sur le marché. Il m'a d'abord prescrit de l'olanzapine, perçue comme un médicament miracle dans le traitement de la schizophrénie et des troubles de l'humeur comme la maladie bipolaire.

L'olanzapine a effectivement accompli des miracles dans mon cas, mettant fin à la manie. Cependant, la liste des effets secondaires potentiels était longue, comprenant l'impossibilité de rester assis tranquille, des vertiges, l'insomnie et des tremblements – de la bouche, de la langue, des paupières, des bras et des jambes –, qui pouvaient tous être irréversibles. Heureusement, je n'ai éprouvé aucun de ces effets.

Par contre, j'ai pris du poids. J'en avais perdu beaucoup au cours des mois précédents, mais ce qui s'est produit alors m'a prise par surprise. Je ne cessais de prendre kilo après kilo après kilo. De plus, il y avait la question du coût. Lorsque je suis allée payer les médicaments prescrits, j'ai cru que sur la facture – 480 $ – le zéro était de trop. C'était sûrement une erreur. Ce devait être 48 $, non ? ai-je demandé au pharmacien. Non, m'a-t-il répondu, le chiffre était bon. Puis il m'a informée de l'existence d'un programme auquel je pouvais m'inscrire pour m'aider à payer. Cela m'a fait prendre conscience combien difficile ce peut être pour certaines personnes de se procurer les médicaments dont elles ont si désespérément besoin.

Il y avait un autre problème, dans mon cas, avec l'olanzapine : elle imposait un plafond à mes émotions, m'empêchant de ressentir du désespoir ou de l'exultation, ou d'éprouver du plaisir dans la créativité. Après quelques mois d'essais et d'erreurs, le Dr Cameron m'a prescrit de la rispéridone, un antipsychotique qui contrôle l'action de la dopamine dans le cerveau. J'ai bien réagi à ce médicament et le plafond a été rehaussé.

La rispéridone semblait réduire mon hypersensibilité par rapport aux événements et aux situations, mais me laissait faire preuve d'initiative, penser à une façon de réagir aux situations sans m'effondrer ou fuir. J'avais pleuré sur les malheurs des victimes de la guerre du Vietnam, les souffrances des Biafrais et le sort des autochtones du nord du Canada ; peut-être pourrais-je maintenant arrêter de pleurer et faire quelque chose de concret. Le Dr Cameron prenait le temps de me parler des médicaments qu'il me prescrivait et m'encourageait à lui poser des questions. Il me donnait aussi de l'information à lire sur les effets secondaires possibles.

Le premier jour, j'avais été terrifiée en voyant le mot *anti-psychotique*. Paniquée, je lui avais demandé s'il pensait que je pouvais être une sociopathe. Il m'a rassurée : bien que la rispéridone ne fût pas un médicament couramment utilisé dans le traitement du trouble bipolaire, il l'avait trouvée très efficace dans des cas comme le mien. Ce médicament offrait l'avantage de calmer la manie sans toutefois imposer de trop grandes limites aux pensées et à la créativité.

Je me suis rapidement sentie beaucoup mieux. Je prenais des antidépresseurs pour augmenter mon taux de sérotonine et de la rispéridone pour équilibrer mes humeurs. Cependant, les doses devaient être continuellement réajustées et il a fallu des mois avant de trouver la combinaison idéale. Ce qui importait, a insisté le Dr Cameron, c'était de me conformer à ses directives, de lui faire confiance et d'obéir à ses consignes.

Le Dr Cameron était un psychiatre dans le meilleur des sens, un médecin pour qui il n'existe pas de remède miracle pour traiter la maladie mentale, aucune pilule ou combinaison de pilules qui, seule, peut apporter la guérison. Un réel rétablissement, répétait-il encore et encore, impliquait un long cheminement, dans lequel j'avais un rôle à jouer. J'allais devoir faire de tout petits pas, un à la fois. Je devais également être consciente qu'après la phase maniaque, après les événements récents, viendrait une dépression, une dépression fort probablement très profonde.

Cela ne pouvait être évité. Il me fallait apprendre à voir la réalité en face, c'est-à-dire que je souffrais de trouble bipolaire et que je devais admettre certains faits : j'aurais cette maladie toute ma vie, Michel était mort et je devais trouver une façon de vivre en sachant cela.

J'avais un choix à faire. Ou bien je pouvais accepter de demeurer dans des montagnes russes pour le reste de ma vie, rebondissant entre les hauts et les bas, ou bien j'allais devoir m'engager dans le long, lent et pénible travail menant à la stabilité.

Comme j'avais connu de longues périodes sans traitement continu, le parcours vers la guérison serait extrêmement difficile, presque impossible, a précisé le Dr Cameron. Les phénomènes caractéristiques de la maladie, les cycles, étaient maintenant profondément ancrés en moi. Le diagnostic de maniacodépression avait été établi lorsque j'étais une jeune adulte, mais même si je l'avais compris et avais voulu y donner suite, aucun traitement ni médicament n'était alors disponible. Avec tout le temps passé depuis, mes comportements étaient bien enracinés. La bonne nouvelle : il existait maintenant des médicaments et des thérapies qui pouvaient m'aider. La mauvaise ? Je devais me débarrasser de certaines habitudes néfastes et en acquérir de nouvelles.

Comme un enfant, je devais apprendre de nouvelles façons de réagir aux situations de la vie, apprendre à ne pas réagir de manière excessive à la critique, à ne pas me complaire dans la honte et le dégoût de moi-même, à ne pas essayer de me protéger avec des illusions, à ne pas rejeter le blâme sur les autres pour mes propres réactions inappropriées. J'ai écouté, j'ai réfléchi et, enfin, j'ai accepté : la cinquième étape, celle de l'acceptation, avait commencé.

Dans mon for intérieur, je savais parfaitement que le Dr Cameron avait raison : depuis des années je savais que quelque chose n'allait vraiment pas bien chez moi, mais j'avais cessé de croire à l'existence d'une solution. Convaincue d'être condamnée à une vie malheureuse, j'avais abandonné tout espoir. Maintenant, je devais croire que, au contraire, je pouvais non seulement accepter la nouvelle donne qui s'offrait à moi, mais aussi de nouveau éprouver de la joie dans ma vie.

Dès le début, le Dr Cameron a insisté pour que je voie une nutritionniste. Je l'ai immédiatement aimée. Je me savais en très mauvaise forme, car je me privais de nourriture depuis des mois ; chaque fois que j'étais en proie à des épisodes dépressifs ou maniaques, la première chose que je faisais, c'était d'arrêter de manger. J'ignorais cependant le rôle de la malnutrition dans mon effondrement.

Comme me l'a expliqué la nutritionniste, le carburant que l'on fournit au corps doit être de la meilleure qualité, comme celui utilisé dans les jets supersoniques. Ma mauvaise alimentation des derniers mois – je me nourrissais de fèves en conserve, avec parfois un morceau de fromage, mais jamais de fruits ou de légumes – avait causé de graves dommages à mon système gastro-intestinal.

Au cours de l'automne, j'avais eu de la difficulté à avaler. Je mâchais longuement la nourriture, mais étais incapable de la faire descendre, et finalement je la recrachais. Je me suis rappelé comment, aux pires moments de ma vie, j'avais l'impression de ne pas pouvoir respirer ou avaler. Il s'agissait en fait d'une forme de suicide passif. Il n'y avait pas eu de décision délibérée, seulement un instinct qui me poussait à ne pas m'alimenter.

Mon estomac s'était tellement rétréci, a précisé la nutritionniste, que j'allais devoir commencer à me nourrir convenablement, mais très lentement, sinon je ne supporterais pas la nourriture. Je lui ai dit que j'avais toujours aimé le porridge, que c'était un de mes aliments réconfort. Suivant une vieille tradition écossaise, ma mère nous servait cette bouillie de flocons d'avoine chaude du début de l'automne jusqu'à la fin de l'hiver. Tous les matins et plusieurs fois au cours de la journée, la nutritionniste m'apportait donc de petits bols de porridge, avec du sel, du sucre et du lait.

Au début, c'est à peine si je pouvais avaler le porridge, et je vomissais souvent, puis j'ai commencé à avoir hâte de voir apparaître la nutritionniste ; je me suis même rendu compte que j'étais contente de manger. Établie avec grand soin, ma diète comprenait plusieurs petits repas par jour. Bien que la cafétéria de l'hôpital fût parfaitement adéquate, beaucoup de temps a passé avant que l'odeur de cuisson cesse de me donner la nausée.

À l'hôpital, on m'a aussi fait voir le Dr Paul Grof, d'origine tchèque – et on sait que les médecins européens s'intéressent depuis longtemps à l'utilisation de suppléments vitaminiques et minéraux. C'était une sommité dans son domaine, la psychopharmacologie. Il m'a donné beaucoup d'information sur les médicaments disponibles, leur mode de fonctionnement et les choix qui s'offraient à moi. Il m'a incitée à voir les médicaments comme des suppléments pour le cerveau, où le taux de certains produits chimiques était insuffisant et devait donc être augmenté pour rétablir l'équilibre. De la même façon, a-t-il ajouté, il me faudrait des suppléments nutritionnels, comme les oméga-3 présents dans l'huile de poisson, de l'acide folique et de la vitamine B. De très fortes doses de cette vitamine non seulement répareraient, mais ajusteraient correctement le fonctionnement de mes neurotransmetteurs.

Le Dr Cameron a également insisté pour que je consulte le spécialiste des toxicomanies, le Dr Allan Wilson. Cela m'a surprise et ma première réaction en a été une d'agacement et de scepticisme. Quel était le but ? Je n'étais pas une toxicomane, après tout ; j'avais seulement fumé un peu de marijuana au cours des ans.

Du moins c'est ce que je me disais. Aujourd'hui, en y réfléchissant, je me rappelle une réponse de Willie Nelson à la suite d'un commentaire de l'animateur du *Tonight Show*, Jay Leno. Nelson avait été arrêté au Texas en possession d'un peu de marijuana, avait dit Leno. « C'est un mensonge! avait répliqué le chanteur. Jamais je n'aurais été en possession d'*un peu* de marijuana. »

J'ai beaucoup aimé le Dr Wilson. C'était un homme au début de la quarantaine, à la silhouette athlétique et plein de vie, avec des yeux pétillants. Il n'était pas trop sérieux – et c'est un compliment –, comme le sont certains psychiatres. Pour moi, dans le sens de « qui ne plaisante pas », *sérieux* est un mot cinglant. J'ai apparemment souvent eu recours au sarcasme comme arme dans ma vie, et traiter quelqu'un de sérieux compte parmi mes jugements les plus sévères. Les gens sérieux se prennent beaucoup trop au sérieux, justement.

Le Dr Wilson s'est montré aussi gentil et patient que le Dr Cameron, et tout aussi explicite. Il m'a fait prendre conscience que la marijuana était devenue pour moi une forme d'automédication, que je m'en étais servie pour combler les manques dans ma vie. Mon sentiment de besoins non satisfaits, d'incomplétude, était probablement causé par mon état bipolaire. Mon besoin de recourir à la drogue constituait un symptôme; je devais apprendre à me sentir mieux sans elle. Je n'avais pas pris de la marijuana constamment ni même régulièrement, mais lorsque je l'utilisais pour essayer de dompter mon cerveau, j'en abusais. La marijuana avait été une béquille, une réponse à des illusions et à de fausses perceptions alimentées par la peur. Il me fallait maintenant trouver une autre façon de jouir de la vie sans ces hauts artificiels.

Plus que cela, même, la marijuana avait probablement été le déclencheur de plusieurs de mes crises d'extrême excitation. De nouvelles recherches semblaient en effet démontrer un lien fort et durable entre les deux. On commençait à voir la dépendance sous toutes ses formes – aux drogues, à l'alcool, au sexe, à la pornographie, au jeu ou à la nourriture – comme une sorte de fuite et un symptôme d'une maladie mentale sous-jacente.

Durant de nombreuses années, on a considéré la dépendance et la maladie mentale comme deux problèmes distincts; plus maintenant. J'écoutais attentivement ce que le médecin me disait à ce sujet, mais j'avais de la difficulté à l'accepter. La marijuana avait été une amie qui m'avait aidée dans mes jours de solitude. Dans mon for intérieur, cependant, j'avais toujours soupçonné que cette «amie» me faisait du tort. Combien de fois avais-je partagé avec des médecins ma crainte qu'une partie de mes problèmes soit liée à ma consommation de marijuana, seulement pour me faire répondre qu'il n'y avait aucun rapport entre les drogues et la santé mentale.

À un moment donné, le Dr Wilson a pensé qu'assister à des réunions des Narcotiques anonymes pourrait m'être bénéfique, mais a finalement estimé que ce serait sans doute trop pour moi. Les NA ont tendance à attirer les mauvais garçons, des motards qui consomment des drogues cool, et j'ai toujours aimé les mauvais garçons. Par ailleurs, les Alcooliques anonymes paraissaient un choix étrange, car ça ne me prend pas beaucoup d'alcool avant d'être malade. Cependant, j'étais une toxicomane: toute ma vie, j'avais utilisé la marijuana comme une forme d'automédication.

Il fut donc décidé que les AA, avec moins de mauvais garçons, me conviendraient mieux. J'ai bien voulu faire un essai. Certains de mes amis ayant développé une dépendance à l'alcool avaient tiré profit de l'approche des AA et y demeuraient fidèles. On m'a donné l'adresse du lieu de rendez-vous le plus proche; il était proche, en effet, mais, d'une certaine façon, c'était aussi un monde à part. J'habitais un quartier chic, alors que cette réunion des AA avait lieu dans l'un des quartiers les plus pauvres d'Ottawa.

Dans les années 1990, lorsque le rocker britannique Ozzy Osbourne est venu à Ottawa avec son groupe Black Sabbath, il a voulu assister à une réunion des AA dans la partie la plus défavorisée de la ville – où, je présume, il se sentirait le plus à l'aise pour continuer de combattre ses démons liés à l'alcool. Si nos dates avaient coïncidé, nous aurions pu nous rencontrer. Quoi qu'il en soit, j'ai côtoyé les pauvres et les sans-abri, jusqu'à ce que je trouve un autre lieu où la clientèle correspondait mieux à mon milieu.

Je suis donc allée à des réunions, où j'ai scandé et mémorisé des phrases rituelles, tenu la main de mes voisins, me suis confessée. Certaines personnes savaient qui j'étais, d'autres pas. Quand est venu mon tour de m'exprimer, j'ai parlé de la mort de mon fils et de la douleur de cette perte – il s'agissait plutôt d'un travail de deuil. Le fameux *Gros Livre*, le texte de base des AA, ne fonctionnait pas vraiment pour moi. La plupart de ces hommes et femmes décrivaient encore et encore les mêmes blessures. Les réunions étaient comme du théâtre, où les gens revivaient les moments les plus sombres de leur vie. Je voyais bien que l'alcool était leur forme d'automédication, mais je comprenais aussi que leur véritable problème, c'était la maladie mentale, quelque chose d'infiniment plus profond que la dépendance à l'alcool. Et il n'y avait là personne avec une formation en psychiatrie qui aurait pu les aider. Un livre publié en 1939 pouvait-il détenir la vérité, le secret pour vaincre la dépendance ? J'entendais seulement des clichés éculés.

Il y avait cependant une solidarité rassurante, une ambiance chaleureuse à la pause-café et le sentiment d'intimité issu du partage de lourds secrets. Bien que je ne croie pas nécessairement à l'approche des AA, je suis néanmoins convaincue qu'assister à ces réunions a été bénéfique pour moi.

Ce que m'a ensuite proposé le Dr Cameron, cependant, était aussi important que les antipsychotiques et les antidépresseurs. Aucun aspect de mon traitement n'aurait vraisemblablement un effet durable, m'a-t-il expliqué, si je ne suivais pas des séances régulières de psychothérapie. J'avais beaucoup de choses à comprendre concernant mes comportements passés et de nombreuses réactions à désapprendre. Mon cerveau tourmenté, avec ses idées emmêlées, devait être reprogrammé. La psychothérapie ne serait pas une partie de plaisir, m'a avertie le Dr Cameron, c'était un travail sérieux et difficile, et des questions auxquelles je préférais ne pas faire face allaient sûrement surgir. Mais je devais y faire face, à commencer par mon extrême sensibilité à la douleur et aux souffrances des autres, ainsi que mon sentiment de culpabilité. J'avais toujours pleuré trop facilement, devenant obsédée par des images de désolation et de destruction.

Ayant grandi dans un environnement où je pensais devoir plaire à tout le monde, j'avais perdu mon sens de l'équilibre, puis mon déséquilibre s'est accentué à la suite de mon mariage avec un homme plus âgé et très rationnel avec lequel j'avais peu en commun à part notre amour des enfants. En raison des énormes différences entre nos âges et nos personnalités, le mariage était de toute façon voué à l'échec. Le trouble bipolaire n'était pas la goutte qui a fait déborder le vase, mais plutôt un tsunami dévastateur.

Et comme j'avais vécu cachée derrière un masque, essayant de me conduire de manière non naturelle pour moi, j'avais parfois réagi en ayant des comportements autodestructeurs et en prenant d'absurdes risques. Venaient ensuite la culpabilité, la honte et un dégoût de moi-même. Puis, pour échapper à ces sentiments, j'utilisais n'importe quoi pour me sentir mieux, soit, la plupart du temps, la marijuana.

Cela menait à l'hypomanie, suivie de dépression, et puis le cycle recommençait.

Parfois, les cycles avaient été lents, mettant des mois ou des années à se déployer; dans d'autres cas ils avaient été extrêmement rapides, oscillant entre l'exaltation et le désespoir plusieurs fois au cours d'une même journée. J'avais tout simplement perdu la maîtrise de mon esprit et passais une bonne partie de mes journées dans un état de «déficit de perception». Étant habile à revêtir des masques et à jouer la comédie, j'avais réussi à tromper les gens de mon entourage.

Maintenant, je devais apprendre où se situaient les vraies limites, les vrais cadres, apprendre à affronter la réalité et à ne pas me réfugier dans un monde imaginaire. Pour ce qui était de la honte, le Dr Cameron m'a dit qu'il n'y avait pas moyen d'éviter de faire face au passé. De nombreux mois allaient cependant s'écouler avant que je perçoive un signe de la vie meilleure qui m'attendait.

Les prévisions du Dr Cameron avaient été justes. Certains jours, je me traînais dans les sombres corridors souterrains de l'hôpital le cœur accablé de tristesse. Maintenant, cependant, non seulement avais-je le droit d'être triste, mais on m'encourageait à accepter la tristesse. On me laissait pleurer la perte de Michel et on m'aidait à le faire.

Les médecins et le personnel infirmier étaient fantastiques, mais c'est un infirmier en particulier, un homme doux avec un bouc et de longs cheveux blancs attachés en queue de cheval, qui m'a le plus aidée à faire face à la mort de Michel et à celle de mon père, puis à commencer le douloureux processus de deuil. Ayant découvert que j'aimais la musique, il m'a apporté des cassettes à écouter – les Beatles, George Benson, Sam Cooke, Louis Armstrong, Dave Brubeck et Miles Davis.

Nous parlions des chansons et du jeu des musiciens, et j'ai constaté que la musique libérait des larmes coincées au plus profond de moi. Pendant que je l'écoutais, des larmes abondantes roulaient sur mes joues. Auparavant, ai-je compris, la colère et la peur m'avaient empêchée de pleurer véritablement, adéquatement. Ces larmes, versées avec tant d'angoisse, ont marqué un tournant dans mon rétablissement.

Jusqu'alors, quelque chose en moi était figé, comme si j'avais été trop terrorisée pour laisser émerger mon chagrin. Avec les larmes est venu un immense soulagement. Mes pleurs n'avaient rien à voir avec les gémissements et les lamentations des années précédentes. C'étaient de douces larmes de chagrin, la réaction normale, et appropriée, à la tristesse. Comme me l'a expliqué le Dr Cameron, il ne faut pas laisser le chagrin nous entraîner dans la dépression. Je devais apprendre à « m'approprier » mon chagrin.

Puis rapidement j'ai commencé à apprécier la routine rassurante de mes journées. Parce que j'avais tempêté, crié le jour de mon hospitalisation, les autres patients avaient tendance à m'éviter. Un service de psychiatrie est un milieu plutôt tranquille, chacun restant le plus souvent dans son coin. Néanmoins, je me suis graduellement fait des amis. L'un des secrets d'un bon service de psychiatrie consiste à donner assez de médicaments aux patients pour qu'ils restent calmes, mais pas trop pour qu'ils aient besoin d'aide pour se lever de leur fauteuil. Et parmi ceux qui hantaient les mêmes sinistres corridors souterrains que moi, certains sont devenus des amis.

Toujours extrêmement maigre, je devais mettre des chaussettes dans mon soutien-gorge et porter des jeans conçus pour des enfants de douze ans. Cependant, dès que j'ai pu avoir des visiteurs, un ami est venu régulièrement en m'apportant de délicieux mets libanais, une nourriture que j'adorais : houmous, taboulé, tzatziki, falafel. Tous les soirs nous nous régalions.

71 À ma maison de la rue Victoria, avec les enfants.

72 Le clan Kemper, à Pâques.

73 Une photo de famille, avec notre chien Sandy, prise au 95 de la rue Victoria.

74 L'affiche du documentaire *Passion before Reason*, réalisé en 1996, des cinéastes canadiens John Curtin et Paul Carvalho.

75 Le clan Sinclair au mont Grouse, à l'occasion de l'anniversaire de ma mère.

76 Ma famille me souhaite la bienvenue à mon retour de l'hôpital.

77 Sophie Grégoire et moi nous sommes rendues en Éthiopie avec l'organisme humanitaire EauVive.

78 Une partie de mon travail avec EauVive consiste à aider les femmes à avoir accès à de l'eau propre.

79 Dans le solarium, au 95 de la rue Victoria, avec Ally et Michel.

80 Michel jouant au aki avec ses amis sur la côte Ouest.

81 Michel à Haida Gwaii (les îles de la Reine-Charlotte), en Colombie-Britannique.

82 Justin et Pierre au lac Kokanee, où Michel est mort.

83 Chez les Gillespie à Vankleek Hill, au solstice d'été, peu avant le décès de Pierre.

84 La mort de Pierre m'a profondément affligée. Cette photo a été prise quelques jours seulement avant que je sois hospitalisée, accablée de chagrin. À l'arrière-plan, on voit une photo de nous dansant.

85

85 En l'an 2000 avec Bryan Adams, qui avait organisé un magnifique concert au profit de la Fondation canadienne des avalanches, à Cranbrook, en Colombie-Britannique.

86 Une photo de moi prise par Bryan Adams pour son livre sur des femmes célèbres.

86

87 Sacha et moi à l'inauguration du chalet Kokanee Glacier.

88 Avec Ally et Sophie.

89 Au mariage de Justin avec Sophie Grégoire en 2005.

90 Avec Sophie le jour de son mariage.

91 Ally et moi au mariage de Justin.

92 À Montréal, où je vis maintenant. Cette photo de moi et des garçons a été prise pour le magazine *Hello !* à l'hôtel Le St-James.

93 Pendant une conférence dans le cadre du congrès Bottom Line, organisé par la section de la Colombie-Britannique de l'Association canadienne pour la santé mentale, à Vancouver, en 2007.

94 Mon jardin au lac Newboro dans toute sa magnificence.

95 Au mariage de Sacha et Zoë Bedos, au chalet des garçons dans les Laurentides. De gauche à droite : Sophie (enceinte de Xavier), Ally, moi, Justin, Zoë, Sacha et Kyle.

96 Sacha et moi à sa réception de mariage.

97 La préparation d'un festin pour célébrer mes soixante ans, chez ma sœur Betsy sur la côte Ouest. De gauche à droite : ma nièce Jamie, ma nièce Sarah, Betsy, Sacha, ma nièce Chloe et moi.

98 Avec Zoë, à un souper des ambassades d'EauVive, à Ottawa.

99 Pierre avec son oncle Kyle dans notre bateau de pêche au lac Newboro.

100 Ma première petite-fille, Gala, comme dans «une très grande fête».

101 Gala et sa si belle maman, Zoë.

102 Xavier sous un tableau de sa grand-maman et de son papa, bébé Justin.

103 Ella-Grace Margaret Trudeau. Suivra-t-elle les traces de sa grand-mère?

J'avais une chambre individuelle et, lorsque passait le chariot de la literie propre, je pouvais choisir la couleur de drap que je voulais. Puisque la chambre était si austère, j'utilisais des draps jaune et rose pour faire une jupette à mon lit et m'efforçais de rendre la pièce le plus douillette et accueillante possible. Le rose est une couleur apaisante et le jaune est celle du soleil qui égaie mon esprit. Il n'y avait pas de télévision dans les chambres et je trouvais difficile de me concentrer sur un livre, mais, pelotonnée dans mon lit, j'étais heureuse.

Après quelques semaines, on m'a autorisée à sortir de l'hôpital durant plusieurs heures. Ma première tentative d'apprivoisement du monde extérieur n'a pas été un grand succès. Il y avait tout simplement trop de stimulus et ça m'a abasourdie. Je me sentais coupable de ne pas être à la maison pour faire des achats et cuisiner en vue du déjeuner de Noël. Un ami a donc accepté de m'accompagner à une épicerie fine où lui-même faisait des provisions pour le repas de Noël. Dans l'atmosphère chaleureuse du magasin, entourée de tant de produits appétissants, d'une abondance d'aliments pour les fêtes, j'ai été submergée de souvenirs de Noëls avec Pierre et les garçons, lorsque j'avais toujours préparé des tartelettes au mincemeat que j'apportais ensuite aux gardes postés à la grille d'entrée.

Après avoir rempli mon panier de tartelettes au mincemeat et de biscuits, j'ai demandé à mon ami de me conduire au 24 Sussex. Il était réticent, car il commençait à se faire tard, mais nous y sommes allés et les officiers ont été contents – et très surpris.

J'avais appris une leçon : je devais maîtriser mes impulsions, et mon ami devait m'aider à le faire. Je n'étais pas mécontente lorsqu'il m'a ramenée à l'hôpital. Je commençais à m'y sentir en sécurité et savais que je n'étais pas prête pour plus.

Noël dans le service de psychiatrie a été agréable, tout compte fait. Nous avons découpé des étoiles rouges dans du carton, puis les avons suspendues dans un arbre de Noël artificiel. Après un déjeuner copieux, nous avons chanté des chants de Noël en nous tenant par la main. Jamais je n'aurais pu m'imaginer heureuse dans de telles circonstances, mais la journée avait quelque chose de rassurant, de sécurisant ; j'avais oublié que je pouvais vivre sans constamment éprouver de la peur et de l'appréhension.

La présence de ma sœur aînée, Heather, a largement contribué à égayer cette journée. Ne pouvant supporter l'idée que je sois seule un tel jour, elle avait renoncé à son propre Noël en famille pour être à mes côtés à Ottawa. Je me rappelle très nettement sa tendresse et les larmes que j'ai versées dans ses bras. Je sentais qu'en elle j'avais un défenseur, quelqu'un qui m'aiderait à m'orienter dans le labyrinthe autour de moi lorsque je n'y arriverais pas seule.

Je commençais à me rendre compte qu'une personne souffrant de maladie mentale n'a pas la capacité de comprendre tout ce qui se passe. Elle a besoin de quelqu'un qui balise le chemin, lit la documentation pertinente, s'informe des effets secondaires possibles des médicaments et apporte du réconfort lorsque la guérison semble si désespérément lente. Pour moi, Heather a été cette personne. Depuis mon plus jeune âge, elle avait toujours pris soin de moi.

Puis, progressivement, ma dépression est devenue plus gérable. J'apprenais à ne pas la laisser m'entraîner dans un sombre puits sans fond. Peu à peu, très, très lentement, la dépression a cessé d'être une dépression, se transformant en simple tristesse, ce qu'elle aurait dû être depuis le début.

Je savais très bien que je devais apprendre à vivre avec la tristesse dans le vrai monde, et que jamais ne viendrait un moment où je ne serais pas triste de la perte de Michel. Quelques années après mon hospitalisation, une femme m'a demandé de rédiger la préface d'un ouvrage qu'elle avait écrit sur les soins palliatifs pour des gens ayant dû surmonter des deuils. Elle m'a envoyé la couverture prévue. L'illustration rappelait *Le Cri*, d'Edvard Munch, avec des graffitis partout sur la jaquette et mon nom en plus gros caractères que celui de l'auteure, et les mots : « Vous vous en remettrez. »

Ce que j'ai dit à l'auteure, c'est ce que j'apprenais justement au cours de ces premiers mois à l'Hôpital Royal Ottawa : son titre ne pouvait pas être plus mal choisi. Ce n'était pas une question de « s'en remettre », mais plutôt de « se remettre à vivre ». Il n'y a pas d'autre solution que d'apprendre à vivre avec la tristesse et la peine. Il faut cependant disposer des outils nécessaires pour y arriver.

Il y a une suite à cette histoire. Je n'ai finalement pas écrit la préface demandée. Récemment, l'auteure m'a envoyé un courriel : après avoir largué la maison d'édition et le titre, elle venait de faire publier le livre sous un autre titre. L'ancien, reconnaissait-elle, était inapproprié et même blessant.

En l'an 2000, on permettait encore aux patients de fumer dans les hôpitaux, dans une pièce réservée à cet effet. Je fumais beaucoup à cette époque et je me joignais aux autres fumeurs dans cette pièce où nous discutions, dansions et apprenions à nous connaître. Ce fumoir était notre refuge. Aucun médecin ni membre du personnel infirmier n'y mettait les pieds. Il n'y avait là rien de très surprenant, car avec toute la fumée il était difficile de voir jusqu'à l'autre bout de la pièce. Une des premières choses que j'ai faites, c'est de décrocher les rideaux et de les laver ; blancs à l'origine, ils avaient pris une teinte gris jaunâtre. Dans la soirée et à quelques occasions pendant la journée, nous nous réunissions dans cette pièce et partagions nos expériences et nos histoires. J'ai ainsi pu me rendre compte de toutes les tristes formes que peut prendre la maladie mentale et des malheurs qui peuvent arriver aux gens souffrant de dépression ou de manie.

J'avais été hospitalisée sous un faux nom – Carol Wilson –, mais j'avais moi-même de la difficulté à me rappeler ce nom. Tout le monde a rapidement su qui j'étais. (Le fait que je me prenais pour Margaret Trudeau, pensaient certains, donnait une idée de la gravité de ma maladie!) Avec les autres patients, je participais à des thérapies de groupe et à des activités d'expression artistique, que je trouvais stimulantes. Dans un service de psychiatrie, les journées peuvent être très longues et monotones. J'avais tempêté contre mon emprisonnement pendant les quarante-huit premières heures, mais ensuite j'étais devenue de plus en plus satisfaite de me trouver là où j'étais. Je me sentais en sécurité.

Je suis restée à l'Hôpital Royal Ottawa durant deux mois et demi. J'allais maintenant vivre dans un nouveau monde, où il n'y aurait ni marijuana, ni illusions, ni autopunition. Les séances de thérapie se poursuivaient régulièrement, avec mon gentil et imaginatif psychiatre, le Dr Cameron. Comme moi, il était prêt à essayer des thérapies non traditionnelles pour travailler sur la nature particulière de mes troubles mentaux. Constatant à quel point je craignais encore de manger, et comment ma respiration était perturbée lorsque j'étais triste, il a eu recours à l'hypnose pour m'aider à trouver un endroit rassurant.

Il a utilisé un beau et doux souvenir qui évoque tout ce que j'aime dans la vie. Lorsque mes peurs m'assaillent ou que mes pensées se mettent à galoper, je peux aller à cet endroit dans ma tête pour me calmer, et ensuite réfléchir et me raisonner. Cet endroit est privé, moi seule y ai accès. Pour d'autres personnes, il peut s'agir d'une promenade particulière ou du sourire que leur a adressé l'épicier le matin même, ou autre chose encore. L'important, c'est de trouver un lieu tranquille et apaisant pour soi, aussi familier que de vieilles pantoufles, un lieu où l'esprit peut se reposer. Mais – et cela pourra paraître curieux – il ne faut pas penser lorsqu'on est à cet endroit ; on doit juste profiter du lieu et en apprécier la beauté. Seulement après l'avoir quitté devrait-on revenir sur ce qui nous a fait réagir, peut-être durement.

Le Dr Cameron voulait me libérer du poids de ma tristesse. Je devais apprendre à vivre avec la douleur de la perte de Michel, une douleur qui jamais ne disparaîtrait. Ma plaie était toujours vive, elle devait se cicatriser. Le chagrin était un sentiment tout à fait normal, mais je ne devais plus m'y complaire, ne pas me noyer dans l'apitoiement sur moi-même, ne pas constamment me sentir coupable.

Avec l'aide du Dr Cameron, j'ai enfin compris que j'avais passé de nombreuses années – probablement depuis l'enfance – à me sentir incompétente et nulle. Le catholicisme de Pierre, qui accordait tant d'importance à la culpabilité et au péché, avait eu pour effet d'alourdir le poids sur mes épaules. Pour m'en sortir, j'avais revêtu un masque, mais ce masque était tombé et n'avait plus sa raison d'être. La nouvelle moi devait vivre sans masque.

Le Dr Cameron m'a donné des livres sur la spiritualité écrits par des auteurs comme Deepak Chopra, qui ont longuement réfléchi à la façon de vivre au quotidien en étant pleinement conscient de soi et du monde qui nous entoure, et ces ouvrages m'ont été énormément bénéfiques. Au cours de mes séances avec le Dr Cameron, nous discutions des concepts d'innocence, d'expérience et de rédemption, de la capacité, pour une personne ayant perdu son âme, de la retrouver.

Un jour que je revenais encore une fois sur les terribles choses que j'avais faites à Pierre, à Fried et aux enfants, le

Dʳ Cameron a soudain dit : « Vous êtes extrêmement sévère avec vous-même. À vous entendre, on penserait avoir affaire à une meurtrière ou à une criminelle. Vous n'avez rien fait de terrible. Oui, certains de vos comportements ont pu être gênants, mais aucun n'a causé de graves torts. Vous vous percevez comme la plus méprisable personne sur terre. Vous ne l'êtes pas. Personne n'est parfait. Nous avons tous nos défauts, nos lacunes. Vous êtes vous, et vous devez apprendre à vous pardonner vos erreurs. » Ces paroles avaient beaucoup de bon sens.

Le Dʳ Cameron m'a aussi fait prendre conscience de l'effet que pouvaient avoir sur l'esprit des exercices physiques réguliers et intenses. Un jour où il me posait des questions sur mes promenades quotidiennes, il m'a demandé si, en marchant, je regardais vers le haut ou vers le bas. J'ai répondu que je vérifierais. Le lendemain, dans le parc, j'ai constaté que j'avais toujours les yeux tournés vers le bas, regardant le sentier devant moi, les flaques d'eau laissées par la pluie, le béton et les pierres.

« Essayez de regarder vers le haut », m'a-t-il suggéré à notre rencontre suivante. Et c'est ce que j'ai fait. Tout en marchant, j'ai commencé à remarquer les arbres, le ciel changeant et le jeu des nuages, puis, au lieu d'avancer dans mon monde solitaire, j'ai commencé à établir des contacts avec d'autres marcheurs. Peu après ma sortie de l'hôpital, Sacha et Justin m'avaient offert un chiot. Je me suis fait de bons amis en le promenant tous les matins. Ensuite, j'ai trouvé un entraîneur personnel et, au cours d'une vingtaine de séances, il m'a appris comment chaque muscle du corps fonctionne et quoi faire pour en optimiser le fonctionnement. L'exercice, comme m'avait expliqué le Dʳ Cameron, augmente le taux de sérotonine dans le corps.

Je fais tous les jours une forme d'exercice ou une autre, ne serait-ce que des flexions de genoux pendant que je cuisine.

Parfois je cours sur le mont Royal, piquant des sprints comme s'il y avait eu un coup de pistolet de départ. Quel que soit le programme qu'on s'établit, on sait qu'on ne pourra le respecter totalement. Immanquablement, le temps, les voyages, les circonstances contrecarreront les plans les mieux élaborés. Je suis cependant convaincue que les deux principaux éléments assurant mon équilibre sont de bonnes habitudes alimentaires et un sommeil bienfaisant. Si je réussis à bien manger et à bien dormir, tout le reste semble aller. Un petit chien. Regarder vers le haut. Se mettre à faire de l'exercice. Des choses très simples font parfois une énorme différence.

Peu après mon retour à la maison, Sacha est venu me parler d'argent. Pendant mon hospitalisation, il avait rassemblé mes récents relevés bancaires et avait découvert que dans ma crise maniaque j'avais gaspillé presque tout l'argent de la vente de ma maison de la rue Victoria. Voilà qui était assez déprimant, étant donné que le but avait été d'amasser un pécule. Je me suis rappelé les sommes folles dépensées dans les magasins, des milliers de dollars pour des vêtements dont je n'avais pas besoin, que je ne voulais pas, et dans lesquels je n'entrais même pas. Dans mon délire maniaque, je n'avais eu aucune difficulté à me convaincre que les vêtements, les bijoux, les parfums représentaient des investissements, pour moi, pour ma vie, la vie d'une femme talentueuse promise à un brillant et prospère avenir. De plus, comme l'a découvert Sacha, je m'étais montrée d'une générosité démesurée et déplacée, distribuant à des amis et à des étrangers des vêtements non portés et des objets non désirés.

Une partie de ce comportement remontait à mon enfance, lorsqu'on nous apprenait à être généreux envers les gens. D'autre part, je réagissais aussi à mon sentiment de culpabilité de posséder des biens de valeur et à la certitude que ma mère

désapprouverait fortement une telle extravagance et ce gaspillage. La culpabilité me poussait donc à offrir à d'autres les
articles que je venais à peine d'acheter. Cela peut paraître
surprenant, mais parmi mes achats il n'y avait rien de mauvaise qualité : même dans mon délire maniaque, je n'achetais
pas n'importe quoi, je choisissais avec soin les articles, mais
ils étaient extrêmement coûteux.

Lorsque, bien des années plus tard, le président Obama a
accusé les Américains d'être insouciants et de vivre au-dessus
de leurs moyens, ses mots ont trouvé un écho en moi. La
manie avait eu précisément l'effet de me rendre insouciante
et irresponsable.

Maintenant, dans la réalité frugale de ma nouvelle vie, je
prenais douloureusement conscience que je manquerais bientôt d'argent. Sacha m'a montré les reçus des grands magasins, les grosses sommes d'argent comptant retirées de la banque, les dizaines de factures non payées. Nous avons convenu
qu'il serait dorénavant responsable de mes finances, que je
signerais une procuration l'autorisant à s'occuper de mes affaires et qu'il m'attribuerait une allocation mensuelle pour
mes dépenses.

Il ne m'a cependant pas dit que Justin et lui avaient décidé
de veiller désormais à ma solvabilité. À mon insu, ils avaient
demandé à Fried de cesser de me verser sa petite allocation et
de ne payer que pour Alicia et Kyle. Les garçons voulaient
ainsi éviter à Fried des problèmes financiers et le laisser se
concentrer sur les enfants.

Malheureusement, Sacha a oublié de me mentionner ce
détail. Lorsque j'ai constaté sur mes relevés bancaires que les
chèques de Fried n'étaient plus déposés, j'ai donc été profondément blessée. J'ai perçu cela comme une punition, une
cruelle punition, pour ce que je lui avais fait endurer. J'ai
appris la vérité seulement des années plus tard.

Incapable de payer ma femme de ménage, consciente que mes fils prenaient des décisions d'ordre financier pour moi et subvenaient à mes besoins (même si, malgré leur allocation, j'étais à court), je trouvais ma pauvreté humiliante. Ce qui m'humiliait le plus, c'était de devoir rendre des comptes à un bureau des services sociaux qui s'occupait de gestion financière. Mon médecin et Sacha avaient insisté pour que je me soumette à cette tutelle.

Je devais me rendre dans un bureau d'un quartier miteux d'Ottawa, où une jeune femme de l'âge de ma fille me disait quels types de dépenses je pouvais faire ou pas, et combien je devrais dépenser. Je lui apportais mes factures, qu'elle réglait ensuite à partir de mon compte, avant de me sermonner sur les fonds qui restaient. Cette façon de procéder était peut-être nécessaire; elle était certainement pénible. La surveillance étroite de mes finances personnelles s'est poursuivie durant trois ou quatre mois. C'était humiliant, comme être mariée avec Pierre Trudeau.

Je suis revenue chez moi au début du printemps 2001. Mes médicaments avaient été soigneusement dosés, j'avais des séances de thérapie avec le Dr Cameron une fois par semaine, j'avais entrepris un programme d'exercices et j'avais plein de projets. Une des premières choses que j'ai faites, c'est aller à l'épicerie pour acheter des provisions. J'ai recommencé à cuisiner.

Je me sentais propre, purgée, soutenue dans mon apprentissage de nouvelles façons de voir la vie, c'est-à-dire de ne pas chercher à éviter la douleur mais d'y faire face, de ne pas réagir de manière excessive mais d'écouter, de ne pas me replier sur moi-même mais d'analyser pourquoi certaines choses me semblaient si difficiles et blessantes. Le processus de guérison avait commencé.

Peu à peu, je retrouvais la capacité de rire, et, informée par le Dr Cameron, j'étais au courant que chez une personne normale, en santé, le rire contribue, comme l'exercice, à produire de la sérotonine. Je savais maintenant qu'on pouvait franchir la cinquième étape, celle de l'acceptation. Il restait une question : allais-je pouvoir continuer d'accepter ?

CHAPITRE 13

Moi, enfin !

Émerger du cocon de l'Hôpital Royal Ottawa s'est avéré extrêmement difficile. Comme tout patient qui reste plusieurs mois
à l'hôpital, je m'étais habituée aux soins, à la familiarité de
mon environnement et à la routine de mes journées. Je me suis
parfois sentie comme un enfant essayant de s'adapter à un
monde étranger. Un changement fondamental s'était cependant produit en moi. J'avais enfin accepté ma maladie et ne la
combattais plus. Je savais que, au bout du compte, moi seule
pouvais prendre la responsabilité de ma vie, et l'enjeu était
trop important pour que j'élude le défi. J'avais fait mon choix :
j'allais être saine d'esprit, et cette fois j'irais jusqu'au bout.

J'étais déterminée, comme jamais auparavant, à demeurer en santé, à refaire ma vie, à redevenir une mère fiable
pour mes enfants. Je ne serais pas une victime. Les deux années ayant mené à mon effondrement et les mois où j'avais
été hospitalisée en psychiatrie avaient été extrêmement difficiles pour les enfants, en particulier les plus jeunes.

Ally avait eu douze ans au moment où je suis sortie de
l'hôpital et Kyle allait en avoir dix-sept à l'automne 2001.
Qu'ils soient demeurés si équilibrés en disait long sur les
bons soins de Fried et leur propre nature résiliente. Mais
j'avais beaucoup de choses à rebâtir – surtout leur confiance.

Kyle avait quitté la maison de Fried de l'autre côté de la rue
pour revenir vivre avec moi. Son amour inconditionnel me

gardait en vie. Il a toujours montré de la compassion et de l'empathie envers les autres, et je lui serai éternellement reconnaissante. J'étais seule, séparée de la famille Kemper, que j'aimais tant et qui me manquait, et loin de Justin et de Sacha.

Je n'étais pas la meilleure mère pour Kyle, à ce moment-là, mais je faisais de mon mieux – après tout il n'en avait pas d'autre. Je le conduisais à l'école tous les jours pour passer du temps avec lui, comme je le faisais avec Ally. L'amour de mes enfants l'emportait toujours sur mon envie de mettre fin à ma misérable vie.

Ma fille adorée m'encourageait constamment et me félicitait pour chaque petit pas franchi sur la voie de mon rétablissement. Nous analysions ensemble toute situation qui se présentait : maman est-elle prête à affronter ceci, ou pas ? Sa loyauté et sa maturité, surprenante pour son âge, ont contribué à cicatriser mon cœur brisé.

J'ai été très contente le jour où elle m'a demandé de venir l'écouter faire une présentation dans sa classe, sur le thème de la maladie mentale. En l'écoutant parler, j'ai ressenti à la fois de la fierté et du regret : la fierté de constater sa compréhension du sujet et sa manière de le présenter, et un terrible regret qu'elle ait dû apprendre tant de choses de façon si personnelle et pénible.

J'ai été particulièrement heureuse de l'entendre parler avec beaucoup de passion du jugement porté sur les personnes souffrant de maladie mentale. La maladie mentale, a-t-elle expliqué à ses camarades de classe, n'est pas une tare, mais une maladie comme une autre. À ma surprise, elle a terminé son discours avec les mots suivants : « Nous avons une invitée, aujourd'hui. C'est ma mère, et elle a passé du temps dans un hôpital psychiatrique. »

D'abord amusée, j'ai ensuite pris conscience de l'importance, pour elle et pour moi, de ce moment de reconnaissance de ma maladie. J'étais le sujet de la présentation de ma fille. Le message que j'ai transmis à la classe en est un auquel je crois profondément : les personnes atteintes d'une maladie mentale ont besoin d'aide. J'ai trouvé que les jeunes adolescents formant mon auditoire s'exprimaient très ouvertement sur leurs émotions, et plusieurs ont mentionné des proches souffrant de dépression.

Les jeunes ont voulu savoir s'ils devaient s'inquiéter du fait qu'ils aimaient dormir longtemps et avaient tant de difficulté à se lever, si c'était un signe de dépression. Je leur ai assuré que pour des adolescents c'était tout à fait normal. À la suite de mon expérience dans cette classe, je me suis demandé si les nombreuses chansons portant sur les émotions n'ont pas contribué à rendre les jeunes de cette génération plus compatissants ; ce pourrait alors constituer une façon de briser le tabou associé à la maladie mentale.

Mon rétablissement et ma santé mentale, je les dois à Alicia. Elle est un parfait mélange de son père aux origines allemandes et de moi. Elle a mon corps, ma nature imprévisible ; elle est toujours occupée, papillonnant de-ci de-là. Par ailleurs, elle a aussi un côté allemand, étant raisonnable, organisée, réservée, prudente et intelligente.

J'étais triste lorsque je ne pouvais être une mère pour elle ; Fried a dû jouer ce rôle pendant un certain temps. Mais Ally comprenait et m'encourageait à franchir une étape à la fois. Au cours de sa première année d'études en sciences politiques, à l'Université Concordia, nous nous sentions toutes les deux seules. En déménageant d'Ottawa à Montréal, nous avions laissé derrière des amis et nous étions coupées de nos racines, alors nous mangions ensemble, regardions des films et courions les magasins. Au moment où j'écris ces lignes, Alicia achève sa troisième année à l'université, elle a vingt et un ans et a un beau jeune homme dans sa vie – un étudiant

en année préparatoire de médecine à l'Université McGill. Je
la vois donc moins souvent, mais nous parlons régulièrement
au téléphone. Elle est mon rayon de soleil.

Kyle aussi a joué un rôle crucial dans ma guérison. Tout
le monde qui connaît Kyle l'aime ; il est spécial. Intelligent,
très intelligent. Comme son frère Michel, il a étudié à l'Université Dalhousie, à Halifax. Après la mort de Michel, quand
j'étais effondrée, il est venu vivre avec moi et est devenu mon
tendre protecteur. Il faisait l'épicerie, me préparait des repas
et accomplissait toutes les tâches de la vie quotidienne qui
représentait un tel défi pour moi à l'époque. Lorsqu'on est
déprimé, on peut à peine penser au-delà du moment présent.

Kyle est un si merveilleux jeune homme – un «hippie
urbain», comme je dis. C'est un hippie dans l'âme, un être
affectueux, décontracté et doux, animé de belles valeurs, et il
adore la musique. Il y a une douceur, une bonté en lui. Oh !
comme j'aime mon Kyle ; il me ressemble beaucoup sur certains points. Mais avec son diplôme en économie, il est aussi
moderne et compétent ; c'est un grand amateur de hockey et
de pêche, et il travaille dans le domaine des technologies de
l'information, développant et faisant la promotion d'appli-
cations pour les téléphones portables BlackBerry.

Au moment du décès de Pierre, ma nièce avait ouvert la
porte à un journaliste qui voulait parler à Justin. «Il n'est pas
là», avait-elle répondu. Sacha, alors? Pas là non plus. Et puis
«l'autre frère»? a demandé le journaliste, faisant référence à
Kyle. Tous les enfants ont bien ri lorsqu'on leur a raconté
l'anecdote, et c'est ainsi qu'ils ont appelé Kyle pendant quelque temps. Justin et Sacha sont jaloux de l'anonymat dont a
joui Kyle.

Chaque fois que je parle de mes enfants, tous les cinq,
j'éprouve une grande fierté. Je me surprends à sourire et à parler plus vite ; je ne peux m'en empêcher. Je vante leurs mérites.

Les amis, aussi, m'aident à rester à flot. Lorsque je vivais à Ottawa avec Pierre, la «bande des cinq» (Nancy Pitfield, Jane Faulkner, Gro Southam, Rosemary Shepherd et moi) représentait pour moi une source à la fois de plaisir et d'énergie. Nous nous réunissions pour le lunch, organisions des groupes de jeu pour nos enfants, peignions les chambres de nos bébés, nous soutenions les unes les autres. Plus tard, quand j'ai eu Kyle, je me suis inscrite à un centre proposant des activités pour les parents d'enfants d'âge préscolaire, et nous allions chez les uns et les autres; il y avait un club de lecture et un groupe d'entraide pour les mères. Maintenant que je suis à un stade plus avancé de ma vie, j'ai des amies partout au pays et aux quatre coins du monde. Elles ont souvent de très belles familles, que j'aime «emprunter» à l'occasion – pour un dîner dominical ou pour aider des enfants avec leurs devoirs. L'amitié va et vient comme la marée.

Il y a quelques années, j'ai lu un article dans le magazine *Maclean's* sur le très grand nombre (presque une épidémie) de Canadiennes qui quittent leur mari après vingt-cinq ou trente ans de mariage, une fois les enfants partis. Elles disent: «Joe, je ne laverai plus jamais tes chaussettes. On va vendre cette grande maison familiale et la moitié de l'argent va me revenir. Je vais m'acheter une petite maison en rangée et aller en croisière avec mes amies. Salut.» Et pourquoi pas?

Lorsque je reviens sur ma vie avec des hommes, mon jugement est parfois sévère. Je repense à cette fois où Pierre avait demandé à son ancienne amie de me donner des conseils au cours d'une de mes périodes d'anxiété. À quoi pensait-il? Beaucoup d'hommes ne comprennent tout simplement pas. Ils sont gouvernés par la testostérone, et les femmes par les estrogènes. Ça m'encourage lorsque je vois de jeunes maris qui sont émotionnellement intelligents, qui font la vaisselle, qui sont en phase avec leur femme; je me dis que les mères élèvent mieux leurs fils, de nos jours. Pierre, il est vrai, a changé des couches et s'est levé la nuit pour nos bébés, mais ce n'était pas un mari en phase avec sa femme.

Je suis très consciente que dépendre des autres n'est pas une attitude appropriée, pas plus que ne l'était mon habitude de rejeter sur les autres la responsabilité de ma tristesse. Malgré toute l'aide que peuvent offrir la famille et les amis – et je n'aurais pas la vie que je mène aujourd'hui sans le soutien de ma famille –, nous qui souffrons d'une maladie mentale devons, en fin de compte, lutter seuls.

Un après-midi en 2007 à Montréal, plusieurs années après ma sortie de l'hôpital, j'ai eu envie d'aller au cinéma. Le film *Vers l'inconnu*, de Sean Penn, un de mes réalisateurs préférés, était à l'affiche. Assise dans l'obscurité de la salle de cinéma presque vide, j'ai ressenti un malaise croissant à mesure que je m'absorbais dans l'histoire, celle d'un jeune homme, fils d'un père violent et tyrannique.

Le film commence le jour de la remise des diplômes, avec un repas pour célébrer l'occasion. Le jeune homme a très bien réussi dans ses études et son père lui remet un chèque pour couvrir ses frais de scolarité à l'école de médecine de Harvard. En quittant le restaurant, il donne le chèque à la première personne à la main tendue, brûle ses pièces d'identité et part sur les routes à la découverte de lui-même. La ressemblance entre le jeune acteur (Emile Hirsch, alors âgé de vingt-deux ans) et Michel, et les similitudes entre le scénario et la vie de Michel, son attirance pour les régions sauvages et sa détermination à se mesurer à la nature – tout cela était troublant. Pendant le reste du film, je n'ai plus vu que le visage de Michel devant moi.

Dans le film, le jeune homme est enchanté par les gens qu'il rencontre et les endroits où il passe. Son périple le mène finalement en Alaska, où, inconscient des dangers associés à l'hiver et à l'isolement, il meurt de faim, exactement comme Michel, insouciant du danger, avait été entraîné dans la mort.

J'ai eu l'impression que le piège du deuil se refermait de nouveau sur moi : Michel n'avait pas lui non plus anticipé les dangers, et lui aussi était mort. Je me suis mise à pleurer, sans pouvoir m'arrêter. Je suis sortie du cinéma en pleurs, redoutant que de retour à la maison je m'effondre sur le sol et ne puisse plus me relever. C'est ce que je craignais toujours : m'écrouler par terre et être incapable de me relever. Pour ceux qui n'ont jamais souffert d'une grave dépression, voici une image qui fait réfléchir : vous êtes sur le plancher et n'avez même pas assez d'énergie pour lever un doigt. Vous êtes un poids mort.

Mais je ne suis pas tombée sur le plancher. Je suis allée directement à la maison et me suis mise à cuisiner. J'ai fait des tartes, des gâteaux et des sauces, puis les ai mis à congeler. J'ai préparé un énorme plat d'osso buco, laissant le veau mijoter longuement dans la sauce, puis j'ai mis ça aussi au congélateur. Et lorsque, deux semaines plus tard, ma belle-fille Sophie a donné naissance au petit Xavier James Trudeau et m'a demandé si j'avais quelque chose au congélateur que je pourrais apporter à l'hôpital pour Justin et elle, l'osso buco était là, prêt pour eux.

Ça m'a rappelé le plaisir que l'on ressent à donner aux autres. Pendant que je cuisinais, je m'étais aussi dit : je dois trouver une façon de changer mes pensées, de me distraire, pas à l'aide de drogues ou d'alcool, mais d'actions positives. On m'avait donné les outils nécessaires. Je pouvais faire le choix de remplacer mes pensées négatives par des pensées positives, de faire réapparaître la lumière et se dissiper l'obscurité.

Chaque victoire sur moi-même, aussi petite soit-elle, représentait un autre pas en direction de la santé. Je continuais ma thérapie, allant voir le Dr Cameron une fois par semaine. Dans les séances de thérapie cognitive, j'apprenais à ne pas refouler ou ignorer les sentiments négatifs, mais à me les « approprier » et ainsi acquérir une nouvelle prise sur ma vie. Lentement, très lentement, j'apprenais à ne pas sortir précipitamment d'une pièce en claquant la porte lorsque j'étais en colère ou frustrée, mais à prendre le temps de réfléchir, d'écouter vraiment ce qui était dit, puis de réagir en conséquence. Cette nouvelle approche était difficile à mettre en pratique, car pendant si longtemps j'avais eu tendance à mal interpréter des paroles et à réagir de manière excessive, à entendre les mauvaises choses, jamais les bonnes. Le Dr Cameron m'a appris à ne pas paniquer ni me cacher, à ne pas repousser les gens ni punir ceux qui, croyais-je, me blessaient, mais à exprimer ces grands flots d'émotions sans crainte.

L'une des forces du Dr Cameron, c'est qu'il est prêt à essayer tout ce qui pourrait aider. Contrairement à mes premières expériences avec le psychiatre qui avait tenté de me transformer en épouse parfaite pour Pierre et en première dame raffinée du Canada, le Dr Cameron avait pour seul objectif de me guider vers une santé mentale durable où je pourrais être moi-même. L'expression « intelligence émotionnelle », qui commençait à être à la mode, résumait pour moi tout ce qui m'avait si longtemps fait défaut.

N'importe qui peut se mettre colère, a écrit Aristote ; il n'y a rien d'étrange ou d'inapproprié en cela, mais « il est difficile de déterminer comment, contre qui, à quel sujet et combien de temps la colère peut se manifester ». Comme l'a expliqué le philosophe grec dans son traité *Éthique à Nicomaque*, nos passions – si nous les comprenons et maîtrisons bien – ont une raison d'être et peuvent guider notre mode de pensée et contribuer à notre survie. Ces passions, cependant, peuvent facilement se déchaîner, et cela se produit souvent. Selon Aristote, le problème ne réside pas dans les émotions, mais dans leur pertinence et dans la façon d'y faire intervenir l'intelligence. Pendant presque toute ma vie, mes émotions avaient été incontrôlables, aucunement maîtrisées par mon intellect.

Encouragée par le Dr Cameron, j'ai aussi diversifié mes activités ; j'ai parlé de maladie mentale avec d'autres personnes, effectué des recherches sur les termes médicaux et les remèdes, et me suis mise au yoga.

« Vous devez prendre conscience du pouvoir de l'esprit, me disait le Dr Cameron. Ne sous-estimez jamais sa faculté de vous jouer des tours ni la rapidité avec laquelle il peut soudain mal fonctionner. La peur, le sentiment de culpabilité et le dégoût de soi-même peuvent vous sembler attrayants. Vous devez vous accrocher à l'idée que vous avez le droit d'être heureuse, que vous n'êtes pas condamnée à une triste vie de récriminations et de regrets. Vous n'êtes pas la seule dans cette situation, et vous aurez besoin d'aide pour réussir, mais en fin de compte, c'est à vous de découvrir comment fonctionne votre esprit et d'acquérir les habiletés nécessaires pour parer à toute éventualité. Personne n'est parfait. Nous avons tous nos défauts, nos imperfections – mais c'est ce qui rend la vie intéressante. »

Il m'a expliqué qu'un cerveau sain, doté d'une « intelligence émotionnelle » appropriée, peut absorber de nouvelles informations, résister au stress, relever les défis, s'adapter aux changements. Je comprenais enfin ce qu'affirment les bouddhistes : le changement est la seule constante dans la vie.

Dans l'ensemble, je tenais compte des conseils du Dr Cameron et m'employais à me rétablir. J'ai renoué des amitiés et me suis rapprochée des enfants. Lorsque je me sentais agitée et incapable de me concentrer, je mettais des écouteurs et pendant des heures écoutais de la musique classique, qui m'apaisait, me ramenait sur terre. J'aimais beaucoup la programmation continue à la deuxième chaîne de la CBC, trouvant passionnante la sélection aléatoire des pièces : une minute on fait jouer du Bach, la suivante du Mozart. C'était très agréable de pouvoir prendre le temps de rester assise tranquille à écouter. J'ai ainsi découvert quelque chose que je n'aurais jamais pu imaginer : la joie se situe parfois dans les pauses. Lorsque j'avais de la difficulté à respirer, je faisais mes exercices de yoga.

Pour moi, le Dr Cameron a été un véritable cadeau. Il m'a guidée dans ce long, très long processus : trois ans de thérapie cognitive, d'hypnose, de méditation profonde, de changement de mon mode de pensée. Si l'on répète constamment les mêmes comportements et schèmes de pensée, on s'enlise de plus en plus ; on devient paralysé. Il me fallait remplacer mon sentiment de culpabilité et ma peur, trouver ces choses que je recherchais tant dans la vingtaine – le bonheur au quotidien, la paix de l'esprit, me réveiller confiante que la journée allait être bonne. Changer totalement mon approche : voilà ma tâche, pour ne plus me réveiller dans la crainte, ne plus me demander comment j'allais passer au travers de la journée.

Le Dr Cameron avait un plan, dont l'objectif n'était pas de me contrôler, mais de me libérer. Une fois la médication ajustée à la délicate chimie de mon cerveau – ce qui a exigé beaucoup de temps –, j'ai acquis de nouveaux outils. J'ai appris à réfléchir avec intelligence, pas avec mes émotions. J'ai aussi appris des trucs : m'imaginer reprenant le contrôle de moi-même, quitter la pièce (je suis très douée pour quitter une pièce lorsque quelque chose ou quelqu'un m'a irritée ou troublée), respirer profondément.

Puis est survenu un incident fâcheux qui aurait pu me faire régresser, qui aurait eu un effet dévastateur dans les années passées, mais qui m'a au contraire rendue plus forte.

Tard un soir vers la fin de mai 2004, je rentrais chez moi après un barbecue, lorsqu'un policier m'a fait signe d'arrêter sur la promenade Vanier, à Ottawa. Il vérifiait la propriété des véhicules sur son ordinateur, a-t-il dit. Il m'a aussi demandé si j'avais bu, et j'ai répondu oui.

Comme il n'avait pas d'alcootest avec lui, il m'a dit de m'asseoir dans le véhicule de police en attendant qu'on en apporte un. L'analyse de mon échantillon d'haleine a alors révélé que j'étais légèrement au-dessus de la limite. Le policier m'a donc informée qu'il devait m'emmener au poste… menottes aux poignets. Lorsque nous avons été rendus à destination, il m'a fait retirer mes chaussures de sport et a dit que je pouvais appeler un avocat. Ma première pensée a été pour mon chiot, qu'il fallait sortir et promener. J'ai appelé Kyle, qui m'a assuré qu'il s'occuperait du chien. Une image reste gravée dans ma mémoire : celle du policier qui m'avait arrêtée donnant un coup de poing dans l'air devant ses collègues, comme en un signe de victoire.

On m'a installée dans une cabine téléphonique en me remettant une liste d'avocats criminalistes, puis, à ma demande, un policier a composé le numéro du premier sur la liste. N'obtenant pas de réponse, nous avons passé au suivant. À ce moment-là, j'étais un peu plus calme. Le deuxième avocat sur la liste n'a pas répondu non plus, mais j'ai alors vu le nom d'un avocat que je connaissais. Le policier l'a appelé pour moi et je lui ai parlé, mais personne au poste de police ne m'a dit que, selon la loi, j'avais le droit de parler à mon avocat durant jusqu'à deux heures… avant de donner un échantillon d'haleine.

Selon moi, les policiers voulaient accélérer le processus tandis que j'étais encore au-dessus de la limite. Une policière m'a ensuite informée qu'on me garderait jusqu'à ce que j'aie « dessoûlé ». On m'a donc mise dans une cellule, une cellule ouverte où seuls des barreaux séparaient les prisonniers des policiers. À côté de moi se trouvait une femme débraillée et soûle qui criait comme un putois. Lorsque j'ai utilisé les toilettes, un policier est passé à côté de moi et m'a dévisagée. On m'a finalement relâchée le lendemain matin à cinq heures et demie.

Ironiquement, cet épisode humiliant a marqué un véritable tournant dans ma vie. Je suis sortie dans l'aube brumeuse avec la farouche détermination de ne pas passer à la postérité comme une conductrice en état d'ébriété et une malade mentale. Je me trouverais un but dans la vie, un travail, une activité, quelque chose qui avait de l'importance.

Pour revenir à l'incident, il y a eu un procès et deux appels sur une période de quatre ans – pour établir si mes droits avaient été bafoués. Au procès, le juge a déclaré qu'ils l'avaient été. La Couronne a interjeté appel, et dans cette cause le juge a annulé le premier verdict. J'ai ensuite gagné devant la Cour d'appel de l'Ontario.

Après une petite fortune dépensée en frais d'avocat, la cause a finalement été rejetée. Il n'y avait eu aucune raison de m'arrêter, le policier venu témoigner au procès avait convenu que je m'étais montrée polie et coopérative, et la poursuite intentée contre moi a été jugée pleine d'erreurs. J'imagine qu'en voyant le nom Kemper le policier avait dû se dire qu'il venait d'attraper un gros poisson. Ce résultat était aussi bien, car un verdict de culpabilité m'aurait laissée avec un casier judiciaire et je n'aurais pas pu voyager aux États-Unis. Selon le jugement, la police avait violé mes droits – précisément ces droits pour lesquels Pierre, comme premier ministre, avait tant lutté afin qu'ils soient inclus dans la Constitution.

J'ai été acquittée. Les médias, toutefois, ont fait leurs choux gras de cette histoire, et encore une fois je me suis mise à les détester, à détester leur pouvoir, leur intrusion dans la vie des gens. L'*Ottawa Citizen* a rapporté la nouvelle en première page – même s'il n'y avait eu ni accident ni blessés. Pour la première fois, je crois, j'ai vraiment compris le pouvoir qu'a la presse de ruiner la vie des gens. Mais ma rage avait du bon. Ma colère a eu pour effet de renforcer ma détermination à assumer la responsabilité de toutes les facettes de ma vie. Je suis une mère qui est contre la conduite en état d'ébriété. Je mets tout le monde en garde contre les dangers de l'alcool au volant.

Ce que j'ai fait était irresponsable. Le taux d'alcool dans mon sang était au-dessus de la limite, mais je l'ignorais. L'expérience que j'ai vécue a été humiliante et terrible... et une leçon de vie qui m'a coûté cher.

En 2004, donc, une chose était claire : je devais me trouver du travail. Christine Shaikin, une très bonne amie propriétaire d'une des meilleures boutiques de vêtements griffés à Ottawa (Justine's, sur la promenade Sussex), m'a proposé d'y travailler le samedi. Étant donné ce sur quoi je me concentrais à l'époque – soit l'importance de ce qu'il y a à l'intérieur et non à l'extérieur –, ce type de travail pouvait paraître bizarre. Christine s'est cependant montrée gentille et patiente, et n'a pas semblé s'offusquer lorsque je portais des vêtements démodés ou déconseillais aux clientes d'acheter des vêtements chers qui à mon avis ne leur allaient pas.

Peu après, un autre emploi m'a été proposé. Au cours d'une soirée organisée par Christine, j'ai rencontré Sandra Cairns. Quand elle m'a demandé ce que je faisais, j'ai répondu que je cherchais du travail.

« Venez travailler pour moi », a-t-elle suggéré. Sandra dirige une petite entreprise qui se charge du déménagement d'employés mutés à de nouveaux postes dans une autre ville et elle voulait quelqu'un sachant conduire et se servir d'un ordinateur.

J'ai dû lui avouer qu'on venait de me retirer mon permis de conduire pour trois mois (à la suite de l'accusation de conduite en état d'ébriété) et que je n'avais jamais navigué sur Internet.

Or quelque chose dans mon histoire a dû l'intriguer, car bientôt, vêtue de nouvelles tenues offertes par Justin et Sacha, je partageais avec cinq autres femmes un bureau à l'étage d'une vieille maison dans le centre-ville d'Ottawa. Il ne s'agissait pas seulement d'un généreux cadeau d'anniversaire, mais d'un autre pas sur le chemin de la guérison. Je recommençais à me soucier de mon apparence, après des années à me ficher de quoi j'avais l'air.

Me voilà donc en train d'organiser la vie d'autres personnes alors que je pouvais à peine organiser la mienne – situation pour le moins cocasse. Je me suis rapidement rendu compte, cependant, que j'avais un talent pour faire correspondre les demandes des gens à la réalité, inscrire les enfants dans de nouvelles écoles, trouver des écoles de ballet à Ottawa, emmener les épouses de cadres supérieurs faire le tour de la ville et leur montrer où faire leurs courses. J'avais maintenant une raison de me lever le matin. J'ai appris à utiliser un ordinateur et Internet, je rencontrais des gens intéressants et j'adorais les pauses-café avec mes collègues. J'étais particulièrement reconnaissante de la gentillesse des autres employées de Dada Destination Services.

Sacha, qui exerçait toujours une surveillance sur mes finances, m'avait assuré que mon salaire ne modifierait en rien l'allocation que Justin et lui me versaient – car les garçons avaient hérité tout l'argent de Pierre. Mes paies constitueraient la cerise sur le gâteau.

Grâce à mon salaire, j'avais une plus grande liberté, et j'en étais très reconnaissante. J'avais enfin assez d'argent pour aller au théâtre et voyager. Je retrouvais ma vie. J'ai cependant découvert que la tolérance par rapport aux troubles mentaux demeurait faible. Lorsque j'ai voulu souscrire une assurance personnelle, j'ai dû révéler que je souffrais de trouble bipolaire, ce qui excluait d'emblée toute possibilité d'assurance invalidité.

Le chemin de mon rétablissement a également été marqué par le bénévolat. J'ai ainsi commencé à comprendre l'effet bénéfique de mettre de côté mes propres problèmes et d'aider à résoudre ceux d'autres personnes. Au Canada, l'eau pure est une ressource que nous tenons pour acquise. J'ai passé certains des jours les plus heureux de ma vie près de l'eau – au lac Mousseau, au lac Newboro, chez ma grand-mère à proximité de l'océan. L'eau pure est toutefois une denrée rare ailleurs dans le monde, et il m'a semblé logique de militer pour l'accès à l'eau potable.

Mon intérêt pour l'eau remonte à la conférence des Nations unies sur les établissements humains qui s'est déroulée en 1976 au parc Jericho, à Vancouver, et à laquelle, à titre de femme du premier ministre, j'avais participé. Alors que Pierre accueillait les chefs de gouvernement, je jouais le rôle d'hôtesse du côté non gouvernemental. De toutes les tâches que j'ai accomplies durant les sept ans où j'ai été l'épouse du premier ministre, celle-là fut l'une des plus importantes.

Je m'intéressais déjà à l'eau et à son rôle crucial dans la vie des gens. Au cours de mes nombreux voyages avec Pierre, j'avais constaté que, souvent, la différence entre une communauté prospère et une autre qui ne l'était pas s'expliquait par la qualité de l'eau – et la facilité d'approvisionnement. Margaret Mead, la célèbre anthropologue américaine, participait également à la conférence (son décès, deux ans plus tard, m'a attristée). J'étais ravie de la rencontrer, car j'avais étudié ses écrits à l'université. Parmi les conférenciers se trouvait également Barbara Ward. Selon cette économiste et

auteure britannique, les pays riches avaient l'obligation morale d'aider les pays pauvres. Elle affirmait que la redistribu-
tion et la conservation des ressources étaient liées et que
l'avenir de la planète en dépendait.

Je revois la frêle Barbara debout sous la pluie glaciale avec
un verre d'eau sale à la main – un accessoire pour illustrer
son propos alors qu'elle parlait à des journalistes de la pénu-
rie d'eau potable sur la planète. Barbara a dit quelque chose
d'extrêmement important pendant que les paparazzis four-
millaient autour de moi.

« Vous devriez être un pot de miel pour ces abeilles, m'a-
t-elle dit en aparté. Mais donnez-leur quelque chose de substantiel. » Barbara me suggérait d'utiliser mon nom et ma célébrité pour prêcher la bonne parole au sujet de l'eau. Cela a
pris un certain temps, mais j'ai finalement suivi son conseil.
Au fil des ans, j'avais lu des articles sur la sécheresse et la pé-
nurie d'eau, sur des régions du monde où les femmes devaient
faire des kilomètres chaque jour pour aller chercher de l'eau
non polluée pour leurs enfants. Puis un jour, de nombreuses
années plus tard, j'accompagnais Ally et ses camarades de
classe au cours d'une sortie au Musée canadien de la nature,
à Ottawa, lorsque j'ai vu des photographies illustrant le travail accompli par EauVive. Cet organisme de bienfaisance
canadien, fondé en 1987, collabore avec des partenaires lo-
caux en Ouganda, en Tanzanie et au Kenya pour fournir aux
gens des campagnes de l'eau potable, des installations sanitaires et l'enseignement de l'hygiène.

Dans ces régions du monde, l'eau est la responsabilité des
femmes. On s'attend à ce que celles-ci la rationnent et, à tour
de rôle, elles doivent tenir à distance les animaux qui pourraient contaminer la source. Certaines femmes doivent
parcourir plusieurs kilomètres pour trouver de l'eau potable,
qu'elles rapportent à la maison dans des contenants posés sur

leur tête. Tout ce temps passé à aller puiser de l'eau est du temps perdu, du temps que ces femmes pourraient consacrer à des activités plus productives, comme voir à l'éducation de leurs enfants, cuisiner, diriger une petite entreprise, s'instruire ou profiter d'un repos bien mérité. Seules au cours de leurs sorties liées à l'eau, ces femmes s'exposent au viol; elles constituent en effet des cibles de choix pour des hommes armés se déplaçant en jeep. Creuser un puits dans un village, comme le fait EauVive, transforme ce village et donne du pouvoir aux femmes, contribue à les sortir de la pauvreté.

Voilà, enfin, l'apport « substantiel » que Barbara Ward avait en tête pour moi. L'idée de m'associer à EauVive me plaisait beaucoup, et c'est ce que j'ai fait en 1996. J'ai commencé à accorder des entrevues et à prononcer des discours sur la situation désespérée du milliard de personnes sur terre qui n'ont pas accès à de l'eau potable.

Lorsque Michel est mort, la directrice générale d'alors, Nicole Bosley, m'a aidée à répondre aux nombreuses lettres de condoléances que j'ai reçues. Puis, en 2002, l'organisme m'a proposé la présidence d'honneur, invitation que j'ai acceptée avec fierté.

Je suis allée en Afrique trois fois pour constater par moi-même les projets menés par EauVive. Il y a quelques années, j'ai emmené Sophie, ma belle-fille; une équipe de tournage de la chaîne de télévision CTV nous accompagnait. Nous avons vu des enfants au ventre ballonné par le manque de protéines et des femmes qui se levaient avant l'aube tous les jours pour la pénible marche jusqu'à la source d'eau. J'ai vu des animaux déféquer dans l'eau de puits, que les femmes rapportaient ensuite dans des contenants sur leur tête. À la naissance d'un enfant, m'a-t-on raconté, les grands-mères trempaient un doigt dans l'eau et le donnaient à sucer au bébé; si le nouveau-né tolérait l'eau, alors il survivrait. J'ai été marquée par le travail pénible et ingrat de ces femmes et leur façon de vivre leur vie sans se plaindre.

J'ai ensuite redoublé d'efforts pour aider EauVive à amasser des fonds pour des pompes à main (si simples que l'entretien n'exige aucune technologie sophistiquée), des latrines en béton et des contenants pour recueillir et conserver l'eau à la saison des pluies. Au cours d'une deuxième visite en Ouganda, j'ai constaté comment le puits creusé dans un village isolé avait transformé la vie d'une des femmes : après être allée à Kampala pour apprendre à lire et à écrire, elle était devenue la secrétaire du village.

Je lui ai demandé ce qui avait changé depuis l'arrivée de l'eau. «Les enfants ne meurent plus», a-t-elle répondu. Étant donné le plus grand nombre de filles et de garçons en bonne santé, a-t-elle ajouté, il leur fallait maintenant des livres, des crayons, des ballons de soccer. (Bien qu'EauVive consacre ses fonds exclusivement à des projets liés à l'eau et aux installations sanitaires, nous avons transmis la demande à d'autres organismes.)

Une autre femme, libérée de la corvée quotidienne d'aller chercher de l'eau à des sources lointaines, avait commencé à cultiver et à vendre des légumes. Avec l'argent ainsi gagné, elle avait acheté une machine à coudre et confectionnait maintenant des vêtements pour d'autres villageois. L'eau potable non seulement améliorait la santé des habitants, mais donnait du pouvoir aux femmes.

Pour la première fois de ma vie, j'utilisais mon nom et mon curieux statut de célébrité à des fins d'une grande importance. Je continue d'amasser des fonds pour EauVive, de présider des dîners organisés pour collecter de l'argent, d'aller dans les écoles pour sensibiliser les jeunes au problème de l'eau et de prendre la parole au nom d'EauVive.

À ma deuxième visite en Ouganda, j'ai décidé d'inaugurer un puits à la mémoire de Michel. Le moment venu, j'ai fondu en larmes, mais toutes les femmes présentes se sont approchées pour me prendre dans leurs bras après qu'on eut expliqué que j'avais perdu un fils. Ces femmes ayant perdu tant de leurs propres enfants à la suite de maladies causées par l'eau polluée, j'avais l'impression de partager un même chagrin avec elles. Grâce aux femmes d'Afrique, j'ai appris beaucoup de nouvelles leçons dans mon cheminement vers la guérison.

Nous nous sommes ensuite rendus dans un autre village au nord, à la frontière entre l'Ouganda et le Soudan. Eau-Vive y avait creusé un puits l'année précédente et nous voulions voir les améliorations que cela avait pu entraîner. Contrairement à d'autres villages visités, celui-là dégageait une atmosphère de tristesse et de désespoir. Les villageois nous ont bien accueillis et ont exprimé leur reconnaissance, mais ils ne souriaient jamais. Nous avons appris que deux semaines auparavant un commando avait fait irruption dans le village en pleine nuit, avait tiré du lit huit jeunes garçons, les avait attachés l'un à l'autre, puis, malgré leurs cris, les avait emmenés dans l'obscurité. Enrôlés comme enfants soldats, ces garçons n'avaient pas été revus depuis.

Je crois profondément que l'accès à de l'eau potable est un droit universel, absolu, qu'il faut protéger. J'ai donc été gênée en observant ce qui s'est produit à la Commission des droits de l'homme de l'ONU, en 2002, où a été soumise une résolution stipulant que l'accès à l'eau est un droit fondamental au même titre que le droit à l'alimentation et au logement. Parmi les cinquante-trois pays présents, trente-sept ont voté pour la résolution, quinze se sont abstenus et un seul a voté contre. Cet unique opposant était le Canada.

Christina Lubbock, directrice générale d'EauVive à l'époque, était aussi consternée que moi. «Je ne peux imaginer qu'on puisse rejeter l'idée que l'eau est un droit, a-t-elle dit.

Et encore moins si l'on habite le Canada, où nous en avons tant. » Le Canada abrite un demi pour cent de la population mondiale et possède vingt pour cent des réserves d'eau douce de la planète. « Pour nous tous qui travaillons pour EauVive, a ajouté Christina, pouvoir boire de l'eau salubre nous semble un droit universel, tout comme le droit de respirer de l'air pur. »

Maude Barlow du Conseil des Canadiens qualifie l'eau d'« or bleu », et elle a absolument raison. Des multinationales comme Monsanto et Bechtel savent que la consommation globale d'eau double tous les vingt ans et veulent contrôler les réserves, évidemment. À cause de la cupidité, tant d'eau a déjà été détournée et polluée. Imaginez l'onde de choc économique que cela provoquerait si l'eau devenait un produit que l'on peut acheter et vendre au plus offrant.

Au cours d'un voyage en Éthiopie avec EauVive, j'ai tenu à visiter un hôpital psychiatrique fondé à Addis-Abeba par le Dr Clare Pain, professeure adjointe de psychiatrie à l'Université de Toronto. Avant son arrivée, la médecine psychiatrique avait été pratiquement inexistante dans ce pays. Même si les trois psychiatres fraîchement diplômés amélioraient considérablement la situation dans la capitale, la vision de la maladie mentale à laquelle j'ai été exposée me hante encore. J'ai pris conscience de ma chance incroyable d'être née au Canada.

On m'a emmenée visiter un « asile d'aliénés », où j'ai vu des hommes et des femmes vêtus de pyjamas rayés blanc et noir, un numéro peint dans le dos, certains avec des chaînes aux pieds. Les rares médicaments disponibles étaient, pour la plupart, ceux dont on ne se sert plus en Occident, écoulés dans le cadre de programmes d'aide. En raison du manque d'argent pour acheter des médicaments plus récents, on gardait les patients dans un état semi-comateux. J'ai demandé à l'unique infirmière responsable d'une salle pour femmes comprenant quarante lits comment elle réussissait à s'occuper de toutes ces patientes.

« Le seul moment difficile, a-t-elle répondu, c'est le matin lorsqu'elles se réveillent, avant que les médicaments les calment. » Non loin de cette salle se trouvait la pièce où l'on administrait des électrochocs. Avant que le nouveau directeur mette fin à la pratique, le traitement par électrochocs était utilisé pour mater des patients turbulents. Je me suis rappelée avec horreur le film *Vol au-dessus d'un nid de coucou*.

Durant tous mes séjours à l'hôpital, jamais je n'avais été traitée par électroconvulsivothérapie (ECT). J'en avais discuté avec le Dr Cameron, mais j'étais réticente à me soumettre à ce que l'on considère encore comme une solution de dernier ressort, qui fait subir un véritable choc au système. Je ne craignais pas ce traitement, car je savais que les méthodes modernes ne sont pas cruelles et que de nombreuses personnes en ont tiré des bienfaits. Toutefois, la perte de mémoire que peut causer l'ECT m'inquiétait. Bien que certains de mes souvenirs soient douloureux, je ne voulais en perdre aucun. De toute façon, j'avais déjà subi assez de chocs avec tout ce qui m'était arrivé ; j'avais besoin d'équilibre, pas de chocs supplémentaires. Un fait, cependant, m'est resté en mémoire : certains psychiatres affirment que, s'ils tombaient dans une dépression profonde, l'ECT constituerait leur premier choix de traitement.

Bien qu'on ne m'ait jamais poussée à essayer l'ECT, j'ai été témoin de résultats positifs, à l'hôpital. Une jeune fille souffrant d'une grave dépression avait été emmenée pour un traitement par électrochocs et j'avais confié à une infirmière mes inquiétudes à ce sujet. Sous l'effet des calmants, la jeune fille est revenue à moitié endormie et désorientée, mais au cours des jours suivants, elle est sortie de sa dépression.

Peu avant la mort de Michel, une agence qui propose des conférenciers pour des événements spéciaux, Speakers' Spotlight, m'avait invitée à me joindre à elle. Pour mon premier contrat, je devais participer à une activité de collecte de fonds au profit d'un refuge pour femmes battues à Toronto et j'avais décidé de parler de l'eau. L'activité, qui se déroulait à l'extérieur, avait rassemblé environ mille personnes. Je m'étais bien préparée en mettant sur papier ce que je voulais dire, en faisant ressortir les points importants; je ne me sentais donc pas trop nerveuse. Mes années avec Pierre et ma courte formation en art dramatique m'avaient appris comment me débrouiller dans des situations semblables, me disais-je. Mes efforts, cependant, ne furent pas totalement couronnés de succès. La préparation minutieuse avait constitué une entrave et m'avait nui. J'avais manqué de naturel et perdu ma place quelques fois. Une piètre performance, à mon avis.

Au début de l'année 2006, on m'a invitée à un cocktail pour des bénévoles et des collecteurs de fonds pour contribuer au projet de construction d'un nouveau Centre de santé mentale Royal Ottawa en remplacement du complexe de vieux édifices victoriens devenus vétustes. J'étais si reconnaissante de ce que l'hôpital et le personnel avaient fait pour moi. Avant de quitter la réception, j'ai demandé au président et directeur général, Bruce Swan, si je pouvais être utile à quoi que ce soit. Il y réfléchirait, a-t-il dit, et m'appellerait. Je m'attendais à ce qu'il me suggère de me joindre à un comité de collecte de fonds.

Une semaine plus tard, il m'a invitée à venir le rencontrer à son bureau. Avec lui se trouvait une collègue, Kathy Hendrick, la directrice des communications de l'hôpital. Ils voulaient que je me fasse l'apôtre de la santé mentale. J'avais le profil idéal, je savais m'exprimer, les gens m'écouteraient. Et n'avais-je pas offert mon aide? De plus, il s'agirait d'un travail rémunéré – je pourrais facturer des honoraires pour toute conférence que je prononcerais.

Je ne devais pas me faire d'illusions, m'ont toutefois prévenue Bruce et Kathy. Ce travail serait difficile, exigeant. Voilà une perspective angoissante – divulguer au grand jour ce que j'avais vécu allait bien au-delà de tout ce que j'avais pu envisager. De retour à la maison, j'ai réfléchi sérieusement à la proposition. Informé de l'offre, Sacha a craint que le stress d'un tel travail mène à une rechute et il a demandé à mon médecin de me parler de ses appréhensions. Le médecin était toutefois d'accord avec moi : en travaillant, je me sentirais utile, et je ne m'étais pas sentie utile depuis l'époque où je m'occupais de jeunes enfants.

J'ai appelé Bruce pour dire que j'étais prête à faire un essai. Soudain, je me suis sentie motivée comme jamais auparavant. Ce projet était paniquant, mais excitant. Comme première mission, j'ai accepté de donner une conférence de presse.

L'étape suivante aurait très bien pu me faire tourner le dos pour toujours à toute l'idée. Les représentants des médias avaient été rassemblés dans le gymnase de l'hôpital, et lorsque je suis montée sur l'estrade, j'ai vu une mer de visages sceptiques et pas nécessairement bienveillants. Dans la salle se trouvaient des journalistes politiques que j'avais connus pendant mes années avec Pierre et qui s'étaient rarement montrés bien disposés à mon égard. Je savais, cependant, que j'étais en bonne voie de guérison ; et mieux que quiconque, je savais à quel point la guérison pouvait être difficile.

Malgré tout, je ne m'étais pas vraiment attendue à cela ; mais tout compte fait, la conférence de presse s'est bien déroulée. Contrairement à ce que j'avais craint, ce ne fut pas si difficile de déclarer : « Pendant toute ma vie adulte, j'ai souffert d'une maladie mentale. » Le simple fait de prononcer ces mots m'a procuré un immense soulagement. Je les avais prononcés et j'avais survécu. La réaction de la presse a été chaleureuse. Plusieurs journalistes que je percevais comme des ennemis sont ensuite venus me voir avec des paroles d'encouragement.

C'est ce qui a suivi qui m'a tant perturbée. Une reporter de CBC avait persuadé les organisateurs de me laisser lui accorder une entrevue télévisée et avait décidé que les tunnels sombres reliant les différentes parties de l'hôpital constitueraient le meilleur décor. Et comme je tenais tant à un nouvel hôpital – clair, spacieux, chaleureux –, j'avais convenu que cette toile de fond lugubre transmettrait parfaitement le message qu'il fallait remplacer l'hôpital.

Je n'étais pas prête pour ses questions, toutefois. Avant l'entrevue, la journaliste m'a demandé : « C'est ici que vous vivez ? C'est ici que vous passez votre temps ? » Elle n'avait manifestement pas pris la peine de s'informer, sinon elle aurait su que j'avais quitté l'hôpital cinq ans auparavant. Elle n'avait pas non plus écouté ce que j'avais dit à la conférence de presse. J'ai annulé l'entrevue. Sa productrice, qui avait fait ses devoirs, a été profondément embarrassée par l'incident et s'est répandue en excuses plus tard.

Alors que nous quittions les tunnels et nous apprêtions à monter dans l'ascenseur, la reporter m'a dit très sérieusement : « Je suis aussi folle que vous, je dois utiliser l'escalier. » Claustrophobe, elle refusait de prendre l'ascenseur. Cette phrase aurait pu signifier la fin de mon travail lié à la santé mentale. Au contraire, l'incident – cette atteinte à la dignité des personnes souffrant de maladie mentale – a eu sur moi un effet galvanisant. C'était maintenant très clair pour moi : je devais combattre les préjugés et les mythes associés aux maladies mentales, et l'absence de compréhension et de compassion pour ceux qui en souffrent. La maladie mentale est un monde terrifiant où l'on se sent très seul : nul besoin de blagues de mauvais goût sur les retardés mentaux ni de fausses perceptions concernant l'aliénation mentale.

En fin de compte, l'indélicate reporter m'a rendu un immense service. Elle m'a démontré que la plupart des gens ne comprennent pas la maladie mentale et la tournent facilement en dérision. Cette journaliste m'a lancée dans un travail, une campagne, une cause.

À ma grande surprise, je me suis découvert un talent d'oratrice. Je n'éprouvais pas la terreur à laquelle je m'étais attendue, et lorsque j'avais trouvé mon rythme, j'avais beaucoup de choses à dire, que je transmettais avec passion. Depuis un certain temps déjà, mes services avaient été retenus, par l'intermédiaire de Speakers' Spotlight, pour une activité de Women of Courage. J'ai décidé de profiter de l'occasion pour entreprendre ma croisade. L'événement avait lieu dans la salle à manger du centre de conférences de Mississauga, à l'ouest de Toronto, et lorsque je me suis levée, personne ne savait de quoi j'allais parler. J'avais parlé en public de nombreuses fois dans le passé, mais ceci était différent. J'avais mes notes, quelques citations sur le courage, rien de plus. Le silence se fit dans la salle ; le vaste auditoire de femmes me regardait.

J'ai alors commencé à parler de courage et de moi-même, de ma vie, de la mort de Michel, de mes dépressions nerveuses, de mes hospitalisations en psychiatrie. J'ai décrit comment le monde semble s'être vidé de toute vie lorsqu'on est déprimé, comment on redoute le jour qui vient. J'ai parlé des épisodes de manie, de mon impression d'être la femme la plus intelligente et la plus intéressante du monde, de ma conviction qu'il n'y avait rien à mon épreuve, aucun exploit que je ne puisse accomplir. J'ai parlé de mes peurs, de mon esprit troublé, de ma détresse, et de tous les jours où j'aurais voulu mourir. J'ai décrit les répercussions de ma maladie sur ma famille, les souffrances qu'elle avait infligées à mes enfants. J'ai parlé durant trois quarts d'heure sans faire de pause ni regarder mes notes, et j'ai ressenti un immense soulagement de ne plus devoir faire semblant. Mon discours terminé, l'auditoire s'est levé et a longuement applaudi.

Après cela, il y a eu un déluge d'invitations, des cent soixante-cinq sections locales de l'Association canadienne pour la santé mentale, d'organisateurs de conférences s'adressant aux femmes et de compagnies d'assurances. Tous semblaient vouloir surtout entendre ce message : diagnostiquée tôt, la maladie mentale n'est pas inévitablement paralysante. J'ai accepté le plus d'invitations possible, parlant à quelques centaines de personnes dans des salles paroissiales ou à des auditoires en comptant des milliers dans des centres de conférences. Je gagnais ainsi de l'argent, dont j'avais grand besoin, mais ce travail me procurait surtout le sentiment d'enfin accomplir quelque chose d'important. Parmi les gens qui venaient m'écouter, certains avaient déjà éprouvé un accablement semblable au mien et d'entendre quelqu'un exprimer ce qu'ils n'avaient jamais osé dire les rassurait. Il y avait aussi des familles ayant constaté la souffrance de proches sans réellement savoir ce qu'ils vivaient.

Je savais exactement ce que je voulais dire et comment je voulais le dire. Je voulais faire passer les messages suivants : la maladie mentale peut frapper à tout âge ; le trouble bipolaire découle d'un déséquilibre chimique dans le cerveau qui peut être traité ; la maladie bipolaire doit être diagnostiquée avant qu'elle s'enracine et que les cycles des phases maniaques et dépressives soient trop fermement implantés – en d'autres mots, avant que les cycles deviennent des modes de comportement profondément ancrés dans le cerveau ; les neuroleptiques peuvent non seulement maintenir un équilibre, mais aussi freiner la progression de la maladie.

Je voulais également prévenir les femmes que, parmi tous les patients, celles qui souffrent de maladie mentale se retrouvent au bas de la liste et, souvent, ne reçoivent pas de soins pour leurs problèmes physiques. En 2010, le Comité permanent des affaires sociales, des sciences et de la technologie du Sénat a mené des consultations dans tout le pays en vue de faire rapport au gouvernement fédéral sur l'état du système de santé canadien. Au cours des cent trente heures d'audiences où plus de trois cents personnes se sont exprimées, de nombreux témoignages concernaient le peu d'attention accordée aux patients atteints de maladie mentale – surtout s'il s'agit de femmes. Un homme cardiaque reçoit invariablement de meilleurs soins médicaux qu'une femme souffrant d'une dépression débilitante. Les deux patients ne peuvent plus fonctionner à cause de leur maladie, mais le problème physique retient l'attention alors que le problème mental est ignoré.

Je voulais faire comprendre à quel point la maladie mentale peut être douloureuse, terrifiante, déroutante, et qu'une dépendance – à l'alcool, aux drogues et même à la nourriture – peut facilement l'aggraver. Lorsque votre vie cesse d'avoir un sens, disais-je à mes auditoires, vous devez la changer.

Je précisais ne pas pouvoir parler de toutes les maladies mentales, seulement de celle dont j'avais souffert. Je voulais surtout transmettre aux gens le message de ne pas vivre dans un état de déni, mais de chercher de l'aide, d'admettre la réalité, de ne pas s'enfermer dans leur monde en repoussant les autres. Comme je l'ai rapidement découvert, la meilleure façon de retenir l'attention de l'auditoire était de raconter une histoire – mon histoire –, comme si nous avions une conversation autour d'une table de cuisine; il ne s'agissait pas de prêcher, mais de communiquer.

J'avais un argument de poids : le bon diagnostic n'ayant pas été posé tôt, j'avais perdu beaucoup de belles années, puis, lorsque j'avais finalement reçu des traitements appropriés, les modes de comportement associés à la maladie étaient déjà bien ancrés en moi. Les personnes malades ne doivent pas laisser cela se produire, insistais-je : trop de gens souffrant de trouble bipolaire reçoivent le diagnostic seulement après une intervention policière. De plus, chez les malades mentaux, le taux de suicide de ceux atteints de trouble bipolaire est le plus élevé.

Pour détendre l'atmosphère, j'ai appris à émailler mon discours d'anecdotes amusantes et même de blagues. L'une d'elles porte sur le déni. Un homme âgé se plaint à son audiologiste que sa femme n'entend pas bien, mais refuse de consulter un spécialiste. « Vous devriez établir la portée de son ouïe », suggère l'audiologiste. L'homme va donc dans la pièce la plus éloignée de la maison et lance : « Chérie, qu'est-ce qu'on mange, ce soir ? » Pas de réponse. Il répète la même question dans différentes pièces, se rapprochant toujours un peu plus. Finalement, il crie directement dans l'oreille de sa femme : « Chérie, qu'est-ce qu'on mange ? » Celle-ci lui répond : « Pour la cinquième fois : du poulet ! »

J'aime déclencher le rire dans la salle, et j'y réussis toujours avec cette blague. Le rire est très important ; il procure un tel soulagement. Tout le monde est plus heureux, comme après un orage.

Souffrir d'une maladie mentale n'est pas honteux, dis-je aux gens venus m'écouter. Ce qui l'est, c'est de ne rien faire. En prononçant ces mots, je vois souvent des personnes hocher la tête dans la salle. Certaines pleurent, aussi.

Les recherches révèlent que, parmi les couples dont un des partenaires est atteint de trouble bipolaire, quatre-vingt-dix pour cent se séparent. Souvent, en revanche, et cela peut paraître étrange, le mariage dure lorsque les deux partenaires souffrent de la maladie – ils sont sur la même longueur d'onde.

Un aspect controversé de mes conférences concerne la fibromyalgie. Quand je rencontre des membres de l'auditoire après ma causerie, certaines personnes mettent en doute l'affirmation voulant qu'il s'agisse d'une maladie mentale – mais souvent c'en est une. C'est une douleur morale qui se manifeste par des douleurs physiques. J'avais été enfermée dans une prison dorée, et c'est le prix que j'ai payé.

Je parle de la nécessité de changer, car vivre dans le chagrin et se laisser définir par lui vous mine. C'est ce que j'appelle la «blessologie» – laisser le passé définir notre avenir. Dans une telle prison, que nous construisons nous-mêmes, nous sommes paralysés. J'insiste aussi sur l'importance de la compassion et de la bienveillance, deux vertus auxquelles j'attache une très grande valeur, et du pardon. Il faut se pardonner et ne pas éprouver de ressentiment pour ce qu'on a subi.

Tant de femmes – surtout les femmes – refusent d'admettre la réalité. Elles rejettent la responsabilité de leur état sur la vie, leur famille, leur mari, leur éducation ou la violence sexuelle. Je connais des femmes divorcées depuis vingt, trente ans qui sont toujours frustrées. On se replie facilement sur soi-même – comme un animal blessé qui se terre dans une grotte. On sait quand on a atteint le fond; c'est la dernière étape avant le suicide.

À un moment donné, on en a assez des problèmes et, parfois, le premier travail consiste justement à se trouver du travail et à sortir du trou. Pour une personne souffrant de maladie mentale, l'obstacle le plus difficile à surmonter est une pauvre estime de soi; du travail, bénévole ou rémunéré, peut donc contribuer à rebâtir sa confiance en elle. Il lui faut des obligations et des responsabilités.

Il importe de se trouver des occupations. Si le bénévolat ou un emploi ne conviennent pas à une personne, elle peut s'inscrire à des cours : de yoga, de cuisine, de tennis... Il faut mettre la machine en marche. Personnellement, j'aime beaucoup cuisiner, notamment parce qu'on se sert de ses mains ; c'est une activité qui implique le mariage de saveurs et de couleurs, elle a un commencement, un milieu et une fin, et elle est associée à l'amour que l'on porte à ses proches.

À ceux qui souffrent d'une maladie mentale, je conseille aussi d'avoir un défenseur. Lorsqu'on a l'esprit perturbé, on ne trouve pas les mots pour s'exprimer, et pourtant il faut poser des questions pour obtenir des réponses. Pourquoi cette pilule et pas une autre ? Quels sont les effets secondaires ? Vais-je engraisser ? Le meilleur défenseur est quelqu'un qui vous aime, mais pour qui le résultat des démarches ne comporte pas d'enjeux personnels, une personne qui peut obtenir des renseignements pour vous, effectuer des recherches, parler en votre nom. À ce sujet, les quelque deux cents bureaux de l'Association canadienne pour la santé mentale représentent une véritable mine d'informations.

Je siège au conseil consultatif du nouvel Institute of Mental Health, qui a reçu un don de vingt millions de dollars pour créer le Centre for Brain Health à l'Université de la Colombie-Britannique, où d'importantes recherches sont menées sur le diagnostic et le traitement de la maladie d'Alzheimer, de la maladie de Parkinson et de troubles psychiatriques. Pour moi, le nom du centre a une importance capitale ; ce n'est pas une institution de santé mentale, mais un établissement axé sur la santé du cerveau.

Tout compte fait, mon message est très simple : des gens s'enlisent dans une vie de désespoir silencieux. Ils n'ont plus le courage d'appeler à l'aide. En raison des préjugés associés à la maladie mentale, personne n'aime penser que son cerveau ne fonctionne pas comme il devrait. Nous acceptons le fait que les poumons ou le foie peuvent mal fonctionner : pourquoi pas le cerveau ? Il n'existe aucun remède miracle, aucune solution universelle. Dans mes conférences, je dis aux gens de tout essayer ; il ne faut pas tourner le dos à quelque chose qui pourrait aider. S'ils peuvent prendre leur propre défense, tant mieux, mais je leur recommande de suivre les conseils d'un médecin en qui ils ont confiance. Quant aux proches, je les encourage à intervenir, car une intervention externe peut représenter une planche de salut pour une personne incapable de choisir la santé mentale si on ne l'aide pas.

Enfin, quiconque a souffert d'une maladie mentale devrait apprendre à apprécier les plaisirs simples que sont le silence et l'espace. Le bruit peut être très dérangeant ; ce l'est pour moi, du moins. Et le bruit se présente parfois sous la forme d'amis dont le bavardage futile ne vous fait aucun bien et peut même s'avérer néfaste. Pierre n'aimait pas le bruit, et là-dessus nous étions d'accord.

Lentement, j'ai appris à rire de nouveau. J'avais oublié quel plaisir c'était de rire, de trouver des choses si drôles qu'elles ensoleillaient ma vie. J'ai compris que j'avais enfin retrouvé la capacité de rire au cours d'un voyage à Cuba, au printemps de 2005. Avec Sacha, Ally et la fiancée de Justin, Sophie Grégoire, je faisais partie d'un groupe d'études mis sur pied par Sacha. Depuis quelques années, celui-ci présidait le conseil d'administration de Jeunesse Canada Monde, un organisme qui a établi des partenariats avec vingt-cinq pays et qui envoie des Canadiens dans d'autres parties du monde où, hébergés dans des familles, ils découvrent des modes de vie très différents du leur.

On avait demandé à Sacha d'aller voir des Canadiens séjournant à Cuba et notre groupe a donc fait le tour du pays.

Nous avons rencontré entre autres un jeune Canadien qui préparait des gâteaux dans une boulangerie-pâtisserie, un autre qui travaillait dans un centre médical et un troisième dans une école. Un soir, j'ai marché sur la plage avec une jeune fille qui venait de perdre son père. Ça m'a fait réfléchir au deuil et au fait que je n'avais pas réellement pleuré la mort de mon père. Maintenant, j'étais capable d'y faire face calmement.

Il y a eu une fête, ce soir-là. Sacha s'est servi de son ordinateur pour faire jouer de la musique et nous avons tous dansé. J'adore danser, mais il y avait des années que je n'avais pas dansé comme ça. Je me sentais si incroyablement heureuse que je me suis mise à rire. Je riais avec un tel abandon pas parce que je m'étais souvenue de quelque chose de drôle, mais tout simplement parce que le rire était en moi, attendant de pouvoir sortir. Je suis allée derrière une hutte où j'ai donné libre cours à mon hilarité, le corps secoué par des éclats de rire incontrôlables, jusqu'à ce que je sois trop faible pour continuer. En me réveillant le lendemain matin, j'avais la certitude d'avoir enfin vaincu le deuil, et que la vie allait de nouveau être possible.

Le rire véritable a toujours eu cet effet sur moi. Au mariage de Sacha avec Zoë Bedos, le 1er septembre 2008, j'ai quitté la table pour laisser s'échapper le rire qui montait en moi. Ma nièce assise non loin, une adolescente, m'a vue m'éloigner et m'a suivie à l'extérieur. Quand je me suis mise à haleter et à me tordre de rire, elle s'est précipitée à la recherche de Sacha. « On a un problème, lui a-t-elle dit. C'est ta mère. Je crois qu'elle est redevenue folle. »

Sacha, qui me connaît bien, lui a demandé si je riais ou pleurais. « Elle rit », a répondu sa cousine. Sacha l'a alors rassurée, tout allait bien. « Elle déborde de joie, c'est tout. »

J'avais longtemps cru que je passerais le reste de mes jours à pleurer. Maintenant, je savais que, malgré le chagrin qui demeurerait toujours dans mon cœur, j'éprouverais aussi de la joie et du plaisir. Comme je l'avais si douloureusement appris, la vie est une question d'équilibre. Pour susciter le rire et le contentement, comme pour d'autres choses, il existe des trucs et des règles qui peuvent aider.

Pendant des années, suivant les conseils du Dr Cameron, je n'ai pas regardé des émissions de télévision bouleversantes le soir. Aujourd'hui, cependant, une telle restriction ne me semble plus nécessaire. Dernièrement, au printemps 2010, je suis allée voir *Shutter Island*, de Martin Scorsese, un film terrifiant qui tient à la fois du thriller psychologique et du mystère. Les scènes de violence à l'écran me perturbent toujours, alors je baisse les yeux.

En général, j'absorbe les nouvelles graves dans la journée, réservant la soirée à des comédies et au rire, pour laisser mon esprit se reposer. À la télévision, j'aime *The Office*, ainsi que Bill Maher et Jon Stewart, et le *Colbert Report*. J'aime beaucoup *Weeds*, une série mettant en vedette Mary-Louise Parker dans le rôle d'une jeune mère de famille de la banlieue, récemment devenue veuve, qui vend de la marijuana pour boucler ses fins de mois. Et je trouve particulièrement drôle le film *Planes, Trains and Automobiles*, une comédie réalisée en 1987 dans laquelle deux étrangers n'ayant rien en commun, interprétés par Steve Martin et John Candy, deviennent compagnons de voyage en essayant de rentrer à la maison à temps pour l'Action de grâces.

Je me demande si en vieillissant j'aurai le cœur plus joyeux. Lorsque mes taux d'estrogènes ont baissé, j'en ai eu un aperçu. Peut-être vais-je sourire jusqu'à la fin de mes jours. Est-ce la sagesse? Est-ce le fait de savoir que j'ai survécu à tant d'épreuves et que je peux encaisser les coups durs de la vie? Je suis surprise de constater ma résilience, mais peut-être n'est-elle pas si surprenante. Je me souviens, après avoir décrit des événements de mon passé à un ami, d'avoir ajouté : « Je ne me laisserai pas abattre. Je viens d'une longue lignée de battants. » Je sais maintenant qu'après avoir été envoyé au tapis on peut se relever, rebondir avec de nouveaux projets et un sentiment d'émerveillement.

Le jardinage continue de me procurer de la joie. Je peux devenir émotive en pensant à tous les jardins que j'ai créés, puis perdus, au cours de ma vie. Ceux du 24 Sussex, du lac Mousseau et du lac Newboro ont été les victimes de déménagements et de mariages brisés. Je continue cependant à aménager de nouveaux jardins. La terrasse de mon appartement à Montréal est petite, mais il y a suffisamment d'espace pour faire pousser des tomates et des fines herbes dans des pots de grès mexicains. J'ai plusieurs paires de gants de jardinage, mais ne les utilise jamais. J'aime me mettre les mains dans la terre, sentir les racines. J'adore jardiner, un goût hérité de ma grand-mère, qui cultivait un jardin pour vivre. Déposer une graine dans le sol est un acte de foi si simple, mais, comme je le sais maintenant, c'est dans la simplicité que réside la joie.

La peinture constitue une autre source de joie pour moi. Pour mon soixantième anniversaire de naissance, Justin et Sacha m'ont offert une boîte d'aquarelles et un chevalet, et j'ai suivi des cours à un merveilleux centre d'arts plastiques près de chez moi. Je ne suis pas une peintre de talent ; en fait, je suis médiocre. En revanche, j'ai un bon sens des couleurs, alors je continue. À part le yoga, la peinture est la seule activité qui me permet de faire le vide autour de moi ; je perds toute notion de temps et d'espace. J'aime le geste d'appliquer de la couleur sur une toile, et j'aime l'art, depuis toujours. De belles œuvres d'art peuvent m'émouvoir. Une des œuvres les plus précieuses pour moi est un tableau d'une fille seule dans un champ – un cadeau d'un célèbre peintre québécois au moment de mon mariage avec Pierre. Il s'en dégage une telle beauté sauvage.

Je continue également à prendre des photos – trop –, une autre activité créative.

Depuis ma sortie de l'Hôpital Royal Ottawa il y a dix ans, beaucoup d'événements heureux sont survenus dans ma vie. Justin et Sacha sont tous les deux mariés à de merveilleuses partenaires et ont maintenant des enfants, qui me remplissent de bonheur. J'adore mes petits-enfants, et voir notre famille s'agrandir me ravit. Je suis de nouveau la bienvenue dans les fêtes de la famille de Fried ; mais à ma première visite à la maison sur le lac après bien des années, j'ai préféré dormir dans ma tente sur le bord de l'eau plutôt que dans la maison. J'ai fait des voyages et milité pour EauVive, et donné de nombreuses conférences sur la maladie bipolaire. Au fil du temps, mon désir de contribuer à cette cause n'a fait que croître ; je veux continuer de parler à ceux qui souffrent de trouble bipolaire et à leurs proches, et de parler en leur nom.

Je me souviens, quand j'avais dix ans, d'avoir joué dans un sketch à l'école. Je jouais le rôle d'un vieux monsieur dont la femme était morte. Il avait brûlé sa chemise en la repassant et fait carboniser son dîner ; il se sentait très seul et déprimé. Pour exprimer sa détresse, je restais simplement assise dans une chaise berçante, taillant au couteau un morceau de bois. La section locale de l'Association canadienne pour la santé mentale entendit parler du sketch et il fut présenté dans le cadre d'un concours qu'elle avait organisé, et j'ai gagné.

J'avais été témoin de la dépression chez les personnes âgées. Lorsque grand-maman Sinclair est morte, grand-papa est venu vivre avec nous quelque temps, et il était si triste d'avoir perdu l'amour de sa vie. Il ne voulait plus vivre ; sa femme avait représenté tout son univers. Cela arrive souvent chez les couples qui ont été très unis. Lorsque l'un des deux meurt, l'autre suit peu après. Et effectivement, six mois plus tard grand-papa était mort.

Ainsi, à dix ans, j'étais sur une scène en train de transmettre un message sur la dépression. Cinquante-deux ans plus tard, j'avais repris mon rôle... transmettant un message sur la dépression.

En repensant à ma vie, je me dis que j'ai côtoyé des gens qui m'ont beaucoup appris – mes enseignants à l'école et à l'université, les membres de ma famille, Pierre Trudeau, Yves Lewis et, au cours de dîners officiels, Indira Gandhi, Chou En-lai, Fidel Castro, Jimmy et Rosalynn Carter. C'est Rosalynn Carter qui m'a tracé la voie à suivre et m'a amenée à réfléchir aux problèmes liés à la santé mentale. Elle savait combien j'avais souffert.

En 2007, j'ai décidé d'aller rejoindre Justin, Sacha et Ally à Montréal, où mes fils avaient fait leur vie et où Ally avait été acceptée à l'Université Concordia. À la naissance de mon premier petit-fils, le 22 décembre 2006, mon cœur avait explosé de joie ; j'étais follement amoureuse du petit Pierre Trudeau. Avec une facilité et une rapidité qui auraient été inconcevables dans le passé, j'ai vendu ma maison, fait mes boîtes et trouvé dans le centre-ville de Montréal un condo datant des années 1920.

J'avais dit au Dr Cameron que jamais je ne serais capable de déménager à cause des boîtes – des dizaines et des dizaines de boîtes – entassées dans mon sous-sol, pleines d'objets qui me faisaient pleurer chaque fois que j'y pensais. Le jour viendrait, m'avait-il assuré, où je serais capable de le faire. Et il avait raison.

J'aurais bientôt une preuve de ma guérison. Au mois de mars 2009, un ami très cher est décédé à l'hôpital, et j'étais à ses côtés. Je l'ai accompagné jusqu'à la fin. La peine, cette fois, ne m'a pas anéantie ; j'avais les outils pour l'affronter.

Mon ami s'appelait Guy Rivet et je l'avais rencontré à Ottawa quelque trente ans auparavant alors qu'il tenait une boutique nouvel âge au marché By. Plus tard, il devint chef et enseigna la cuisine au Centre de formation Pearson, à Montréal. Seule personne que je connaissais lorsque j'ai déménagé dans cette ville, j'ai renoué avec lui. Au début, nous « sortions » ensemble tous les samedis soir (il était gai, d'où les guillemets) et allions parfois dans des restaurants chics, où travaillaient certains de ses élèves.

Grand et mince, Guy se déplaçait avec grâce. Dans la mi-cinquantaine, ce Franco-Ontarien avait un regard intense où perçait de la curiosité. Il adorait la musique et l'art, mais sa grande passion était le monde de l'esprit, la prise de conscience comme source de création. L'idée de mourir l'attristait, car il était convaincu de compter parmi ceux qui devaient nous guider vers un nouveau monde d'enrichissement et de paix, annoncé pour 2012 selon les Mayas. Nés le même jour, Guy et moi partagions le même goût pour le mysticisme. S'il trouvait un livre intéressant sur le sujet, il me l'envoyait.

Guy faisait partie de mon cercle intime et son amitié m'était très précieuse. Il m'a beaucoup appris sur la cuisine et nous élaborions ensemble des projets de voyage. Puis ces rêves se sont envolés.

Guy était atteint du cancer du côlon. Après avoir recouvré ma santé mentale, je m'étais demandé si je pourrais surmonter un autre coup dur, la mort d'un être cher, par exemple.

« Bien sûr que tu le pourras », m'avait assuré Guy. Et il avait raison, comme le Dr Cameron.

Quand Guy a été hospitalisé, des amis et moi avons formé une équipe de soins palliatifs pour rester auprès de lui jour et nuit, nous relayant toutes les quatre ou six heures. Je devais parfois me faire son ardent défenseur auprès du personnel médical lorsqu'on refusait de lui donner de la morphine puisque, arguait-on, Guy pouvait en demander lui-même. Mais, bien sûr, il en était incapable. Il désirait seulement la paix et le silence. Il détestait les hôpitaux, craignait les médecins, et quand il répondait « Non ! » aux questions du personnel soignant, il disait en fait vouloir rester seul avec ses amis en qui il avait confiance.

J'ai eu beaucoup de peine quand il est mort. Jamais il ne me quitterait, m'avait-il assuré, ajoutant que son esprit continuerait de me soutenir bien après sa mort. Je me rappelle avoir demandé à sa tante quel serait, à son avis, son oiseau totémique. Un aigle, peut-être ? Un corbeau ?

« Oh non ! a-t-elle répondu. Dans notre famille, on laisse tomber des sous noirs du ciel. »

J'ai effectivement trouvé des pièces de un cent après le décès de Guy, et dans les endroits les plus invraisemblables.

Guy Rivet était un véritable ami, d'une loyauté à toute épreuve dans ses amours. Il me grondait constamment parce que je m'inquiétais inutilement, selon lui, pour des questions d'argent. Puisque mes intentions étaient bonnes, me disait-il, je ne manquerais jamais de rien. J'essaie de tenir compte de son avis et il m'arrive souvent de penser qu'il a tenu sa promesse, comme le prouvent les cents trouvés : j'ai un travail et un revenu stables, et ne manque de rien.

Je pense à lui tous les jours. Il a été le premier de mes amis pour qui j'ai été présente, réellement présente, quand il a eu le plus besoin de mon amitié.

Il y a quelques années, Justin et moi avons parlé devant un vaste auditoire composé de membres de la Chambre de commerce de Toronto. En me rappelant ce jour, je ne peux m'empêcher de rire aux éclats. Voici comment Justin m'a présentée à ces importants personnages :

« Je veux que vous sachiez quelque chose au sujet de ma mère. Peu parmi vous et peu de gens au pays le savent, mais ma mère était – et est – beaucoup, beaucoup plus intelligente que mon père. »

J'ai failli tomber en bas de ma chaise !

Justin voulait peut-être dire ceci : Pierre était enfermé dans sa prison jésuite. Ses immenses contributions à la société en font un bien meilleur être humain qu'une personne à l'esprit vif. Ce qu'a dit Justin sur moi n'est pas vrai, mais cela illustre son inconditionnel amour. C'est un fait : les fils aiment leur mère. Justin était très bien placé pour comprendre que le type d'intelligence qui m'anime est différent de celui déployé par Pierre, chez qui il y avait un peu d'un intellectuel jésuite et un peu de M. Spock, de la série télévisée *Star Trek*. Le père de Justin incarnait la raison et la dignité. Et puis il y avait maman...

Justin et moi avons fait quelques-unes de ces présentations mère-fils, dont une fois devant des femmes d'une association juive à Montréal. Justin a de nouveau louangé sa mère. C'était très drôle. La présentation terminée, des femmes se sont approchées de moi pour me dire : « Comment faites-vous ? Mon fils, lui, ne m'appelle jamais... »

Au fil du temps, j'ai changé de médicaments et de dosage, et j'ai appris à prêter attention à mes humeurs. Je reste donc à l'affût de signes d'instabilité. Je suis consciente que, pour me sentir sereine et en mesure d'affronter la vie, je dois accepter une tranquillité à laquelle j'ai parfois de la difficulté à m'adapter.

J'ai appris à éviter les excès d'alcool et à essayer de me tenir loin de la marijuana. La communauté scientifique ne s'entend pas sur les effets de cette drogue. Mon psychiatre actuel ne s'oppose pas à l'utilisation contrôlée de la marijuana, car elle peut aider le patient à se recentrer, et aussi contribuer à sortir de la dépression. Cependant, la marijuana peut également déclencher une crise maniaque – comme ce fut souvent le cas pour moi. Il m'arrive de me rappeler avec nostalgie l'euphorie et l'exaltation, le puissant sentiment d'optimisme et d'accomplissement que procure la manie, mais je ne souhaite pas les épisodes de dépression qui suivaient inévitablement, ni la fausseté d'humeurs non fondées sur la réalité. J'ai une dépendance à la marijuana. J'aime cette drogue et prends à l'occasion une taffe avec des amis, mais je ne dois absolument pas utiliser ce psychotrope comme je le faisais auparavant. Les scientifiques ne savent pas précisément comment la marijuana provoque une crise maniaque, mais personne ne met plus en doute cette conséquence.

Durant trente ans, je me suis dit que pour ouvrir «les portes de la perception» il fallait constamment repousser les limites. Depuis, j'ai découvert une plus grande satisfaction dans l'équilibre, dans le fait de connaître mes limites, de savoir quand me retirer, quand rester seule, quand aller dormir. Mais j'aurai toujours un caractère versatile et je me méfie d'un monde trop plat, monotone, sans émotions fortes ni sentiments profonds, ni même une certaine agitation. Dans le passé, j'ai connu de brefs moments d'exultation, souvent teintée de folie. Je préfère ce que j'ai aujourd'hui : la capacité d'écouter les autres et de ne pas les décevoir, et le calme et la sérénité d'une vie ordonnée.

Dernièrement, alors que je parlais de trouble bipolaire devant un large auditoire, une psychiatre a levé la main et dit : «Mais êtes-vous consciente que la maladie bipolaire ne se guérit pas, qu'il n'y a pas de guérison complète possible?»

Ma réponse a été la suivante :

« Oui, je le sais. Cependant, j'ai guéri de la peur – la peur perpétuelle de mon état bipolaire. »

Postface

Le temps a contribué à guérir mon cœur brisé, et j'ai retrouvé foi en la vie. Avec chaque nouvelle addition à notre famille, le cycle de la vie, du deuil et de la rédemption m'a été démontré. Mes fils Justin et Sacha ont choisi pour partenaires des femmes fortes, aimantes, et je ressens pour elle le même amour que pour mes propres enfants.

Après la mort de Michel et de Pierre, j'ai eu l'impression que notre famille avait été décimée. Au cours des dernières années, les fils que j'ai eus avec Pierre m'ont fait le plus merveilleux cadeau qu'une mère puisse espérer : quatre merveilleux petits-enfants en santé, Pierre, Xavier, Gala et Ella-Grace (dans l'ordre de leur naissance). Mon rôle de grand-mère est le plus beau que j'aie jamais eu.

Récemment, pour fêter les vingt et un ans d'Alicia, la famille s'est réunie à la maison de grand-maman (c'est ainsi que les petits-enfants appellent mon appartement du cinquième étage). Laissez-moi vous décrire la scène. Les commandes ayant été passées, l'osso buco mijote sur le feu, il y a de la purée de pommes de terre et, à la demande de Sacha, des nouilles spéciales que j'ai achetées dans une boutique allemande à Ottawa. Nous avons deux gâteaux, l'un avec un glaçage au citron (le préféré d'Ally) et un gâteau aux bananes avec glaçage à la cassonade (le préféré de Sacha et de Sophie). Il y a dix-neuf personnes – le petit ami d'Ally, les enfants, les petits-enfants.

À un moment donné, le petit Xavier – assez costaud pour son âge – a cloué le petit Pierre au sol. «Grand-maman, s'il te plaît aide-moi!» s'écrie le bambin. Nous avons tant de plaisir; les rires fusent. Comme l'appartement comprend beaucoup de coins tranquilles, Sacha et Justin se retirent parfois à l'écart pour avoir une de leurs discussions animées. Quant aux filles, elles m'aident toujours, avant et après, à faire le ménage, à préparer les plats et à laver la vaisselle – sinon je n'y arriverais pas.

Et bien sûr, il y a le rituel «lancer du nain», comme nous l'appelons. Justin et Sacha lancent leurs bébés à travers la pièce, et les petits hurlent de joie, tout comme le font leurs mères, oncles et tantes – sans oublier leur grand-mère. La tradition remonte à quelques années, lorsque l'un de nous a vu un tableau de la reine Victoria sur une plage de la Jamaïque regardant de solides gaillards lancer des versions miniatures d'eux-mêmes. Notre famille est un peu folle, après tout.

Les garçons ont gardé le chalet de Pierre dans le fin fond des bois à Morin-Heights. Il y a quelques années, au milieu de l'hiver, j'y suis allée avec deux amies. Nous comptions faire du ski de fond, de la raquette, des randonnées et, à l'intérieur, jouer aux dominos, boire du vin et manger de délicieux plats. J'avais emmené ma chienne, un labrador noir de deux ans.

Soudain, le téléphone a sonné. La femme à l'autre bout du fil, au fort accent québécois, se présente: Caroline Saint-Ange, responsable de la faune et de l'environnement pour la région. Elle appelait pour prévenir les gens qu'un ours était sorti de son hibernation et faisait des ravages dans le secteur. La bête avait réussi à pénétrer dans des chalets non loin et avait tué un chien.

«Oh mon Dieu, que devrais-je faire?» lui ai-je demandé.

En guise de réponse, elle m'a posé à son tour une question:

«Y a-t-il des rideaux aux fenêtres du chalet?

— Non.

— Oh, c'est dommage.»

Elle paraissait déçue.

Puis elle m'a donné le conseil suivant : si nous apercevions l'ours, nous devions nous réfugier à l'étage. Informée de la présence de la chienne, elle m'a recommandé de la garder à l'intérieur et, à l'extérieur, de toujours la tenir en laisse.

J'ai appelé Justin pour lui dire qu'une sorte de garde forestière venait de nous aviser qu'un ours enragé, affamé était en cavale.

«Oh maman! a fait mon aîné. Écoute, va chercher le fusil de papa, tu sais où le trouver.»

Pierre avait enseigné aux garçons à tirer à la carabine sur des cibles. Moi, par contre, je ne sais pas me servir d'une arme à feu, mais j'ai alors pensé à une des amies venues avec moi, et qui à ce moment-là buvait gaiement du vin : c'était une habile tireuse. Si jamais l'ours pénétrait dans le chalet, cette tireuse d'élite pourrait l'atteindre du haut de l'escalier.

Quatre heures ont passé. Nous restions aux aguets, tout en continuant de boire du vin. Puis le téléphone a de nouveau sonné. Mme Saint-Ange avait d'autres conseils : si nous sortions, nous ne devions pas porter des couleurs voyantes, mais des tenues de camouflage qui se marieraient avec la forêt. Et je pouvais me procurer de tels vêtements, a-t-elle ajouté, au magasin Holt Renfrew, en faisant appel à la commis aux commandes personnelles Sophie Grégoire – l'amie de Justin à l'époque.

«Oh &%#*@!» me suis-je écriée. On m'avait joué un tour minutieusement planifié. J'ai immédiatement appelé Justin pour l'engueuler. Il était allé trop loin, lui ai-je dit. «Ne donne pas accès à un fusil chargé à trois mémés qui ont bu du vin!»

Bienvenue dans le clan Trudeau!

Une amie m'a déjà confié qu'après la naissance de son premier petit-enfant elle avait décidé d'accomplir tout ce qui était en son pouvoir pour rendre le monde meilleur. Je partage son objectif et souhaite apporter mon humble contribution pour le bien de mes petits-enfants chéris. Même si, comme moi, ils peuvent ne pas être fiers de certaines choses que j'ai faites dans le passé, j'espère qu'ils apprendront de moi à ne pas craindre de chercher à obtenir de l'aide si dans leur vie ils chancellent et ne peuvent se tenir debout seuls.

Mon père avait l'habitude de dire: «Les amis vont et viennent, mais ta famille est toujours là pour toi.» J'ai eu le grand bonheur d'avoir une merveilleuse famille. Ne serait-ce que pour cela, je serai éternellement reconnaissante.

Dernière remarque: je considère ma condition bipolaire comme un cadeau. J'ai presque atteint le paradis dans mes crises maniaques, j'ai plongé dans des abîmes de désespoir dans mes phases dépressives, mais avec l'amour et la compassion qu'on m'a témoignés, j'ai tenu le coup. Maintenant, je me crois bien outillée pour faire face à tous les nouveaux défis que me réserve inévitablement la vie. En partageant mon histoire dans ce livre, je souhaite avoir donné à certains lecteurs – qui souffrent d'une maladie mentale ou qui connaissent une personne qui en est atteinte – une meilleure idée de ce que souffrir d'un déséquilibre chimique du cerveau signifie. Puissiez-vous trouver le courage de regarder votre réalité en face et les mots pour demander de l'aide.

Remerciements

J'aimerais remercier du fond du cœur tous ceux qui m'ont offert leur appui au cours de la rédaction de ce livre. En premier lieu, Caroline Moorehead et Lawrence Scanlan qui ont écouté mes histoires sans fin et su transcrire avec habileté mes paroles en texte. Tous mes remerciements à Ash pour son dévouement. Merci aussi à ma meilleure amie, Ann White, dont le soutien particulier m'a permis de surmonter les obstacles et les difficultés liés à ce projet (incluant une importante révision grammaticale). Un grand merci à mes Girls de m'avoir aidée à coucher mes mots sur papier, et à mon médecin bien-aimé, Colin Cameron, qui m'a prise par la main et guidée vers la santé mentale. Je suis également reconnaissante au Dr Paul Grof et au Dr Shaila Misri d'avoir pris le temps de lire mon manuscrit et de rédiger des textes pour l'annexe.

Ce livre n'aurait pas vu le jour sans Iris Tupholme, mon éditrice toujours enjouée et ô combien compatissante chez HarperCollins, et son équipe de collaborateurs hautement compétents, y compris Neil Erickson, Rob Firing, Catherine MacGregor, Alexis Alchorn et Noelle Zitzer. Je tiens aussi à remercier la maison d'édition Flammarion Québec et en particulier Louise Loiselle et les traductrices Claire Chabalier et Louise Chabalier. Et, bien sûr, merci à Kathy Gillespie, depuis longtemps dans mon cercle intime, avec qui j'ai choisi les photos et obtenu les autorisations de publication ; son expertise en matière de reproduction de photos a été inestimable. Merci également à Michael Levine.

Sans l'amour et le soutien de ma famille, j'aurais vécu dans la solitude, à jamais isolée et perdue. Je veux témoigner ma plus profonde reconnaissance à mes enfants : Justin, Sacha, Michel, Kyle et Ally. Vous êtes tout pour moi.

ANNEXES

Des leçons à retenir

par Dr Colin Cameron

Au mois de décembre 2000, j'ai reçu un appel urgent d'une amie de Margaret, très inquiète. Celle-ci consentait à une évaluation psychiatrique, mais pas à l'Hôpital Royal Ottawa, où je travaillais. L'amie me demandait si je pouvais me rendre à son domicile à Rockcliffe Park. N'ayant jamais rencontré Margaret, j'ai trouvé cette demande un peu étrange, mais comme sa famille semblait au désespoir, j'ai accepté, sans trop savoir à quoi m'attendre.

À mon arrivée, Sacha m'a ouvert la porte et m'a présenté à sa mère. Émaciée et les cheveux défaits, Margaret était en chemise de nuit. Elle paraissait amusée par ma présence et, avec un petit rire, m'a invité à entrer. Elle ne semblait pas comprendre pourquoi sa famille s'inquiétait.

Nous sommes passés au salon, où j'ai vu des aiguilles de pin éparpillées sur le plancher, jusque devant le foyer. Quand il était arrivé de Montréal ce matin-là, m'a dit Sacha, un feu brûlait dans la cheminée. Margaret parlait fort et rapidement, et son humeur était changeante : elle pouvait soudain se mettre à pleurer, puis peu après à chanter. Exultation, peur, tristesse : elle passait par toute une gamme d'émotions. Entre mes questions, elle faisait des appels téléphoniques, et ne cessait de parler de toutes les choses importantes qu'elle devait entreprendre, y compris un voyage en Afrique. Me montrant des photos de famille, elle m'a fait part de sa douleur à la mort de Michel et de Pierre. Puis mes questions ont fini par l'irriter et elle m'a informé que je devenais indiscret, et m'a enjoint d'écourter ma visite. Quand j'ai exprimé de l'inquiétude au sujet de sa sécurité, elle s'est fâchée et a quitté la pièce, disant vouloir prendre un bain. Elle chancelait en montant l'escalier.

J'ai discuté avec Sacha, qui désirait fortement que sa mère obtienne de l'aide. Il redoutait cependant qu'une hospitalisation ne la contrarie encore davantage et n'aggrave la situation. Il proposait de rester pour s'occuper d'elle, mais je lui ai fait comprendre que son amour ne suffisait pas. Déjà, elle croyait que son propre fils voulait la tuer, et il ne pouvait pas la surveiller jour et nuit.

Avec l'accord de Sacha, j'ai préparé un mandat de dépôt de soixante-douze heures pour l'hospitaliser de force. J'avais prévu le présenter à Margaret après son bain, mais son intuition lui avait fait deviner nos intentions et elle s'est sauvée dans la noirceur de ce début de soirée d'hiver. Après des heures de recherche, la police a finalement retrouvé Margaret et l'a amenée à l'hôpital, contre son gré, bien sûr. Elle était furieuse et très, très effrayée. C'est ainsi qu'a commencé notre collaboration de cinq ans.

Le refus initial de Margaret d'accepter des soins psychiatriques est une réaction très fréquente. La maladie mentale elle-même joue parfois un rôle dans un tel refus, car elle fausse le jugement du patient. Le plus souvent, cependant, ce sont les préjugés qui constituent le principal obstacle, et cela est d'autant plus vrai pour des personnalités publiques, comme Margaret. De mauvaises expériences de traitement peuvent également entrer en ligne de compte pour certains malades. Ce fut le cas pour Margaret.

La difficulté d'obtenir de l'aide peut faire partie de ces mauvaises expériences. (Selon un article du numéro de mai 2008 de la *Revue canadienne de psychiatrie*, le Canada se classe parmi les pays industrialisés qui consacrent le moins de fonds à la maladie mentale.) Dans bien des cas, l'aide arrive seulement lorsque le malade ou les gens de son entourage sont en danger, et c'est souvent grâce à l'intervention courageuse d'amis et de membres de la famille si le malade reçoit enfin de l'aide. L'histoire de Margaret illustre parfaitement l'importance d'agir. Qui sait quelle catastrophe aurait pu se produire si ses proches n'étaient pas intervenus ?

Ma relation avec Margaret a été très tendue pendant les premières semaines ; elle me faisait peu confiance. Peu après avoir été admise à l'hôpital, elle a été déclarée inapte à prendre des décisions concernant ses soins et c'est Sacha qui a dû donner son consentement. Que Margaret n'ait pas contesté son hospitalisation forcée, comme c'était son droit, indiquait qu'une partie d'elle-même acceptait maintenant de recevoir de l'aide.

D'abord réticente à prendre les médicaments prescrits (un antipsychotique et un stabilisateur de l'humeur), Margaret y a toutefois consenti, sachant qu'on les lui administrerait de force par injection si elle ne coopérait pas. Puis peu à peu elle a commencé à se sentir mieux et est devenue plus lucide. En très peu de temps (environ deux semaines), comme cela se produit habituellement, sa confiance en moi s'est accrue et elle a accepté de demeurer à l'hôpital. Sa faculté de jugement s'améliorant, elle pouvait prendre des décisions concernant son traitement. Il n'était plus nécessaire de la soigner contre son gré ; Margaret, maintenant, coopérait.

J'ai graduellement ajusté les doses des médicaments, et le long et pénible travail de thérapie a pu commencer. Margaret est sortie de l'hôpital après dix semaines, ne sachant trop comment envisager sa nouvelle vie. À l'instar de nombreux patients souffrant d'une maladie mentale, elle avait pendant si longtemps évité d'affronter ses problèmes que c'en était devenu un réflexe. Pourquoi souffrir quand on peut l'éviter ?

Or la souffrance n'est pas l'ennemi ; c'est essayer de l'éviter qui peut mener à la mort (à la suite de dépendances, de comportements dangereux ou de négligence de soi, ou encore par suicide). Les gens qui tentent d'éviter la souffrance à tout prix ne font en fait que l'emprisonner en eux : voilà la dure vérité. Il faut du courage pour décider d'affronter ses problèmes au lieu de simplement souhaiter leur disparition, et Margaret a fait preuve de beaucoup de courage.

La psychothérapie cognitivo-comportementale s'attaque à la logique de nos pensées automatiques en établissant une distinction entre ce que l'on peut et ne peut pas maîtriser. Selon cette approche, c'est une façon de penser fautive qui perturbe les émotions ; ainsi, des pensées plus équilibrées permettent d'atteindre un équilibre émotionnel. En revanche, la thérapie centrée sur les émotions postule que c'est la souffrance émotionnelle qui engendre des pensées confuses et qu'en travaillant directement sur les émotions on peut apprendre à mieux en prendre conscience et à leur donner une nouvelle signification. Bien que ces deux thérapies abordent le trouble émotionnel de manière différente, elles se complètent, et toutes deux ont été bénéfiques pour Margaret.

La prière de la sérénité, attribuée au théologien Reinhold Niebuhr, résume le travail effectué au début d'une thérapie :

Mon Dieu, donnez-moi la sérénité
D'accepter ce que je ne peux changer,
Le courage de changer les choses que je peux changer,
Et la sagesse d'en connaître la différence.

Si l'on saisit cette différence, on peut établir un plan d'action réaliste et donner une nouvelle direction à sa vie. Cette vie ne ressemblera peut-être pas à celle d'avant l'apparition

de la maladie, mais la sagesse peut s'acquérir de façons im-
prévues. Le regretté Viktor Frankl, neurologue et psychiatre
autrichien, et survivant de l'Holocauste, l'a remarquablement
bien exprimé dans son livre *Découvrir un sens à sa vie*: « Lorsqu'on ne peut modifier une situation, on n'a pas d'autre choix
que de se transformer. » Et Margaret s'est bel et bien transformée. En tant que psychiatre, j'ai le privilège de voir presque
quotidiennement des personnes se transformer de façon particulièrement inspirante. Margaret est l'une de celles-là.

Elle a entrepris de changer complètement sa vie en y inté-
grant une saine alimentation et l'activité physique, et en cessant de fumer de la marijuana. Pour s'assurer du temps pour
elle-même et préserver son espace, elle a dû accorder plus
d'importance à certaines relations et en abandonner d'autres.
Margaret devait comprendre et accepter toutes les facettes de
sa personnalité, ce qui impliquait de faire la paix avec ses démons jumeaux: la maladie bipolaire et la souffrance. Reconnaître ces démons et en tenir compte a exigé beaucoup de courage, mais cela a mené à une nouvelle motivation. Affrontant
des rapides, le canoteur expérimenté rame pour atteindre des
eaux plus calmes, tandis que le canoteur novice essaie d'éviter
l'eau vive en pagayant à reculons jusqu'à ce que, inévitablement, il s'épuise et se trouve en difficulté. Aussi affolant que
cela ait pu lui paraître, Margaret a ramé avec détermination.

On pourrait dire que la thérapie centrée sur les émotions
permet de composter les déchets de la vie dans le but d'obtenir un sol fertile à la sagesse et à la motivation. Comme chez
de nombreux patients aux prises avec la maladie mentale, la
méditation et l'hypnose ont grandement aidé Margaret à
comprendre ses émotions ainsi qu'à reconnaître sa peine et à
lui donner un sens. Plongée dans un état de profonde relaxa-
tion, et en pensant à Michel, elle est devenue réceptive à des
suggestions sur une autre façon de concevoir sa peine.

Après tout, sa douleur témoignait de son profond amour pour Michel et des liens forts qui les unissaient; la respecter devenait sa façon d'honorer Michel et leur relation. Avec le temps, la thérapie a permis à Margaret d'éprouver de la reconnaissance pour les précieuses années qu'ils avaient eues et de célébrer la vie de son fils en contribuant à amasser des fonds pour la prévention des avalanches et l'établissement de services de secours. La douleur au service d'autrui : existe-t-il objectif plus noble, motivation plus louable ?

Au fil des ans, Margaret a dû effectuer un travail semblable pour pleurer le décès de Pierre, l'échec de son second mariage et les conséquences du trouble bipolaire sur sa vie. Elle a pris soin, en particulier, de reconnaître et d'accepter la honte et le sentiment de culpabilité liés à ce qu'elle avait fait ou n'avait pas fait, surtout par rapport à ses enfants. Elle a ainsi beaucoup appris, non pas sur la honte et la culpabilité, mais plutôt sur l'amour, sur ce que c'est qu'être humain et sur le fait qu'elle aurait aimé que tant de choses se soient déroulées autrement. Et c'est après cette prise de conscience que Margaret a commencé à être différente, comme le suggèrent ces paroles du mahatma Gandhi : «Commencez par changer en vous ce que vous voulez changer autour de vous.»

Grâce à la psychiatrie et aux neurosciences, des progrès considérables et porteurs d'espoir ont été accomplis. Pourtant, il reste encore beaucoup à apprendre concernant la maladie mentale et beaucoup à faire. Malheureusement, les personnes atteintes ne bénéficient pas toutes des traitements disponibles. Les préjugés et les ressources insuffisantes demeurent de sérieux obstacles pour bon nombre d'entre elles. La capacité d'accepter sa situation, d'atteindre un équilibre et de donner un sens à sa vie ne se réduit pas à quelques réponses simples ni à une seule action. Il n'existe pas de panacée ni de thérapie universelle. S'il ne fait aucun doute que la médication est l'élément central du traitement dans la phase aiguë de la maladie, au fil du temps d'autres éléments peuvent entrer en jeu et se compléter les uns les autres : une saine alimentation, l'exercice, le traitement contre les dépendances, la gestion du stress, la méditation, la psychothérapie et la thérapie familiale, pour n'en nommer que quelques-uns. Le cheminement spirituel en est un autre.

Margaret s'est montrée ouverte à ces différentes approches et cela lui a été bénéfique, comme l'ont été sa participation active et sa volonté de se tenir informée. Changer sa façon de penser a amélioré non seulement sa vie, mais également celle d'amis et des membres de sa famille. Je souhaite que ce livre change la vie de bien d'autres personnes. Le récit de Margaret nous rappelle que là où il y a désespoir il y a aussi espoir, et que dans la douleur et la peine on peut trouver la sagesse et la motivation. Son livre démontre également qu'il reste bien du travail à accomplir pour éliminer les préjugés, accroître les services, améliorer la formation et favoriser la recherche en santé mentale. Le défi, pour chacun d'entre nous, est de changer notre façon de voir la maladie mentale pour ainsi contribuer à changer le monde autour de nous. Merci, Margaret, pour cette œuvre hautement inspirante.

Colin Cameron, MDCM, FRCPC
Directeur des services cliniques
Unité de traitement en milieu fermé du
Programme de psychiatrie judiciaire intégrée
Services de santé Royal Ottawa
Brockville (Ontario)

L'importance du message de Margaret
par Dʳ Paul Grof

Les êtres humains souffrent de diverses formes de dépression et de manie depuis des siècles, mais c'est seulement au cours des quatre dernières décennies que les connaissances sur le cerveau et la maladie bipolaire ont progressé de façon exponentielle. Il y avait tant de choses à comprendre : le cerveau humain est un organe très complexe dans lequel se déroulent en parallèle quantité de processus – neurochimiques, hormonaux, métaboliques, génétiques, électriques et énergétiques –, à la fois chez les personnes en santé et celles atteintes de maladie bipolaire.

Qu'est-ce qui ne va pas ? Jusqu'à maintenant, les neuroscientifiques ont abondamment étudié les changements neurochimiques que subissent, par exemple, les neurotransmetteurs (auxquels Margaret fait référence) au cours de phases maniaques ou dépressives. Toutefois, la source d'une perturbation de l'humeur peut également comprendre des facteurs génétiques, des expériences difficiles vécues dans l'enfance, des traumatismes psychologiques comme un deuil douloureux ou, encore, l'abus d'alcool ou de drogues.

Bien que de nombreuses données désignent le cerveau comme principal coupable, tout le corps souffre lorsqu'une personne est en dépression ou atteinte de manie. Dans le cas d'une personne profondément déprimée comme l'a été Margaret à plusieurs occasions, tout son être en est transformé, pas seulement son esprit. Les habitudes alimentaires changent et la nutrition en souffre, une pauvre hydratation entraîne un déséquilibre des électrolytes dans le corps, et la personne commence à avoir l'air plus vieille et épuisée.

Des éléments importants d'une aide efficace comprennent un bon diagnostic, un traitement approprié, l'acceptation de la situation et un solide réseau de soutien.

L'étiquette de « bipolaire ». Pour identifier correctement la maladie, le médecin doit prendre le temps de bien connaître le patient. Il doit notamment avoir connaissance des divers épisodes de dépression et crises de manie, de tout autre symptôme psychiatrique ou médical, du développement dans l'enfance, de l'évolution des problèmes au fil du temps et des antécédents familiaux. Plus on comprend la situation du patient, plus on peut l'aider. Ce n'est pas une mince tâche, dans un système de santé où il faut toujours aller plus vite et où règnent les listes d'attente, mais le processus est essentiel. Malheureusement, le bon diagnostic est trop souvent établi dans un délai inacceptable.

Pour être véritablement utile, le diagnostic doit tenir compte de divers types de trouble bipolaire. Chacun présente un profil clinique différent et correspond à une stratégie de traitement distincte. Les éléments pertinents du profil sont les mêmes que ceux d'un diagnostic global énumérés ci-dessus, en particulier les symptômes, l'évolution de la maladie et les antécédents familiaux. Chaque type de maladie bipolaire peut être identifié à l'aide d'une évaluation exhaustive. Les différents types semblent très répandus : j'ai observé les mêmes caractéristiques en examinant des centaines de patients dans sept pays en dehors de l'Amérique du Nord.

L'action des médicaments. Un traitement efficace du trouble bipolaire doit porter à la fois sur l'esprit et le corps, et la régulation de l'humeur peut être positivement influencée de bien des manières. Le choix du stabilisateur de l'humeur principal est primordial : il doit être adapté au profil clinique spécifique du patient, sinon celui-ci se retrouvera avec un cocktail de médicaments (ce qu'on appelle la polypharmacie). À chaque type de trouble bipolaire correspondent un stabilisateur de l'humeur principal efficace et des façons de traiter l'humeur dépressive. Ainsi, dans le cas d'un profil clinique précis, le lithium donne de bons résultats. Pour certains patients donc, le lithium représente la meilleure solution, alors que pour d'autres, comme Margaret, les neuroleptiques (olanzapine, rispéridone et quétiapine) conviennent mieux ; ou encore, les patients doivent prendre de la lamotrigine.

Lorsqu'on prescrit des psychotropes, la réaction souhaitée dépend aussi de l'état de santé général de la personne et de ses fonctions métaboliques. Sinon il est possible que les médicaments n'agissent pas efficacement. Aux médicaments peuvent être ajoutés des suppléments d'hormones, de vitamines, d'acides aminés et d'acides gras oméga-3. Ces suppléments ont un rôle crucial dans des situations comme celle de Margaret, quand la dépression est grave et que le fonctionnement du métabolisme est compromis.

Des explications. Quelle que soit l'efficacité du traitement choisi, il ne fonctionnera que si le patient suit les conseils donnés et s'engage à respecter à long terme le traitement prescrit – ce que Margaret fait bien comprendre. Par conséquent, il importe de donner aux personnes souffrant de maladie bipolaire suffisamment d'explications quant à l'origine de la maladie et à la façon dont le traitement peut les aider. La compréhension facilite l'acceptation de la maladie.

Comme la plupart des systèmes complexes, le cerveau maintient son équilibre en faisant varier considérablement ses niveaux d'activité. Chez une personne souffrant de trouble bipolaire, les variations ne sont pas au point et sont parfois excessives. Dans des cas de stimulation biologique anormale, l'esprit ne peut pas fonctionner normalement et la personne commence à manifester des .humeurs anormales et à avoir des pensées irrationnelles. Une intervention efficace aide à ramener la stimulation à un niveau normal et à l'y maintenir. Dans un système complexe, les changements souhaités s'obtiennent de différentes façons et à l'aide de divers mécanismes.

Après avoir étudié et traité les troubles bipolaires durant quelques décennies, mes collègues et moi avons pu constater que, comme la plupart des systèmes complexes, le cerveau humain a heureusement la formidable capacité de s'autoréguler, pourvu que les conditions soient favorables. Dans des circonstances propices, les patients soignent en fait euxmêmes leur dépression ou manie. De ce point de vue, mon rôle consiste à éviter que le patient se fasse du tort et à contribuer à la création de bonnes conditions pour qu'il se soigne. Le traitement doit être adapté à la situation de chaque individu. Ainsi, pour favoriser leur guérison, les patients peuvent avoir recours, en plus des possibilités déjà mentionnées, à l'exercice physique, à des approches non traditionnelles et à un soutien psychologique visant à réduire le stress extrême, à libérer les émotions réprimées et à s'assurer de la compréhension du patient.

À la lecture du livre de Margaret, le message central à retenir est celui-ci : pour soigner la maladie bipolaire, il est impératif que le patient reconnaisse et accepte la maladie, demande de l'aide et suive les bons conseils. Ce message très opportun prend un caractère prophétique. La recherche du Dr Anne Duffy et d'autres (voir, par exemple, le numéro d'août 2010 de la *Revue canadienne de psychiatrie*) semble indiquer que, pour des raisons qui ne sont pas claires, les jeunes générations manifestent des signes de la maladie bipolaire plus tôt que leurs parents et grands-parents, et qu'elles en souffrent davantage. Les personnes atteintes ont cependant de la difficulté à accepter leur condition et les traitements disponibles, mais il est capital qu'elles tiennent compte des paroles de Margaret.

Paul Grof, MD, PhD, FRCP
Mood Disorders Center of Ottawa
et Département de psychiatrie,
Université de Toronto

Les troubles de l'humeur psychiatriques périnataux

par Dr Shaila Misri

En 1858, le médecin français Louis-Victor Marcé publiait un *Traité de la folie des femmes enceintes* portant sur les troubles psychiatriques observés pendant la grossesse et après l'accouchement. Plus de cent cinquante ans plus tard, les médecins comprennent encore mal le phénomène de la maladie mentale liée à la période périnatale – un temps heureux pour la plupart des femmes. L'apparition soudaine de troubles de l'humeur a un effet dévastateur sur la mère, son nouveau-né et la famille.

Les troubles psychiatriques périnataux se présentent sous trois formes : le syndrome du troisième jour – aussi appelé baby-blues ou blues post-partum – (dans près de 70 % des cas), la dépression post-partum (dans environ 12 % des cas) et la psychose post-partum (1 ou 2 cas sur 1000). Passager, le baby-blues atteint son point culminant le troisième ou le cinquième jour et disparaît habituellement sans traitement. La dépression post-partum se caractérise par une indifférence vis-à-vis du bébé, de l'insomnie, un appétit perturbé, une motivation faible, la difficulté à prendre des décisions, des crises de larmes, un sentiment de ne pas être à la hauteur et, enfin, une *absence de joie*. Ces symptômes sont fréquemment associés à de l'anxiété, de modérée à grave, qui se manifeste par des crises de panique, des inquiétudes constantes ou des comportements obsessionnels compulsifs. Si ces états ne sont pas identifiés et traités, une mère peut devenir dysfonctionnelle, paralysée ;

elle peut éprouver des symptômes chroniques récurrents qui ont des effets négatifs sur le développement du lien affectif entre mère et enfant. Une dépression non traitée peut également mener à des idées suicidaires.

La morbidité et le taux de mortalité associés à la psychose post-partum sont extrêmement élevés. Aujourd'hui, on estime que cette maladie est liée de près au trouble bipolaire de type I, ou en être une variante. De 40 à 60 % des femmes qui connaissent un premier épisode psychotique au cours de la période du post-partum en auront d'autres non liés à un accouchement et répondront à un moment donné aux critères de diagnostic du trouble bipolaire. Chez environ 50 % des femmes ayant des antécédents de maladie bipolaire, la grossesse entraîne une aggravation de la maladie. En général, la grossesse ne protège pas les femmes contre l'apparition de maladies mentales. Il faut donc bien surveiller l'évolution de la maladie à chaque trimestre de la grossesse. La psychose post-partum se déclare soudainement et de façon dramatique, avec une intensification rapide de symptômes qui choquent et perturbent la famille. Les symptômes d'un épisode hypomaniaque comprennent l'exaltation, une élocution rapide, l'hyperactivité, l'hypersexualité, une propension à faire de folles dépenses, l'insomnie, le manque de jugement, une grande irritabilité et une humeur changeante. Si la mère a des hallucinations ou s'imagine faisant du mal à son enfant, il faut intervenir immédiatement, car il y a risque d'infanticide (de 2 à 4 %). Une telle situation constitue une urgence médicale qui exige l'hospitalisation.

Idéalement, le traitement d'une maladie mentale périnatale demande une approche biopsychosociale. Sur le plan biologique, le traitement comprend des médicaments et l'électroconvulsivothérapie (ECT); sur le plan psychologique, on a recours à des psychothérapies; quant à l'aspect social, la manière d'intervenir englobe le soutien familial, une prise en main de soi et de bonnes habitudes de vie comme une saine alimentation et des exercices réguliers.

Le recours à la pharmacothérapie pendant la grossesse et l'allaitement représente un dilemme pour la patiente et le médecin traitant en raison de la nature contradictoire des recherches actuelles concernant son innocuité. Il a cependant été démontré que souffrir d'une maladie mentale non traitée a des effets néfastes sur la mère, le fœtus et le nouveau-né, des effets qui, dans le cas de l'enfant, peuvent persister jusqu'à l'âge adulte. Il s'agit donc de bien peser les risques associés aux médicaments par rapport aux conséquences possibles de la maladie. Ne pas traiter ces femmes qui souffrent n'est pas une option !

Dans le cas des blues post-partum, du soutien et du réconfort suffisent habituellement pour soulager les symptômes. Pour une dépression post-partum mineure, la psychothérapie est efficace, surtout la psychothérapie cognitive. Toutefois, pour une dépression de modérée à grave, il est recommandé d'utiliser à la fois la pharmacothérapie et la psychothérapie. À part la paroxétine, les antidépresseurs ne semblent pas présenter de danger pendant la grossesse. Les mères peuvent continuer d'allaiter lorsqu'elles prennent des antidépresseurs, car seule une infime quantité de médicament se retrouve dans le lait maternel. De tels médicaments n'ont aucun effet négatif sur l'intelligence, les facultés cognitives ou le développement de l'enfant, ni à moyen ni à long terme.

Selon les symptômes observés, des antipsychotiques atypiques, des stabilisateurs de l'humeur, des hypnotiques ou de la benzodiazépine sont recommandés pour calmer une agitation extrême chez les femmes en phase aiguë d'hypomanie ou psychose. Les antipsychotiques typiques comme l'halopéridol passent dans le placenta dans des proportions plus élevées que certains antipsychotiques atypiques plus récents, comme la quétiapine. La décision d'allaiter tout en prenant ces composés doit être évaluée cas par cas. C'est la gravité de la maladie qui oriente l'analyse des risques encourus et des bienfaits de la médication chez les femmes enceintes ou qui allaitent.

La dépression qui suit un épisode hypomaniaque devrait être traitée avec un antidépresseur et un stabilisateur de l'humeur. Étant donné qu'après la naissance de l'enfant la maladie réapparaît dans 90 % des cas, l'administration de stabilisateurs de l'humeur de manière préventive peut éviter les rechutes chez la majorité des femmes. Cependant, certains stabilisateurs, tels que l'acide valproïque et la carbamazépine, sont tératogènes et peuvent provoquer des malformations congénitales chez le nouveau-né – le risque étant évalué à environ 10 % et 5 % respectivement. Dans la mesure du possible, il importe donc de planifier une grossesse pour éviter la prise de ces médicaments au cours du premier trimestre. Si une femme devient enceinte alors qu'elle les prend, il est recommandé de procéder au triple test et à l'amniocentèse. Selon l'American Academy of Pediatrics, une femme prenant de l'acide valproïque ou de la carbamazépine peut allaiter sans danger. Bien que le lithium soit considéré comme un médicament sûr pendant la grossesse, on suggère le recours à une échographie cardiaque en vue de déceler une anomalie d'Ebstein (une malformation du cœur qui, chez les fœtus exposés au médicament, se rencontre dans 1 cas sur 1000). D'après la recherche actuelle, la prise de lamotrigine pendant la grossesse ne semble pas associée à un bec-de-lièvre ou à une fissure palatine chez les fœtus. La lamotrigine et le lithium passent dans le lait maternel dans une proportion plus élevée que d'autres psychotropes, et la décision d'allaiter lorsqu'on prend ces médicaments ne devrait être prise qu'après en avoir discuté en profondeur avec le médecin traitant.

Malgré les problèmes de santé mentale qui affligent de nombreuses femmes pendant la période périnatale, les professionnels de la santé sont réticents à poser un diagnostic et à prescrire un traitement dans leur cas. Cela crée de nouveaux obstacles et expose les femmes aux préjugés. Obtenir de l'aide représente alors un réel défi, car elles se sentent marginalisées et seules. En écrivant cet ouvrage sur son combat acharné contre le trouble bipolaire, Margaret Trudeau livre un message de courage et de détermination à lutter contre les pièges de la maladie mentale.

Shaila Misri, MD, FRCPC
Professeure de clinique en psychiatrie
et en obstétrique-gynécologie
Université de la Colombie-Britannique
Directrice médicale
Reproductive Mental Health Program
St. Paul's Hospital et BC Women's Hospital

Index

Crédits photographiques

Toutes les photographies ont été gracieusement fournies par l'auteure, sauf les suivantes :

5. La Presse Canadienne
7. Collection Margaret Trudeau ; photo : Fred Schiffer
8. © Bettmann/CORBIS
9. © Bettmann/CORBIS
10. Brian Kent/*Vancouver Sun*
11. La Presse Canadienne/Peter Bregg
12. John Evans, Ottawa
14. Peter Bregg
15. Collection Margaret Trudeau ; photo : Gordon Counsell
19. La Presse Canadienne/Peter Bregg
20. Archives Bregg
21. Peter Bregg
22. Rod MacIvor/Ottawa
28. Glenn Baglo/*Vancouver Sun*
29. Glenn Baglo/*Vancouver Sun*
30. John Evans, Ottawa
32. La Presse Canadienne/Fred Chartrand
33. La Presse Canadienne/UPI
35. La Presse Canadienne
36. Rod MacIvor/Ottawa
37. AP/Wide World Photos
38. Archives Bregg
39. Rod MacIvor/Ottawa
40. Bill Brennan/*Ottawa Citizen*. Reproduction autorisée.
42. Rod MacIvor/Ottawa
43. La Presse Canadienne/Felice Quinto
44. © Bettmann/CORBIS
46. © Bettmann/CORBIS ; photo : Jerry Soloway
51. Photo reproduite avec l'aimable autorisation de Sherman Hines

59. Photo par Boris SPREMO, C.M. ©
60. Photo par Boris SPREMO, C.M. ©
67. Photo par Boris SPREMO, C.M. ©
74. John Curtin et Paul Carvalho
77. Peter Bregg
78. Peter Bregg
83. Randy Cole
84. Rod MacIvor/Ottawa
85. *Calgary Herald*–Dean Bicknell/La Presse Canadienne
86. Bryan Adams
87. La Presse Canadienne/Adrian Wyld
88. Peter Bregg
89. © Heidi Hollinger
90. Peter Bregg
91. Peter Bregg
92. Photo reproduite avec l'aimable autorisation du magazine *Hello! Canada*
93. Brian Powell Photography
95. Peter Bregg
96. Peter Bregg
98. Frank H. Scheme

Table des matières

Achevé d'imprimer en octobre 2010
sur papier Enviro, 100 % postconsommation
par Transcontinental Gagné